CB019469

Tempo morto e outros tempos

Tempo morto e outros tempos

Trechos de um diário de
adolescência e primeira mocidade
1915-1930

Gilberto Freyre

2ª edição revista

Apresentação de Maria Lúcia Garcia Pallares-Burke
Biobibliografia de Edson Nery da Fonseca

São Paulo
2006

2ª edição, 2006, Global Editora

Diretor Editorial
Jefferson L. Alves

Editor Assistente
Gustavo Henrique Tuna

Gerente de Produção
Flávio Samuel

Assistente Editorial
Ana Cristina Teixeira

Iconografia
Fundação Gilberto Freyre

Revisão
Maria Estela Alcântara
Saulo Krieger

Projeto Gráfico
Reverson R. Diniz

Capa
Victor Burton

Editoração Eletrônica
Reverson R. Diniz
Eduardo Okuno (encarte colorido)

A Global Editora agradece a gentil cessão do material iconográfico pela Fundação Gilberto Freyre.

Dados Internacionais de Catalogação na Publicação (CIP)
(Câmara Brasileira do Livro, SP, Brasil)

Freyre, Gilberto, 1900-1987.
Tempo morto e outros tempos : trechos de um diário de adolescência e primeira mocidade 1915-1930 / Gilberto Freyre. – São Paulo : Global ; Recife, PE : Fundação Gilberto Freyre, 2006.

Bibliografia.
ISBN 85-260-1074-3

1. Autores brasileiros – Biografia 2. Memórias autobiográficas 3. Freyre, Gilberto, 1900-1987 I. Título.

06-0912 CDD-869.98

Índices para catálogo sistemático:

1. Autores brasileiros : Memórias : Literatura brasileira 869.98
1. Autores brasileiros : Reminiscências : Literatura brasileira 869.98

Global Editora e Distribuidora Ltda.

Rua Pirapitingüi, 111 – Liberdade
CEP 01508-020 – São Paulo – SP
Tel.: (11) 3277-7999 – Fax: (11) 3277-8141
e-mail: global@globaleditora.com.br
www.globaleditora.com.br

Nº DE CATÁLOGO: **2720**

"Que o tempo (esse suceder de momentos um atrás do outro, em perseguição) seja ou possa ser o pior inimigo do homem indica-o a linguagem – coisa muito expressiva – por meio de significativas frases como 'matar o tempo' ou vice-versa: 'o tempo se torna tão longo para mim que morro de tédio'."

Sören Kierkegaard
(*Diário íntimo,* Buenos Aires, s/d, p. 18)

"There is a history in all men's lives, figuring the nature of the times deceased."

Shakespeare
(*Henry IV,* part II)

Gilberto Freyre fotografado por Pierre Verger, 1945.
Acervo da Fundação Gilberto Freyre.

Sumário

"'Um Livro Marcante', ou uma Autobiografia à Prestação"

"É um livro marcante. No gênero nunca se fez coisa sequer semelhante em língua portuguesa. Cuidado, pois, e *urgência* na publicação."

Foram essas as palavras que Freyre escreveu à Editora José Olympio em setembro de 1974, ao devolver as provas do "diário". Entusiasmado e ansioso com a nova obra em preparo, os cuidados a que se referia era com a revisão então sendo feita e para a qual Freyre e o velho amigo José Olympio negociavam um acordo quanto aos trechos de *Tempo morto* que deveriam ou não ser cortados ou emendados.

A publicação do livro de que tanto se orgulhava vinha responder a um vago desejo que Freyre manifestara desde a juventude, quando notara o contraste entre os países católicos e protestantes. Os ingleses, em particular, foram várias vezes lembrados por Freyre como pessoas que "amam escrever diários", diferentemente de "nós latinos". O que esses faziam dentro do confessionário, os ingleses faziam nos diários, que se tornaram um rico manancial para a reconstituição histórica e psicológica de sua cultura. A publicação tardia do *Diário de Samuel Pepys*, aclamado como uma obra-prima no gênero, cujo texto do século 17 só veio a público no século 19, deve ter em muito suscitado o entusiasmo de Freyre por essa forma literária. E ele, um anglófilo convicto que "nunca se confessou a padre", admite na introdução ao seu novo livro que confiar seus segredos, dúvidas e inquietações a um diário íntimo era, na verdade, uma das marcas de sua formação anglo-saxônica. Daí o orgulho de se sentir pioneiro num país que só tinha "Pepys de meia tigela", como disse em *Casa-grande & senzala*.

A importância desse livro não reside, no entanto, nesse aspecto que Freyre quis salientar em meados dos anos 1970. Em vez de se impor como uma obra-prima do gênero diário, *Tempo morto e outros tempos* é uma obra-prima do que o crítico Stephen Greenblatt chama *self-fashioning* (autoconstrução) e um documento autobiográfico extremamente valioso para se observar um homem maduro revivendo sua juventude. Uma obra, como o próprio Freyre sugeriu, muito semelhante a um de seus textos favoritos, *The private papers of Henry Ryecroft* , de outro inglês, George Gissing (1857-1903); um texto claramente autobiográfico escrito em forma de diário e que foi tomado como história autêntica por vários leitores na época de sua publicação em 1902. Uma espécie de "ensaio-memória" de Gissing, ou mesmo "uma tentativa de sua transformação em personagem de ficção", como o descreveu Freyre num manuscrito inédito e não datado que se encontra em seus papéis.

Leitor aficcionado do que é chamado *ego-documents* (tudo o que for escrito na primeira pessoa, incluindo cartas, diários, autobiografias, memórias etc.) Freyre é também bem conhecido como um autor que falava muito, talvez obsessivamente, de si mesmo e que, como tantas outras figuras ilustres, esteve muito envolvido, ao longo de uma longa vida, na sua auto-apresentação. Lafcadio Hearn, William Butler Yeats e Thomas Hardy, por exemplo, escritores pelos quais Freyre tinha especial admiração, haviam sido muito bem-sucedidos nesse empenho. O último, acreditando que um texto biográfico seria considerado mais autêntico do que um ego-documento, chegou ao extremo de preparar uma autobiografia disfarçada em biografia tentando produzir e controlar a imagem que a posteridade teria dele. Conforme confessou a um visitante indiscreto, "cada dia eu moldo minhas memórias como se fosse minha esposa, na verdade, que as estivesse escrevendo... Minha idéia, evidentemente, é fazer que esse trabalho seja publicado após minha morte como se fosse uma biografia minha escrita por minha mulher." A biografia apareceu em dois volumes, em 1928 e 1930, conforme o planejado; e não fosse a indiscrição do visitante, o segredo biográfico de Hardy teria provavelmente se mantido. Se é verdade, como alguns estudiosos sugeriram, que a biografia de Freyre publicada em 1945 por seu primo Diogo de Mello Meneses foi um trabalho de colaboração em que o herói do livro teve um papel dominante, então é provável que Freyre tenha se inspirado na estratégia do romancista inglês.

De todo um vasto e rico material autobiográfico que Freyre deixou – que inclui notas biográficas a serem acrescentadas às várias edições de sua obra, rascunhos de autobiografia, inúmeras passagens de reminiscências esparsas em profusão em seus livros, artigos, resenhas e prefácios etc. – *Tempo morto* se destaca como sendo o mais longo, o mais famoso e talvez o mais sedutor de todos. Escritor de imenso talento, Freyre se esmerou em produzir a imagem que ele queria que os leitores tivessem dele. Quando o texto apareceu em 1975, ele o apresentou como um "diário de adolescência e de primeira mocidade", parte do qual fora "devorada pelo cupim" e o que restou datilografado por volta de 1960 e publicado quinze anos mais tarde "com um mínimo de revisão" e "simplesmente com um ou outro acréscimo para esclarecer obscuridades".

A despeito dessas declarações, fica claro que o texto foi escrito e reescrito ao longo dos anos, houvesse ou não um núcleo original de entradas feitas na própria época dos eventos que descreve. Quando se comparam alguns fatos ali narrados com o que outros documentos comprovadamente da época revelam, o caráter memorialístico de *Tempo morto* fica evidente.[1] Idealizadas pela nostalgia, muitas passagens de sua juventude ali descritas dizem muito mais sobre um Freyre maduro e famoso do que sobre a vida entre 1918 e 1930, o período a que supostamente se estava referindo. Confusões de datas, referência a um curso que teria seguido "do Professor Sir Alfred Zimmern... baronete e portanto nobre britânico", quando, na verdade, o pacifista inglês – que só receberia o título de

[1] Sobre o caráter memorialístico de *Tempo morto*, ver; M. L. G. Pallares-Burke, *Gilberto Freyre, um vitoriano dos trópicos*, Unesp, 2005; J. Needell, "Race, gender and modernity", *American Historical Review*, vol. 100, nº1, 1995.

Sir anos mais tarde – só deu uma única aula em Columbia University no período em que Freyre ali esteve, são algumas de muitas evidências de ser *Tempo morto* um livro de memórias sob a forma de diário. Um dos casos mais flagrantes que se pode apontar é o que diz respeito à séria tentativa que Freyre fez, quando retornou ao Brasil em 1923, de não se radicar no Recife, mas sim tentar sua sorte em São Paulo. Quando editou seu diário-memória de juventude para publicá-lo 52 anos depois, a auto-imagem criada pelo autor de *Casa-grande & senzala* ao longo dos anos impunha que se acentuasse sua permanente relutância em radicar-se fora de Pernambuco, de que fazia tempo se tornara verdadeiro arauto. De todo modo, em 1948, mais de vinte anos após grande parte do período de que trata *Tempo morto*, Freyre não deixa dúvidas sobre o fato de seu diário ser, efetivamente, uma "autobiografia à prestação" (para lembrar uma de suas muitas expressões originais), quando escreve a seu amigo José Lins do Rego dizendo: "tenho acrescentado várias coisas ao diário sobre V. Está ficando um livro." Como bem advertiu o psicanalista Erik Erikson, à medida que envelhecemos, todos nós, conscientemente ou não, reinterpretamos nossa própria vida e nossa memória de eventos significativos vai mudando ao longo do tempo. Assim, é como se todo esforço de reviver o tempo perdido produzisse inevitavelmente "ficções da memória", para usar a feliz expressão que Alberto da Costa e Silva usou como subtítulo às suas memórias da infância, *Espelho do príncipe*. É por reconhecer também o caráter fictício de toda reminiscência que Gabriel García Márquez iniciou sua autobiografia dizendo que "la vida no es la que uno vivió, sino la que uno recuerda y cómo la recuerda para contarla."

Finalizando, é importante insistir que, se é verdade que *Tempo morto* não pode ser lido literalmente como a narrativa da vida do Freyre em formação e como revelador da auto-imagem que o jovem aprendiz tinha de si mesmo entre 1918 e 1930, o "diário" não deve ser, de modo algum, descartado como um texto irrelevante. Além de se impor como uma obra-prima de auto-apresentação e de dramatização da juventude de Freyre, ele muito nos diz sobre sua personalidade e, desde que cuidadosamente cotejado com outros documentos autobiográficos e biográficos, é obra que muito pode ajudar na difícil tarefa de reconstruir e interpretar sua vida.

Ao receber um exemplar de *Tempo morto* em 1976, o amigo e admirador José Guilherme Merquior, encantado com o texto, insiste que era chegada, para Freyre, a "hora da autobiografia" e que, a partir daquele momento, ele "só deveria *se* contar", já que, afinal de contas, como diz, "contar-se foi sempre um dos seus fortes mais fortes". Aguardava o "segundo volume" desse livro essencial "com água na boca", conclui.

Freyre não viveu o suficiente para publicar esse ansiado volume, mas um dos manuscritos preciosos que deixou entre seus papéis era exatamente a continuação de *Tempo morto*. Dando-lhe o título "De menino a homem", Freyre o descreveu como "atualização de um diário" e "nova edição aumentada do livro do mesmo autor intitulado *Tempo morto e outros tempos*"; e também, significativamente, qualificou a ambos os textos de "memorialismo". É de imaginar que, se esse volume tivesse sido publicado, Freyre assumiria publicamente o caráter memorialístico de seus "diários", o fato de serem "autobiografias à prestação", e na linha dos hibridismos que tanto valorizava, faria a defesa aberta de um gênero híbrido: diário em forma e autobiografia em conteúdo.

MARIA LÚCIA GARCIA PALLARES-BURKE
estudou e lecionou na Universidade de São Paulo,
onde obteve os graus de mestre, doutor e livre docência,
e atualmente vive em Cambridge, Inglaterra, onde é pesquisadora associada do Centre of Latin American Studies
da Universidade de Cambridge. É autora de vários livros,
dentre eles *Nísia Floresta, O carapuceiro e outros ensaios de tradução cultural* (Hucitec, 1996), *As muitas faces da História – nove entrevistas* (Unesp, 2000) e
Gilberto Freyre – Um vitoriano dos trópicos
(Unesp, 2005).

Prefácio do autor

Tempo morto e outros tempos é um diário de adolescência e de primeira mocidade (1915-1930) que só agora se publica – iniciativa de um amigo do autor, Renato Campos. Publica-se de modo extremamente incompleto: faltando-lhe numerosos registros. Registros de acontecimentos e de experiências, para o autor, importantes. Importantes para o que foi sua adolescência, para o que constitui a sua primeira mocidade e para a projeção, dessas duas fases decisivas de sua vida, sobre as que a elas se vêm seguindo.

É uma projeção, essa, não de todo passiva: guardado pelo autor um tanto do ânimo de aventura dos seus dias de adolescente e de muito jovem e do gosto de experimentação que foi, então, muito seu. Ainda hoje, há vezes em que amanhece e, até, nasce de novo, dentro das próprias tardes e mesmo das noites mais longas da sua vida de agora, com o ânimo de adolescente, assim guardado, reverdecendo com o verde de que falava o grande alemão.

Sucede que das notas em que foram sendo registradas, pelo autor, reações íntimas, pessoais, secretas, até àqueles acontecimentos e àquelas experiências, perdeu-se boa parte, devorada pelo cupim. Deixadas em velho baú, juntamente com cartas e com outros papéis pessoais, aí permaneceram alguns anos, após a chamada "Revolução de 30". Até que, aberto um dia o baú, só alguns dos papéis que ele guardava se apresentaram em estado de ser lidos e copiados, isto é, datilografados, como foram, com um mínimo de revisão pelo autor: respeitadas, em simples apontamentos, alguns quase em sinais taquigráficos, palavras de adolescente de 15 e de jovem de 20 anos. Feito um ou outro acréscimo para esclarecer obscuridades. Conservadas repetições. Respeitadas espontaneidades um tanto desordenadas.

Do título – sugerido por certos registros do próprio diário em que se fala da relação do homem com o tempo – o autor é o primeiro a reconhecer a inexatidão. Haverá, afinal, de modo absoluto, tempo morto? Ou o homem é que morre, como indivíduo e ao seu próprio tempo, num transtempo, este como que imortal? Imortal como superação do tempo apenas histórico.

O que morre no tempo parece que é apenas uma parte, maior ou menor, dele e não o todo que passa de uma época a outra. Épocas que sejam mais que a existência de um homem só. De um simples indivíduo.

Mesmo assim, esse homem só é, por vezes, capaz de, pelo que fez ou criou, sobreviver, de certo modo, noutras existências e noutras épocas. O homem de uma época pode, pela arte ou pelo gênio criador de valores, transmitir parte do seu tempo a outros tempos. O que, sendo certo, daria a certos homens o poder de evitar a morte total, no mundo, quer de si próprio, quer do tempo por ele vivido. Enquanto o tempo vivido por vários outros homens poderia sobreviver, em grande parte, a cada um desses homens. Um processo dialético.

Diários, autobiografias, memórias, cartas estão entre os transmissores, alguns extremamente modestos, outros, magníficos, de um tempo a outro. Nem todos os diários são como o de Amiel ou o de Pepys. Mas até os registros de um simples colegial podem ser documento de considerável importância para a transmissão de um tempo a outro, a transmissão do que é imortal nos tempos que em parte morrem, uns mais, outros menos do que os homens. Vários são aqueles diários que, não sendo obras-primas, têm contribuído para um sempre maior conhecimento do Homem pelos homens.

Relendo o que escreveu há anos, o autor não deparou com nenhum auto-elogio ostensivamente deselegante, que o escandalizasse.

Nem com excessos de complacência do introspectivo para com sua própria pessoa. O que há, no diário, de deselegante e, às vezes, ridículo é o registro de muito louvor de pessoas importantes ao adolescente inseguro e ao jovem também incerto acerca de suas aptidões e de seus rumos. Louvores por ele recolhidos com um cuidado de quem absurdamente considerasse o seu diário íntimo possível instrumento de publicidade ou de reclame de pessoa ainda obscura; e que, talvez, por morte prematura de autor tão insignificante, viesse a revelar nele características insuspeitadas até pelos seus íntimos. Inclusive talentos e saberes. A adolescência é um misto de insegurança tímida e de vaidade, por compensação, enfática.

A verdade, porém, é que o diário foi mantido durante anos como um documento estritamente íntimo, por ninguém lido ou conhecido. Espécie de substituto de um confessor católico ou um psicanalista profissional de quem o autor se socorresse em benefício de sua saúde de espírito, exposta, em período de transição tão aguda – a ante-Guerra, Guerra e pós-Grande Guerra – a tantos riscos. Foi esse um tempo cheio de contratempos. Se hoje são mais pungentes esses contratempos, naqueles dias foram mais surpreendentes, mais imprevistos, mais inesperados: vinha-se de um mundo relativamente estável. Vinha-se de "Pax Britannica" com todas as suas implicações. Inclusive as de uma imperial cultura anglo-saxônia, ao impacto da qual o autor, em grande parte educado por anglo-saxões, de tal modo se tornara sensível que, ainda adolescente, seria talvez o único brasileiro a estudar, em universidade, – substituição ao estudo da língua alemã, então proibida – o anglo-saxão, juntando esse estudo ao lastro latino e um pouco grego da sua cultura e do seu verbo. Foi um estudo, esse, que, como o do grego, lhe terá deslatinizado um pouco a formação, projetando-se sobre o que viria a ser, no autor, se não um estilo, um modo de escrever, além de uma maneira de ser. Inclusive fazendo-o – mais anglicana do que catolicamente e menos latinamente que anglo-saxoniamente – confiar alguns dos seus segredos, várias das suas dúvidas, umas tantas inquietações, a um diário íntimo e durante anos secreto. Pois nunca se confessou a padre.

São várias as omissões no diário que é agora publicado: dezenas de anos depois de escrito. Na verdade, não se trata da publicação de um diário na íntegra, com relação ao período que nele se reflete; e sim, repita-se, de fragmentos desse diário – tantos foram os registros que se perderam. Além do quê, nem todas as experiências do autor como adolescente e como indivíduo ainda muito jovem, confiou-as ele ao seu caderno de confissões. Não porque evitasse ser de todo sincero consigo mesmo. Mas por não se considerar com o direito de envolver, nas suas confidências assim extremas, pessoas de tal modo participantes de alguns fatos autobiográficos de caráter íntimo que, revelados esses fatos, poderiam sugerir identidades, mesmo sem serem anotados nomes ou iniciais de pessoas. Vários, porém, os casos em que pareceu ao autor poder conservar registros de fatos assim íntimos, e iniciais e até nomes de pessoas, sem prejuízo para participantes ainda vivos ou conhecidos atualmente nos seus meios.

Um diário não é só o registro de sucessivos encontros – ou desencontros – de um indivíduo, alongado em pessoa, consigo mesmo. Envolve outros indivíduos. Outras pessoas. Instituições. Conflitos de indivíduo – ou de pessoa – com grupos, convenções, tendências do seu tempo e do seu meio sociais. Revoltas. Resistências a esse tempo e esse meio. Quixotismos. E também pancismos: acomodações, transigências, subordinações.

De onde nem sempre os seus registros serem de todo expressões de um indivíduo que se pudesse exibir, além de se sentir, como um soberano – o soberano que desejaria ser – com relação ao seu meio e ao seu tempo. À sua família. A outras instituições. A outras convenções.

Ninguém até hoje, por mais Santo Agostinho ou por mais Da Vinci ou por mais Cervantes ou por mais Tolstói, ou vindo até dias recentes, por mais Picasso – grandes individualistas – foi um soberano absoluto em relação com o seu tempo e com o seu meio. Dom Quixote acabou morrendo como um Sancho, transigindo com a mesquinharia dos sobrinhos Nenhum diário até hoje publicado – sobretudo tratando-se de indivíduos ou pessoas de menor porte – se apresenta como expressão completa de uma vontade individual ou de uma independência pessoal, que, nos conflitos com as forças coletivas, dominantes, no seu tempo e no seu meio, emergisse deles de todo triunfante, nos seus desacordos.

Do título para a publicação do diário – voltando a este ponto – talvez deva o autor sugerir que, inspirado em alguns dos seus próprios e remotos registros, não é de todo nem arbitrário nem literário.

O freudismo como que o justifica; e de um freudismo apenas sugestivo o autor continua adepto. Adepto de um como que pós-freudismo ou transfreudismo como, aliás, de um pós-marxismo ou transmarxismo.

Por esse pós-freudismo ou transfreudismo compreende-se que todo homem, ao voltar-se para o tempo vivido, procure rejeitar parte dele: matá-lo, até. Eliminá-lo da sua memória viva. Ou considerá-lo morto. O que nem sempre consegue. Toda memória de homem parece reter, a contragosto, recordações que esse homem vivo preferiria que não o acompanhassem. Preferiria que se conservassem mortas constituindo, com outras recordações semelhantes, uma espécie de tempo verdadeiramente morto. E como tal, inatuante. Pelo menos em confronto com os tempos vivos e com as memórias atuantes.

Algumas dessas, saudades: "gosto amargo... delicioso pungir de acerbo espinho", como as definiu o poeta. Um poeta português. Especialista, portanto, no assunto "saudade" embora deficiente em aventuras de introspecção mais profunda: forte, de místicos, de dramaturgos e de ensaístas espanhóis ou nórdicos mas não de poetas nem de escritores portugueses ou brasileiros de qualquer gênero. Dos espanhóis se observe que, sem se revelarem em diários, vêm se revelando nuns como equivalentes de diários como é o caso das próprias reflexões de Gracián; e de certas projeções de Cervantes – sempre tão autobiográficas, característico de resto bem espanhol nas aventuras imaginárias que apresenta em forma novelesca em sua obra-prima: exageros de experiências vividas pelo autor – o Quixote e o Sancho como contradições que se completam.

Contradição e complementação tão do diálogo que se estabelece entre o autor de um diário e o próprio diário. Entre o autor de um diário e o Tempo.

Cabe aqui referência a um moderno escritor francês em quem vim a descobrir afinidade profunda com o meu modo de considerar o tempo. Com o meu modo de procurar captar momentos vividos. Esse francês é Valéry Larbaud. O pouco conhecido Válery Larbaud.

É um dos escritores franceses cuja personalidade e cuja obra mais me seduzem. Creio que não sou o único a ter desses entusiasmos por escritores ou por artistas de pouca repercussão – dentre escritores ingleses do século XIX, o autor de um dos mais sugestivos diários já publicados na língua inglesa. Ou por um Vermeer, dentre pintores já antigos. Por um Valéry Larbaud, dentre modernos escritores.

Talvez se deva enxergar nesses entusiasmos algum esnobismo. Mas é possível que eles sejam expressão de uma coragem cada dia mais rara: a de admirar num indivíduo valores que nem sempre são os consagrados pelas academias, por um lado, e pelo grande público, por outro lado. Individualismo do chamado ibérico ou hispânico. Personalismo do que chega a ser anárquico no bom sentido da palavra.

Porque tenho esse particularíssimo interesse por Valéry Larbaud (como lamento não o ter conhecido pessoalmente!), é que li, não faz muito tempo, com o maior encanto, o artigo que apareceu a seu respeito num jornal de Lisboa, e que é assinado por Manuel Poppe. Intitula-se o pequeno e admirável ensaio – o primeiro de uma série – "Valéry Larbaud e a ficção em prosa portuguesa – Uma poesia da memória".

O crítico primeiro destaca, dentre as produções discretamente revolucionárias da literatura moderna, deixadas por Valéry Larbaud – a quem se deve, aliás, o esforço extraordinário de ter traduzido para a língua francesa o *Ulysses* de Joyce – o Enfantines. E de Enfantines não salienta apenas o "confessionalismo psicológico" – tão de alguns outros escritores desde Montaigne – e sim esta quase originalidade de escritor francês que o aparenta de portugueses: "uma nostalgia, uma saudade... uma poesia de memória... que particulariza a visão psicológica do autor, jamais lhe roubando objetividade..."

Essa poesia, segundo Poppe, Larbaud não a atinge deixando de ser o prosador pungentemente francês que é: atinge-a através dos caminhos muito franceses da prosa. A poesia que ele atinge é aquela sensação havida pelo artista, diante de objeto imaterial ou material, nas suas linhas fundamentais "e que pode ser alcançado através de uma forma, seja prosa ou verso, com que se identifique o artista. Seja qual for a técnica a que recorra".

Valéry Larbaud recorreu sempre à técnica da prosa; e se atinge, tantas vezes, através da prosa a poesia, não o faz valendo-se da chamada "prosa poética"; e sim descobrindo, na própria prosa, novos elementos de expressão; ou "novas combinações possíveis, geradoras de inesperados efeitos". Larbaud, sublinha o seu crítico português, "atinge a poesia sem deixar de ser um prosador"; e sempre sob um saudosismo da espécie que um arguto crítico brasileiro – Franklin de Oliveira – descobriu ser hoje, no Brasil, método – cuja invenção atribui ao autor deste prefácio – de interpretação um tanto sociológica mas sobretudo psicológica do passado-presente-futuro de um povo. Método que vem se definindo com crescente nitidez.

Também em Valéry Larbaud, memorialista, a saudade à portuguesa – atitude que ele parece ter adquirido dos portugueses, cuja língua conhecia – é uma saudade que "informa o próprio presente, uma saudade que se manifesta mesmo antes de ser tempo para haver saudade desse mesmo momento que se está a viver e que de forma alguma já se esgotou". Uma saudade sem prazo fixo. Talvez seja o diário que se segue, em alguns dos seus registros, um tanto tocado dessa espécie de saudade: a de um tempo ainda em fase de estar sendo vivido.

Contraste-se o memorialismo de Valéry Larbaud com o de Proust. Proust nos daria sempre – segundo Poppe – uma "sensação de vida intensa e claramente ressuscitada e posta em movimento". Larbaud seria menos rico, menos intenso, menos dinâmico no seu modo de recapturar o tempo morto, revivendo-o. Seu ponto de vista seria constantemente o de um "Presente Histórico": o Presente a se dissolver em Passado em vez de o Passado a se movimentar em Presente. De modo que em Larbaud a saudade "é evocação de tudo e de todos". Do passado como do presente e do futuro. Precisamente a saudade que muitas vezes se encontra na literatura portuguesa, vindo desde Bernardim Ribeiro a Eça e a Camilo, passando por Rodrigues Lobo; e freqüentemente se aliando a outro característico da gente portuguesa, que seria "o aceitamento resignado da infelicidade". E uma saudade que inclui "a saudade do instante que sabemos não poder reter". Que temos que nos contentar em evocar. Ou em registrar a sensação que nos deu, como instante logo desaparecido como instante singular; e perdido num conjunto plural de instantes.

Essa saudade talvez seja, de todas as saudades, a mais pungente. A mais "gosto amargo de infelizes" para nos lembrarmos, a propósito desse francês de algum modo aportuguesado que foi Valéry Larbaud, das já citadas palavras de portuguesíssimo analista da saudade que foi Garrett.

As notas que constituem o diário que se segue, depois de adormecidas em fundo de gaveta, foram, algumas delas, datilografadas há uns bons 15 anos; e novamente abandonadas. Voltando a interessar-se por elas, o autor tornou a viver vários dos momentos de sua vida registrados, alguns deles, em sinais quase taquigráficos; outros, com certo amor literário; todos com uma sinceridade consigo mesmo de que agora quase se orgulha.

Esses registros foram afinal relatos de conversa de um homem consigo mesmo. De um homem desdobrado em dois: ele e o seu diário. De um homem analítico e, ao mesmo tempo, com uns instantes tão antianalíticos de devaneio poético, que o diálogo parece adquirir, por vezes, aspectos quase-líricos. Há nas notas um misto de lirismo anárquico e de tentativa de organização: a de um adolescente e depois um jovem na sua primeira mocidade a buscar dar alguma ordem aos começos do seu pensar, do seu sentir, do seu viver, do seu existir. Ao seu preexistir e ao seu pós-existir – dadas suas preocupações com seu futuro e até com o futuro de sua gente, em particular, e do Homem, em geral.

Feitos os necessários descontos entre as dimensões dos personagens, como um Ezra Pound menor o autor do diário que segue poderia ter dito a si mesmo, naqueles seus dias de tanta contradição, quanto de antecipação, o mesmo que o grande – e há pouco falecido – antes autografara um postal enviado ao autor, de Rapalo – disse ao seu amigo William Butler Yeats – e por ele quase adorado Willie: "O que me incomoda em tuas idéias (ou em tua maneira de ser) é a incoerência. Tens que organizar-te..." O que já fez um crítico-biógrafo dizer, a propósito de W. B. Y., que sua suposta incoerência, sendo indefinição, seria a presença do mistério poético em suas análises do Homem, da Irlanda e de si mesmo. O plenamente definido, o exaustivamente explicado, o de todo ordenado – são triunfos que só se obtêm repelindo a indefinição poética. A qual, nos diários – quer nos grandes, quer nos menores –, se faz, quase sempre, em diálogos em que o introspectivo, conversando com o próprio diário, duvida de suas razões e da própria razão. Admite contrários. Joga com antagonismos. Torna-se por vezes dois para sempre procurar voltar a ser um. Um só. Pungentemente um e pungentemente só. Que sem alguma capacidade para a solidão, que complete, num indivíduo, a vocação oposta, para a variedade de contatos com paisagens e com pessoas, com culturas e com artes de diferentes configurações, não se escreve diário.

O material deste diário foi organizado para publicação, sob as vistas do autor, por Maria Elisa Dias Collier, depois de datilografado por Maria do Carmo Lins e, em definitivo, por Gleide Guimarães Carneiro. Revisão dos originais de Adalardo Cunha. O autor agradece essas valiosas colaborações e também o estímulo do escritor Renato Carneiro Campos, tão generoso e lúcido.

Na decifração de iniciais de pessoas referidas em registros do diário podem ocorrer equívocos da parte de leitores. Semelhanças entre tais pessoas e figuras reais podem significar puras coincidências. Um dos raros amigos que leram os originais deste diário pergunta: as referências a desvios – aliás, raros – de conduta sexual do autor não serão uma decepção para os que, lhe querendo bem ou o admirando, são intransigentemente convencionais no assunto?

Deve o autor dizer que, criança e adolescente, não teve experiências que importaram em qualquer desvio de sexo, além da raríssima, e de modo algum de sua iniciativa – fato que recorda com toda a candura –, com uma jovem, de idade então superior à sua, tendo ele seus 15 anos; e relações, quando menino, com uma vaca antes pacata que debochada. Primeira experiência do gênero. Foi criança e adolescente quase angelicamente puro. Quase casto. Normal ou convencional continuou na sua conduta sexual como estudante universitário nos Estados Unidos: em Baylor, em Columbia, nos seus contatos com Princeton, Harvard, Boston e Canadá, o sul dos Estados Unidos.

Se num dos registros do seu diário o autor se refere à evocação da figura materna, ao ter se separado dela, ainda quase menino – pode esse registro ser interpretado como fixação nessa imagem? É evidente que não. Nenhuma atitude mais normal.

Nem nessa fixação resvala o autor no registro em que descobre não ser o Pai "grande homem". Nem perfeito. Nem de gênio. Nem mesmo de talento excepcional. Implicaria em um repúdio à imagem paterna? De maneira nenhuma. Pai e filho, após alguns desentendimentos normais entre as gerações, quando uma delas – a nova – começa a tomar consciência de si mesma, terminaram amigos como que fraternos. Foram, durante longos anos, amigos, sem que se afirmassem perfeitas as afinidades entre os dois, cada um tendo sua personalidade e sendo a ela fiel, com o filho por vezes parecendo o Pai, e o Pai, o filho. Contradição de que esse não terá sido o exemplo único. Que se leia, a respeito, o depoimento do neto de Renan, Ernesto, pretendendo se opor ao pai e ao avô, quando dele, pai, começou a sentir que divergia em certos pontos. De onde opor a esse Pai, aliás querido, os antepassados. Os ancestrais. Os precursores de futuros através da fidelidade do indivíduo aparentemente participante só ao passado, mas na verdade também ao presente e ao futuro. De passado ou de certos passados suscetíveis de se formarem futuros à revelia do presente.

Recife – Santo Antônio de Apipucos – 1975

1915

Recife, 1915

Até o ano passado brinquei com bugigangas que em geral não têm graça para meninos de 14 anos. Este ano é que concordei com minha Mãe em que ela distribuísse esses meus brinquedos amados por mim com um especial e já arcaico amor. Tão especial e tão arcaico esse amor, que já vinha me tornando malvisto por tias e tios e ridicularizado por primos e vizinhos. O trem elétrico é um desses brinquedos, e outro, a caixa de blocos de madeira, com os quais construí tantas casas, tantas igrejas, tantos castelos sem ser os de areia, das fantasias vãs. Também os soldados de chumbo, desmilitarizados em simples e paisanos homens e mulheres e tornados a parte viva, humana do meu mundo – um mundo que durante anos criei e recriei à minha imagem como se sozinho, em recantos quase secretos da casa e, depois, num sótão, que se tornou quase meu domínio absoluto, eu brincasse de ser Deus. Agora esse mundo se desfez, e o meu novo mundo só conserva do velho as minhas garatujas: desenhos, versos, alguma coisa que eu desejava que fosse literatura ou arte. Ainda mais desenho do que escrita.

Não me esqueço nem do inglês, Mr. Williams, a me aconselhar a continuar desenhando como eu desenhava (isto quando eu tinha 7 ou 8 anos) nem das governantas alemãs do velho Pontual, em Boa Viagem, que me animaram a desenhar sempre, a desenhar cada vez mais. Como me mimariam nos meus brinquedos com trem elétrico e blocos de madeira, tão malvistos por outros adultos em menino já crescido: já de mais de 13 anos. Desses outros adultos o que venho ouvindo é em sentido contrário: indiretas contra meninos que não dão para as matemáticas, por exemplo. De um dos meus professores americanos no colégio ouvi um desses dias palavras quase bíblicas que (poderia ter ouvido do meu Pai): "Ai daquele que não dá para as matemáticas! Tudo depende das matemáticas". E no colégio são os alunos glorificados: os bons nas matemáticas. Eu não estou entre esses glorificados e cada dia acho menos graça nas tais matemáticas.

RECIFE, 1915

Lendo *Sexology*, de um médico especializado no assunto: o Professor William H. Walling, médico. Leitura para adolescente. Venho me controlando quanto à masturbação, cujo abuso pode prejudicar principalmente o caráter em formação de um homem. Quem tem caráter se domina. Walling diz que após os 14 anos é que o perigo se apresenta maior e que se conhecem casos de adolescentes que têm perecido por excessos de masturbação.

Outro dia ouvi no colégio A. S. dizer que se masturbava todas as noites: não resistia. Que era até higiênico. M. S. disse então que se masturbava até duas vezes por dia. Não é verdade que a masturbação leve o menino ou o adolescente à loucura, a não ser que haja muito abuso, como o do caso do estudante de Montpellier que o Dr. Walling cita. Walling diz que em geral a masturbação descontrolada causa perda de memória, indolência, declínio de inteligência.

A. S. diz que até homens se masturbam, mesmo depois de conhecerem mulher, e que pode ser higiênico o homem masturbar-se. Não encontro nada disso em *Sexology*. A. S. diz que se masturba pensando em mulheres bonitas e às vezes se excita com recortes de fotografias de revistas e que já viu postais de mulheres nuas muito bonitas; mas eram de um negociante que colecionava essas coisas. Os adolescentes devem tranqüilizar-se quanto aos "sonhos molhados". São naturais. Eu vinha me impressionando com eles. A. se ofereceu para me levar a uma mulher sua conhecida, muito reservada, por dez mil-réis. Ele acha que a masturbação leva os rapazes a doenças piores que as "mulas" e "cavalos". Mas não parece que seja assim.

RECIFE, 1915

Ouvi ontem uma conversa de meu Pai com meu Tio Tomás em que não sei qual dos dois foi mais rude com poetas sentimentais e pieguices literárias, tipo Fagundes Varela e Casimiro de Abreu. Senti-me atingido de certo modo, pois desconfio de que sou um tanto sentimental.

Senão, como se explica que eu tenha chorado como nos meus dias de menino ao ouvir uma dessas noites, sozinho, no silêncio da noite, o canto popular, em português cerrado, mas estranhamente saudoso e triste, da lapinha a caminho da queima: "A nossa lapinha já vai se queimar, até para o ano se nós vivos for"?

Como se explica que me faça chorar, findo o carnaval, o resto, também para mim triste e saudoso, de confetes, de serpentina, de papel picado, em casa e nas ruas? Os restos de perfume nas bisnagas e lança-perfumes já vazios? Isso deve ser pieguice.

Não me parece que a meu Pai tenha agradado o outro dia ver-me deliciado na leitura de velhos almanaques – os números dos primeiros anos da coleção do *Almanaque de lembranças luso-brasileiro*, que foi do meu Avô Alfredo – cheio de poesias e crônicas sentimentais e de biografias de poetas e escritores dos que ele, seco como é, parece considerar piegas. Meu Avô Alfredo deixou esses almanaques todos marcados a lápis: era charadista, diversão que não me atrai. Mas também há dele marcas a lápis em biografias, crônicas e poemas nesses almanaques, como noutros livros que são hoje de meu Pai como as *Obras completas* de Camões, de Garrett, de Frei Luís de Sousa que venho lendo com o maior interesse. Estes, recomendados por meu Pai, por serem escritos "no melhor português que se conhece". Só por isso – para ele. Meu avô era um dono de engenhos – três – e um comissário de açúcar dado a boas leituras. Meu Pai foi seu filho predileto. Que pensaria do neto?

RECIFE, 1915

Sem minha bicicleta eu me sentiria hoje um desajeitado, quase sem saber brincar com os meninos da minha idade, seus jogos (desde que quebrei um braço no campo de futebol do colégio, há dois anos, não jogo futebol), e sem ser admitido verdadeiramente nos meios dos rapazes já feitos, dos estudantes de Direito, com os quais posso conversar sobre assuntos que não servem para minhas conversas no colégio. Meu primo Mário Severo – filho do famoso Augusto Severo de Albuquerque Maranhão: o do balão – tem me levado a uma "república" de estudantes de Direito na qual ele mora, perto de uma rua de mulheres da vida. Ele, vários anos mais velho do que eu, já quase bacharel, me toma a sério, conversa comigo e me apresentou ao seu grupo como um menino já homem: menos pelo fato de ainda não conhecer completamente mulher, que eles todos consideram humilhante. Mal sabem que até há dois anos eu brincava com brinquedos de criança. Agora só se espantam de que eu já leia Nietzsche, Spencer, J. S. Mill, Augusto Comte. Às vezes me experimentam: dão-me trechos de autores ingleses e franceses para eu traduzir. E como eu traduzo tudo com facilidade e até um pouco de Latim (que venho, com grande tortura para mim, ensinando no colégio a uma classe toda de rapazes bem mais velhos do que eu) e mesmo um pouco de grego – componho em grego –, me proclamam um prodígio. Se sou prodígio, não é por essas erudições.

RECIFE, 1915

Sofro com as aulas de Latim que tenho de dar no colégio a estudantes todos mais velhos do que eu. Tenho de estudar talvez mais do que eles para não ficar de todo desacreditado como "latinista". Aliás, não tenho vocação para "latinista" nem para "helenista". Minhas composições em grego, o Professor Taylor tem de emendá-las muito. Mesmo assim, sem vocação nem para uma nem para outra dessas especialidades, prefiro o grego. É uma língua mais de acordo comigo; e parece-me mais expressivo que o latim. A flexibilidade dos seus verbos consegue efeitos de movimento, impossíveis na língua latina, e que me seduzem. Quando escrever, haverá no meu português um pouco do que aprendi de grego.

O F. P., que nos vem ensinando agora literatura francesa, mas é professor bem fraco dessa matéria – embora muito letrado em línguas e em gramática e excelente pessoa – me anima a continuar a ensinar latim a rapazes mais velhos do que eu, com o exemplo de Comte. Comte, me informa ele – e F. P. foi muito do positivismo na mocidade e há poucos anos prefaciou um livro do seu grande mestre, Martins Júnior, intitulado *Poesia científica*, de tendência positivista – por ter sido precoce, ensinou ainda menino matemática a alunos mais velhos do que ele, da Escola Politécnica de Paris. F. P. parece ter grande entusiasmo pelas minhas façanhas de menino-homem, inclusive pelo fato de ser eu o redator-chefe do jornal do colégio, *O Lábaro*. Ele é colaborador.

F. P. ficou muito contente de saber que estou lendo Comte, orientado pelo meu Pai, de quem é velho amigo. Meu Pai o considera filólogo superior a J. P. F., seu principal rival em Pernambuco. F. P. sabe a língua portuguesa de fato, em todos os seus segredos, e acha que meu Pai também a conhece profundamente, como, aliás, ao Latim. Ele acha que depois de me iniciar em Comte e na Filosofia Positiva, devo ler Taine. Ao seu ver, ninguém deve ignorar Taine, e me recomenda seus estudos sobre a literatura inglesa. Mas – diz timidamente, porque é muito tímido – "só o leias se Freyre concordar". Será minha próxima leitura. Freyre – isto é, meu Pai – concordará.

RECIFE, 1915

Saltando o muro de detrás do quintal, cauteloso como um gato, fui ao quarto de A., que vem me tentando com todos os seus encantos. Muito cuidado contra os riscos de emprenhar o diabo da mulatinha, que me tratou como se eu fosse um bebê e ela uma mestra empenhada em me ensinar *tudo* numa lição só. Desde os 14 anos que um indivíduo pode emprenhar. O medo me acompanhou o tempo todo: medo de uma variedade de perigos e não apenas desse. Cama de lona de um ranger traiçoeiro que me parecia chegar aos ouvidos de toda a gente da casa, anunciando meu pecado. Preocupação. Prazer perturbado. Desapontamento. Remorso. Sensação de ato incompleto mas mesmo assim definitivo na minha vida. Ato criador de outro eu dentro do meu eu. Lá não sou o mesmo. Já não posso abraçar e beijar minha Mãe como a abraçava e beijava. Nem a minhas irmãs. Sou outro. Curioso que a mulatinha tenha gemido como se eu a estivesse ferindo. E estava: a ela e a mim.

RECIFE, 1915

Reflexões sobre a experiência com A.: o gosto principal que ela me deixou num ainda inexperiente paladar sexual. Foi um gosto de tal modo incompleto – para quem desejava completar-se, sentindo-se senhor de um ventre de mulher – que continuei a me considerar quase virgem. Afinal, a experiência que eu desejava era a de conhecer, pelo sexo, mulher. A. me levou a outra espécie de experiência: uma experiência que eu poderia ter tido com R., por exemplo, que tanto se tem oferecido para me servir de mulher, sendo ele menino. Nunca transigi. É verdade que A. abandonou às minhas carícias um belo corpo de mulher morena: mulher bela, embora, durante nossas intimidades, eu não visse, mas apenas sentisse, com as pontas dos dedos, o gosto de sua nudez.

RECIFE, 1915

Minha Mãe pode não ser hoje para mim o que foi quando eu era criança. Ainda a considero uma mulher bonita e de um porte aristocrático. Mulher que nunca vi de chinelos nem descuidada no trajo. Mas meus olhos críticos de hoje, ao compará-la com outras mulheres, encontram defeitos no seu físico. No seu nariz, por exemplo, que é aquilino – e portanto nobre –, mas não esteticamente helênico.

Comparada em qualidades com outras mulheres e outras senhoras – o que encontro nela é uma evidente modéstia contraditoriamente ligada ao seu aspecto nobre – sua superioridade é inegável. Sabe ser boa, fazer o bem, ajudar gente pobre, sem tomar ares de caridosa profissional.

Não concebo Mãe mais Mãe do que ela. Completa de modo ideal com sua ternura o esposo às vezes seco: um seco de inglês que não quer parecer o sentimental que é muito no íntimo.

A propósito: haverá filho que tenha tanto amor pela Mãe e tanto afeto pelo Pai como a Mãe e o Pai têm por ele? Duvido. Duvido muito. O que não quer dizer que negue o que há de grande e puro no amor filial. Apenas não me parece igualar o de Mãe ou Pai pelo filho. Digo-o com a objetividade de quem, tendo experimentado o amor por mim de Mãe e Pai, sinto que não os igualo na ternura que me dispensam.

1916

Recife, 1916

Piquenique em Boa Viagem. As meninas do Velho B., minha irmã G., os L. C. com seus modos de rapazes ricos. Passeamos de bote. Um grande dia.

D., como sempre, a mais bela menina que eu já vi – meu grande amor de menino! –, agora já quase mocinha. Lembro-me do meu antigo entusiasmo por ela, nos nossos carnavais de meninos no consultório do meu Tio T. Quando eu a conheci ela tinha 8 anos (eu teria uns 10). Nos seus olhos verdes já havia o brilho de hoje. Olhos inteligentes a contrastarem com a brancura perfeita de sua pele de menina e o seu cabelo muito negro. Encantava-me e me dava uma vontade enorme de beijá-la. Um dia beijei-a num brinquedo. Ela gostou. Eu gostei. Escrevi-lhe uma carta que ela não respondeu nunca: uma carta com frases em inglês. Isso há uns tantos anos. Creio que suas atenções são todas para o C. Mas, inteligente como é, ela sabe que é muito mais inteligente que C. e que só eu a compreendo bem.

Recife, 1916

Eu estava ontem na "república" da Rua de Santo Amaro, de estudantes de Direito (Mário Severo,

Joaquim Grilo, Dioclécio Duarte). Não estava ninguém na "república"; nem mesmo o Grilo, que, sendo o filósofo do grupo, é o que mais fica em casa, lendo o tempo todo. De repente, de um sobrado próximo, uma rapariga, mulher da vida, gritou para mim, da varanda: "Dr. D. está aí?". Eu respondi que não: Dr. D. não estava. Ela então levantou o vestido e deixou bem à mostra, para que eu visse, seu sexo, todo coberto de cabelo. Cabelo pretíssimo. Deu uma gargalhada e gritou de modo canalha: "Viu?".

RECIFE, 1916

Regresso da Paraíba, para onde fui, misterioso e secreto, proferir uma conferência. Não sei se diga que foi um triunfo, porque ouvi um dos patronos da conferência, o G. S., dizer a outro: "Não creio que este menino tenha escrito o trabalho que acaba de ler. Deve ser obra do Pai". E elogiou largamente meu Pai.

A verdade é que meu Pai nem sequer soube da conferência. Repito que fui à Paraíba quase fugido de casa. Quase secretamente. Hospedei-me no sobrado dos Lemos, na Rua Direita. Toda manhã saía de toalha no ombro, com o Osvaldo Lemos, pela rua principal da cidade, a fim de tomar banho num banheiro semipúblico. De toalha no ombro e de chinelos. É um lugar pitoresco a Paraíba.

Carlos Dias Fernandes, acreditando ou não no fato de ser eu o autor da conferência, fez-me grandes elogios no jornal *A União*. Pelo menos admitiu que eu recitei bem o tal estudo que ele chamou "grave e refletido" sobre "Spencer e o problema da educação no Brasil".

RECIFE, 1916

Confesso que venho me preocupando, e muito, com o problema do homem em relação com Deus. Que venho prestando atenção às prédicas de Mr. Muirhead na hora chamada de "lições gerais" no colégio: a primeira hora dos trabalhos colegiais pela manhã. Até certos hinos que eram cantados mecanicamente, Mr. Muirhead explica e são belos, bem explicados, como é belo o livro do inglês Bunyan que ele vem nos explicando e se chama *Guia do pecador da morte para a vida*.

Grande escritor, esse Bunyan. Seu livro é uma espécie de aventuras de Dom Quixote. Só que as aventuras em vez de serem as do corpo e da inteligência de um homem fora do seu tempo, são as de uma alma presa às coisas do mundo e esquecida de Deus. Também venho lendo Tolstói. E com grande entusiasmo. Quem lê Nietzsche deve ler também Tolstói. Mário Severo me aconselha Flaubert, que ainda não li. Eça já li quase todo: é o autor mais lido pelos estudantes da "república" de Mário, que me emprestou um livro de Eça que eu não conhecia: *Prosas bárbaras*. Meu entusiasmo é pelo *Os Maias*.

RECIFE, 1916

Estou lendo *A renegada*, de Carlos Dias Fernandes. Já cheguei aos trechos que me tinham dito serem os mais crespos do livro. Mas confesso que não me arrepiaram como eu esperava que me arrepiassem.

Escândalo foi para mim, há três ou quatro anos, aquele "a minha amada é uma puta!" num Shakespeare em português, livro pertencente a meu Pai. Li e reli aquela palavra terrível sem acreditar no que lia e relia. Sentindo-me culpado de ter tido a iniciativa de ler o grande inglês em livro que talvez não devesse ser sequer aberto por menino. Com medo do efeito da palavra "puta", escrita com todas as letras em livro que eu supunha tão nobre, sobre o meu espírito.

A verdade é que há nos livros que tenho lido, em antecipação às leituras próprias à minha idade, passagens de que não compreendo bem os significados sexuais; e tem me faltado coragem de perguntar aos adultos que significados são esses.

Resultado, em grande parte, da maneira por que meu Pai e meu Tio Tomás reagiram a uma pergunta que lhes fiz quando eu tinha 8 anos; e em vez de ler somente o *Tico-Tico* lia também, indevidamente, *O Malho*. Um dia encontrei n'O *Malho*, na legenda de uma caricatura, a palavra "meretriz". Perguntei àqueles dois: "Que é meretriz?". Nenhum deles respondeu. Mas os dois – meu Pai e meu Tio Tomás riram alto, deixando-me atrapalhadíssimo.

Recife, 1916

É sempre um encanto para mim a leitura de um artigo de Assis Chateaubriand. Tem cor, movimento, flama. Alfredo de Carvalho parece-me, no que escreve, sem o ânimo do verdadeiro escritor. É um ânimo que se encontra em Oliveira Lima e sobretudo em Chateaubriand, assim como em Aníbal Fernandes – para me referir aos colaboradores do velho *Diário*.

Alfredo de Carvalho é, porém, um intelectual que domina magistralmente os assuntos históricos e literários com uma cultura que o distingue dos simples literatos desta parte do Brasil. Cultura adquirida noutros mundos. Talvez se explique por isso o fato de ser figura quase isolada entre os literatos da aldeia recifense, que não o vêem com bons olhos. Encontrei-me com ele um desses dias, no consultório do meu Tio Tomás, de quem Alfredo é primo. Está velho e pareceu-me doente, embora conserve a altivez do porte, com alguma coisa de germânico; e tem antepassado alemão, como Tio Tomás, avô italiano: o velho Saporiti que era um encanto de velho e morreu quase um Leão XIII. Quase centenário. Perguntou-me Alfredo de Carvalho com muito afeto por meu Pai, de quem é muito amigo.

Sei que está em decadência financeira e vendendo os livros. Livros preciosos. Meu Pai adquiriu dele sua mais que preciosa *Enciclopédia Britânica*, em papel da Índia. Uma maravilha.

Dizem que Alfredo de Carvalho vende os livros para poder continuar passando a queijo, fiambre e passa: luxos europeus que são indispensáveis ao seu paladar de fidalgo: Fidalgo arruinado mas fidalgo. No seu sorriso há alguma coisa de irônico e de desdenhoso que não chega, entretanto, a ser amargura. Dizem também que continua a beber demais: excesso de que não conseguiu curar-se em Londres, onde esteve numa clínica para dipsômanos. É um intelectual de alta estirpe, e por isso mesmo muito invejado pelos medíocres.

Recife, 1916

Que maior escritor que Tolstói? Mais amplo que o grande, o imenso, o nada frio nem boreal russo? Admirável Rússia que dá ao mundo um Tolstói. Admirável Tolstói que escreve um *Guerra e paz* que não precisa ser lido em língua russa para ser não apenas mais um livro lido por um indivíduo mas vida, experiência, luz, acrescentados à pobre existência do mais simples dos leitores.

Estou lendo tudo que consigo obter sobre Tolstói. É por ele que desejo me guiar. O cristianismo que compreendo é o de Cristo interpretado para o homem moderno por Tolstói. Nada de eclesiasticismo: religião viva. Cristianismo fraternal, ligando os homens acima de classes e de raças; e fazendo que a gente mais instruída vá ao povo e lhe leve a sua luz. "Vai ao povo e procura compreendê-lo", ensina Tolstói. Exatamente o contrário do que fazem esses imbecis que são quase todos os doutores, sacerdotes, mestres e bacharéis brasileiros que, mesmo quando vêm da parte mais humilde do povo, se afastam do povo. Compreende-se assim que os cristãos batistas sejam fortes na Rússia de Tolstói. Eles levam Cristo ao povo. Infelizmente são uma seita como todas as seitas, sectária. Repugnam-me os sectarismos sem que deixe de admirar os batistas.

RECIFE, 1916

Meu Pai indignado por saber que na Paraíba eu estive com Carlos Dias Fernandes. "Não é – diz-me com toda a severidade – pessoa com que V. possa ter relações. É um canalha. Um imoral. Ele próprio se considera 'uma bola de merda vagando no espaço'."

Minha impressão é que C. D. F. é um meninão um tanto irresponsável, é certo, porém não um "canalha" nem um "imoral". É um meninão desbocado a fazer-se de muito pior do que é. Tem sua amante como se fosse uma esposa. Joga sem ser jogador desbragado: com amigos. Andou metido num crime de estampilhas falsas, é verdade. Mas no ambiente da Amazônia, propício a aventuras de toda espécie. Creio que meu Pai se equivoca. Ele deveria ver no C. D. F. um seu colega em saber clássico – um latinista – a quem não falta certo senso estético no trato da língua portuguesa. Se padece do mal da eloqüência – quem no Brasil escapa a esse mal? Um ou outro raro João Ribeiro. Um ou outro raríssimo João do Rio. Euclides? Um orador e às vezes um retórico de mau gosto, embora não lhe faltem grandes páginas. Rui Barbosa: nem é bom falar. O próprio Nabuco não está isento da retórica. Machado, sim: conservou-se virgem dos excessos do mal retórico de modo espantoso.

RECIFE, 1916

Não; já não acho minha Mãe a moça supremamente bela que achava quando era menino. Continuo a achá-la bonita e a amá-la supremamente. Mas sabendo que senhoras como Dona A. B., por exemplo, são mais bonitas do que ela. É claro que eu quisera que ela fosse mais bonita do que todas as Donas A. B. O Tempo torna o menino que se faz homem terrivelmente crítico. Analista. Adolescência é análise, é crítica, é introspecção. Nem sempre pode ser sinceridade porque o adolescente, saindo do mundo da meninice para o dos adultos precisa de acomodar-se ao mundo dos adultos, que é cheio de convenções e abafos. A necessidade do adolescente, de ser sincero consigo mesmo é, porém, imensa. Pelo menos é o que venho experimentando de modo agudo.

Foi por isso que eu comecei a confessar-me a este diário, que é hoje, para mim, outro Eu. Por isso também que não me sinto particularmente atrevido para tentativas de literatura de ficção ou teatro: toda ela com seu elemento de farsa. É a verdade que eu estou empenhado em confessar-te, meu caro diário. Se não a verdade, minha busca da verdade a meu respeito e a respeito dos outros. Verdade autobiográfica, biográfica, histórica.

Também meu Pai, não o considero o mesmo que considerava, porém um tanto menor. Mas inteligente. Um humanista. E como homem, um exemplo de dignidade e altivez. Não creio que me compreende. Mas é um Pai de quem os filhos podem se orgulhar como homem de bem.

1917

RECIFE, 1917

Filósofos nos quais me posso considerar iniciado, embora de modo nenhum senhor da filosofia de qualquer deles: Sócrates, Platão, Aristóteles, Santo Agostinbo, Tomás de Aquino, Spinoza, Descartes, Hume, Hobbes, Hegel, Comte, Schopenhauer, Nietzsche, James, Bergson, Marx. Muito pouco em alguns. Mas alguma coisa em quase todos.

Tendo terminado o ano passado os estudos secundários, este ano o tenho tido livre para as minhas leituras mais sérias desde que não me é possível seguir para o estrangeiro, para meus estudos superiores. O diabo é que tenho de estudar à noite, em inglês, matemática. E de manhã, há a aula de grego.

RECIFE, 1917

Com quem posso conversar em torno de minhas leituras de filósofos e de poetas e escritores mais profundos? Com ninguém. Esta é que é a verdade. Meu Pai sabe o seu pouco de Aristóteles e é versado em Comte, além de conhecer alguma coisa de São Tomás e de Santo Agostinho. Mas é só. O mais de filosofia ele desconhece; e da literatura mais alta seus conhecimentos sólidos e sérios não vão além dos clássicos latinos e portugueses, de alguns dos quais sabe páginas e páginas de cor. O França Pereira sabe umas coisas de literatura inglesa e de literatura francesa; e com ele tenho conversado. Dos estudantes mais velhos do que eu, com nenhum posso ir muito longe em conversas sobre tais assuntos. Temos de ficar em Eça, em Vítor Hugo, em Baudelaire, em Antero, em Dickens. Esta é que é a situação.

RECIFE, 1917

Lendo Kant com toda a intensidade de atenção e toda a vontade de compreensão de que sou capaz. O problema do conhecimento me preocupa enormemente, junto com o problema do meu destino e da minha missão: mesmo que esse destino e essa missão sejam humilhar-me perante os outros ou dissolver-me nos outros. Pascal me leva a uma concepção profunda desse destino, mas me deixa sem uma sistematização de conhecimento que talvez eu adquira em Kant, já que Comte não parece me satisfazer: nem ele nem mesmo Spencer. Minhas outras leituras atuais em filosofia vêm sendo Nietzsche, Schopenhauer, Bergson, James. Estes me salvam da impressão de que sem matemática não se pesquisa a verdade: impressão que me deixaria – negação do matemático que sou – no mato: e que mato! – sem cachorro. Mas se posso dispensar a matemática, não vejo como dispensar a língua alemã. Mas como aprendê-la aqui? Com quem? Onde? Neste pobre Recife não há hoje senão inimigos do indivíduo que quer se aprofundar no seu saber. Não me venham com contos de fada sobre autodidatas. Não acredito muito em saber ou em ciência de autodidata. Talvez por isto não me entusiasme muito por Tobias. Entretanto, não estou sendo já um tanto autodidata? E preciso ter cuidado. Preciso sair daqui. Esta guerra é o diabo. Minha Mãe, Mlle. Ida e Madame Meunier têm razão quando acham que é para a Europa que eu devo ir; e não para os Estados Unidos, onde está Ulisses, que tem talento para matemático, gosta de Física, gosta de Química. Mas aqui está o meu caiporismo: a Europa está agora tão fora do alcance das minhas mãos quanto a lua. Tenho de me contentar com uma Europa refletida – como a lua – num espelhinho de bolso que trago sempre comigo.

RECIFE, 1917

Depois de algum tempo, revejo A. Sempre sereia, com uma voz da qual parece escorrer um mel irresistível e uns olhos ainda de colegial sonsa e com alguma coisa de olhos de menino. Nunca me esquecerei da primeira noite que me levou ao seu quarto, com o pessoal da casa me imaginando no cinema, quando eu próprio, ainda menino de 14 anos, participava corpo a corpo de um drama que me deixará, com certeza, marcado para o resto da vida. Desapontou-me A.? Sim, porque o que eu mais desejava era vê-la nua: comer com os olhos sua nudez antes de devorá-la com o sexo teso e guloso (como os vários sentidos andam juntos para o gozo sexual!). Creio que mais de metade do que em mim é sexo está nos olhos. Mas ela disse: "No escuro, para o pessoal não desconfiar". De modo que as pontas dos dedos tiveram de fazer as vezes dos olhos. Senti com as pontas dos dedos todas as suas curvas de corpo de mulher-sereia. Queria penetrá-la quando ela disse: "Por aí, não! Lembre-se que eu sou moça!" Por "moça" queria ela dizer virgem. Donzela. E besuntando-me o membro ardente de banha de cheiro, ela própria dirigiu o nosso corpo-a-corpo para onde quis, talvez menos por ser "moça" do que por ser aquele o centro de sua paixão. Ou do seu ardor de fêmea. De modo que minha iniciação formal em mulher foi oblíqua. Oblíqua e, como diria um escolástico – foi o que verifiquei algum tempo depois –, singularmente deleitosa.

RECIFE, 1917

Fui ao *Diário de Pernambuco* convidar Aníbal Fernandes, que admiro, para a minha formatura. O mesmo edifício a que muito menino eu vinha às vezes com meu Pai, que era muito amigo de Artur de Albuquerque. Sempre Artur de Albuquerque me dava algum livro ilustrado. Lembro-me de um que me deslumbrou: cheio de bandeiras coloridas. Bandeiras festivas. Por algum tempo – sob a influência desse livro – desenhei bandeiras de todas as formas, colorindo-as com todas as combinações de azuis com encarnados, verdes, roxos, amarelos.

Lembrei-me de que uma vez, descendo do *Diário*, encontramos um homem atarracado, pescoço curto, feioso, a quem meu Pai me apresentou dizendo: "Este também se chama Gilberto".

Era Gilberto Amado. Perguntei a meu Pai se ele, sendo Gilberto, também desenhava: minha paixão aos 7 anos. Meu Pai disse que não: que escrevia. O que me fez perder o interesse pelo xará. Escrever, meu irmão escrevia muito melhor do que eu, que aos 8 anos apenas garatujaria minhas primeiras letras e meus primeiros números sem que esse garatujar me desse a alegria que me dava o desenhar. A alegria imensa que me dava desenhar: gente, bichos, casas, árvores, bandeiras, navios, trens.

RECIFE, 1917

É verdade: Heidelberg é lugar onde eu gostaria de estudar. Ou Heidelberg ou Paris ou Oxford. Mas se for para os Estados Unidos, há um consolo; e é que, afinal, dos Estados Unidos é um certo William James, que talvez seja o filósofo moderno mais capaz de dar ao mundo de agora uma filosofia adequada a várias formas novas de experiências humanas. Ele e o francês Bergson.

O velho França Pereira insiste em que se leia com muita atenção, além de Taine, que já estou lendo – Stuart Mill. Vou lê-lo. Seria bom que meu grego desse para eu ler Aristóteles e Platão no original. Mas não devo sonhar acordado: só com muito mais estudo da língua na qual apenas engatinho chegaria ao estado de poder dançar dentro dela, a ponto de entrar em intimidades com os seus filósofos e com os seus poetas. Estado de graça. Angélico. Mas o mesmo desejaria poder fazer em alemão e em russo: dançar nessas línguas.

Ou pelo menos mover-me nelas, através da leitura – a fala não me interessa – com o desembaraço – desembaraço relativo – com que me movo na portuguesa, na inglesa, na francesa, na espanhola, na própria língua italiana, na própria língua latina.

RECIFE, 1917

Depois de Taine sobre a Inglaterra e de umas páginas de Stuart Mill, estou lendo Renan. Para quem conhece o que é o gênio francês através de Pascal e Montaigne (que eu venho lendo sob a direção de Mme. Meunier, depois de ter lido com ela La Fontaine), Renan e Anatole France desapontam. São elegantes, é certo, na frase e no espírito. Mas sem a profundidade daqueles mestres ao mesmo tempo da análise e da síntese: a grande, a suprema vocação do gênio francês.

Dizem-me que foi Renan – a leitura de Renan – que fez A. F. deixar o Seminário de Olinda. Há com efeito no modo ondeante de Renan falar de Jesus, de São Paulo e, sobretudo, de si próprio – de "São" Ernesto – alguma coisa que nos seduz para o gozo de paisagens intelectuais – ou estéticas? – que não podem ser saboreadas nem com os olhos nem com o espírito senão por quem esteja fora das rígidas ortodoxias. A. F. é um plástico. Não poderia continuar dentro de um sistema antiplástico de educação como é, no Brasil, pelo menos, o católico: o clericalmente católico. Encontrou em Renan um meio de libertação desse sistema sem que precise de ir ao extremo de desconhecer no cristianismo o que um francês de gênio muito mais alto do que Renan – Pascal – encontrou: uma solução para a inquietação ou para a dúvida.

RECIFE, 1917

E se eu disser que, a despeito de todo o meu novo entusiasmo religioso, agora pelo cristianismo evangélico de Bunyan, quando penso em A. me sinto tomado de um desejo de voltar ao quente do seu corpo que parece atingir-me completamente: até a alma?

RECIFE, 1917

Fui levar ontem a Aníbal Fernandes, que admiro muito, o jornal do colégio com meu artigo "O período feudal na vida do homem". Esse período feudal é a adolescência com suas buscas de aventuras e suas ânsias de glórias. Confesso que o artigo me parece coisa acima da banalidade da literatura colegial.

Aníbal me recebeu como se eu – um meninote – fosse já igual a ele: como um intelectual a outro intelectual. Eu sei que ele é um intelectual feito e eu ainda um menino com pretensões a intelectual. Com uma agilidade que me espantou, leu o artigo todo e exclamou: "Espantoso! Vou transcrevê-lo amanhã!"

RECIFE, 1917

Outra transcrição de trabalho meu por Aníbal Fernandes, desta vez no *Diário de Pernambuco* e não no jornal *A Ordem*: a do meu discurso de Bacharel em Ciências e Letras pelo Colégio Americano. O paraninfo foi Oliveira Lima, que parece ter falado a Aníbal Fernandes do discurso, pois este, não tendo ido à festa do colégio, escreveu-me um cartão felicitando-me pelo que chamou de "discurso cheio de mocidade e de beleza". Mais ou menos o que dissera Oliveira Lima.

A propósito d'*A Ordem*: descobri um plágio completo de um dos seus redatores. Não direi nada a ninguém. Coitado do homem! Quase um velho. Pessoa respeitável. O plagiado é Vicente de Carvalho. Não sei se passe o meu segredo a Aníbal Fernandes. Por ora é segredo *meu*. Exclusivamente *meu*.

RECIFE, 1917

Meu Pai anda num entusiasmo único pelo Padre Feijó. Vem lendo Eugênio Egas: os dois volumes de Egas sobre o padre paulista. Obra que eu também acabo de ler.

Foi na verdade uma figura extraordinária, e é notável a amplitude de sua visão dos fatos e problemas: notável num brasileiro qualquer de sua época e sobretudo num padre, com uma educação unilateral. Também tinha uma energia férrea. Compreendo a admiração do meu Pai por Diogo Antônio Feijó; e como ele lamento que o grande paulista não tenha tido continuadores. Nem ele nem o ainda maior José Bonifácio.

Pedro II foi com efeito um "Pedro Banana" sem coisa alguma de Feijó. Com um pouco de Feijó, ele teria sido um grande benfeitor do Brasil. Faltou-lhe energia, embora fosse o "Magnânimo" de que fala a História. Mas nenhum igual a José Bonifácio.

Outro livro lido agora: *O primeiro reinado*. E em francês, uma obra sobre a Inglaterra, que aliás não é de meu Pai, mas emprestada: da biblioteca particular do Desembargador Fonseca Galvão.

É um velho que gosto de ouvir, quando ele fala não só sobre Direito como de História e de Literatura, esse desembargador que ninguém vê senão de sobrecasaca e de cartola. É parente de minha Mãe, que também, segundo ouço, é aparentada de Deodoro. Quando Deodoro era presidente, seus parentes daqui podiam entrar-lhe em casa – no Palácio – com a senha "Bilar", que era o nome da velha parenta de minha Mãe em cuja casa se hospedava Tio Juca no Rio. O Desembargador Galvão é irmão do Visconde, que foi Ministro da Guerra.

RECIFE, 1917

Meu Pai encarregou-me de ajudá-lo a escrever parte de sua tese para concurso de catedrático à Faculdade de Direito. A tese acaba de ser publicada e lá está um pequeno trecho que escrevi exatamente como eu escrevi. Noutro, uma ou outra coisa corrigida pelo lápis vermelho do censor: do latinista severo que é meu Pai, que aliás mais como um discípulo de Lafaiete do que dos juristas de expressão tabelioa.

Quisera poder revelar isto ao G. da S. e a outros, na Paraíba, onde me julgaram incapaz de ser autor da conferência que proferi na capital paraibana, e atribuíram o trabalho a meu Pai. Eles veriam que meu Pai é que não hesitou em ter-me como seu pequeno colaborador em trabalho de alta responsabilidade intelectual.

É claro que ele poderia ter escrito a tese ou dissertação inteira, sem auxílio, aliás insignificante, do meninote (16 anos) que ainda sou. Mas deixou o trabalho para a última hora. Quase perde o prazo. Teve de pedir meu auxílio para umas poucas páginas da dissertação. Precisava de ter os originais da dissertação entregues à tipografia no dia exato.

Meu trecho não está mau. O português que meu Pai escreve é correto e até elegante: elegante pela concisão e pela limpeza da frase. O meu talvez tenha mais movimento, mais flexibilidade e mais plasticidade. Talvez por eu saber desenhar e ele não.

Recife, 1917

A., agora morando com uma tia que faz bolos para vender. Lá nos encontramos todo sábado dois ex-semi-virgens, ligados pela mesma aventura sensual. Ela foi deflorada pelo cabo de quem se enamorara e que logo depois da façanha seguiu para o interior: dever militar. Nada de sentimental – ou quase nada – me prende a A. Só o visgo do sexo, que é irresistível. Ela é ainda uma menina, incompleta como mulher, como eu sou ainda um menino, a completar-me como homem. Estamos a gozar um ao outro e os dois a nos deliciar em um terceiro gozo que não é fácil de dizer como é terceiro. A. é uma morena pálida em plena adolescência; sem ser um tipo de beleza, é bonita. É atraente. Tem um sorriso de quem soubesse coisas que não lhe foram ensinadas e umas mãos também mais sábias do que seria de esperar de mãos ainda quase de criança.

Recife, 1917

Visita, ontem, a Oliveira Lima. Apresentei-me como estudante. Na verdade, estou ainda nas humanidades, e este fim de ano serei Bacharel em Ciências e Letras pelo padrão do Pedro II. Mas já podia ter terminado o curso o ano passado, com 16 anos. Falta do colégio que deixou de preencher não sei que formalidades legais e não se interessou muito por isso, desde que eu seria o único a se bacharelar. E com 16 anos apenas: fato um pouco escandaloso.

O resultado é que venho este ano estudando Grego com o Professor Taylor e repetindo Geometria e Trigonometria em inglês com Mrs. Muirhead – matérias em que eu sou fraco. Isso para me preparar para a Universidade.

Tudo isso contei a Oliveira Lima para ele ver que eu sou de fato estudante e não simples ginasiano. Ele me recebeu magnificamente. Fez que Dona Flora descesse para me receber também como se eu fosse pessoa importante. Ofereceram-me uns biscoitos muito finos feitos por Dona Henriqueta, mãe de Dona Flora, e senhora do Engenho Cachoeirinha, e dona do sobrado-grande de Parnamirim, onde Oliveira Lima e Dona Flora se hospedam quando estão no Recife. Falaram sobre muitos assuntos. Ele parece não admirar muito o Arcebispo Dom Sebastião Leme como não admira o Presidente da República. Fala desassombradamente de todos os assuntos. Admirador dos Estados Unidos – embora faça restrições à política americana na América Latina. Desencantado com a França e, ainda mais, com a Inglaterra. A Alemanha – para ele – tem sido objeto de muita injustiça: não é tão feia como se pinta. Os ingleses perderam a cabeça. Sua biblioteca ainda está em Londres. Dona Flora não tolera os Pessoas de Queiroz. Diz-me que ainda hoje só reza em inglês: só sabe rezar em inglês.

Disse aos dois, a Oliveira Lima e a Dona Flora, que voltaria com meus colegas do Americano que vão terminar este ano, comigo, o curso e receber a láurea de bacharéis em Ciências e Letras, segundo os padrões do Pedro II. Queríamos que ele fosse o paraninfo. Ele disse que sim com entusiasmo.

RECIFE, 1917

Meu Pai não é medíocre. Alguma inteligência, alguma cultura, bom conhecimento do Latim e excelente Português: das línguas e das literaturas. Tudo nele, no seu saber como na sua conduta, é correto. Eu detesto o excesso de correção, o que não significa detestar o equilíbrio nos modos e nas atitudes das pessoas. Nem detestar meu Pai, que é correto sem excesso de corretismo.

Nele o que não há é imaginação. Nem sensibilidade à beleza da natureza e das criações da arte. Sou de uma família inteira de gente de pouca imaginação. Mãe, neste particular, um tanto acima da média, embora não muito acima. Avós, neste particular, medíocres. Bisavós, antepassados, colaterais, todos medíocres, embora homens e mulheres de caráter: alguns dos homens, bravos. Heróis da Guerra do Paraguai, até. Eu próprio escaparei à mediocridade tribal para me portar como herói em alguma guerra ou revolução?

RECIFE, 1917

Acabo de me declarar cristão evangélico. Será que o cristianismo protestante vai corresponder ao que espero dele? A antiburguesia que espero dele?

Noto nos seus líderes o afã de a abandonarem, a essa antiburguesia – quando para mim o encanto maior do modo evangélico de ser cristianismo está precisamente na ausência de grandes e até médios burgueses dos seus quadros. É um cristianismo, no Brasil, de ferreiros, verdureiros, lavadeiras, sapateiros, operários. O contacto com esta gente – a gente mais humilde da cidade – é que dá ânimo ao meu cristianismo romanticamente anticatólico. Mas vejo o perigo de ele se aburguesar. Tornar-se um protestantismo burguês. Neste caso, para que essa forma anticatólica de cristianismo? Na verdade, para nada. Vamos ver em que dá minha aventura.

O fato, porém, é que não gostei do que ainda me disse o M.: "Já estamos no Recife com tantos advogados, tantos médicos (inclusive a Doutora Amélia), importantes negociantes, um industrial, e não sei o que mais". Não gostei. O que para ele deve ser considerado ganho do cristianismo evangélico, nesta parte do país, para mim é perda. É aburguesamento. É deixar-se de dar oportunidade de maior expressão a uma gente humilde: a na verdade humilde, e não a que parece ser humilde; a que pode ser um elemento mais vivo na população, sem aburguesar-se. Sem deixar de ser o que é para parecer o que não é.

RECIFE, 1917

Não é justo que não se conheça Bunyan no Brasil e que *Pilgrim's progress* não esteja traduzido à língua portuguesa. Ele é na literatura protestante "Batista" o que na Católica é a *Imitação de Cristo*. Gostaria de traduzir Bunyan. Mas sou a negação do tradutor.

Milton já está em português. A propósito: há em nossa biblioteca – com meu Pai – um belo volume com *O paraíso perdido* em português. Ilustrações magníficas que eu e meus irmãos temos visto desde meninos pequenos, folheado, a princípio, o livro por gente grande, que nos ia explicando essas ilustrações assim como as do *Dom Quixote*, estas coloridas. Outra esplêndida edição.

O precioso volume que é *O paraíso perdido* foi presente recebido por meu Pai quando, menino, fez exames de Latim ou Português.

Meu Pai, entretanto, parece nunca ter se entusiasmado pela obra-prima de Milton. Nunca ouvi dele trechos do livro do poeta inglês que ele soubesse de cor como sabe longos trechos d'*Os Lusíadas*, de Alexandre Herculano e, em Latim, de Horácio e Virgílio. Ele me diz que meu Avô Alfredo – de quem foram vários dos clássicos hoje do meu Pai – sabia também de cor muita página de clássico.

RECIFE, 1917

Ontem, uma experiência inesquecível. R. M. tinha-me pedido para repetir na Igreja da Rua Formosa, de que ele é pastor, um discurso que ele me ouviu fazer a gente humilde do Cordeiro sobre o "Cristo do Evangelho e o Evangelho do Cristo". Ele diz que ouviu um curioso dizer: "Esse meninozinho fala melhor que os barbados".

Fiz o discurso. Muita gente. Mr. M., que tem enorme orgulho de ser batista por ser, segundo ele, a "denominação" em que grandes inteligências como Milton, o autor do *Paraíso perdido*, Bunyan, e, hoje, Lloyd George, têm encontrado "o melhor modo de ser cristãos", disse-me que nunca vira tanta gente culta do Recife no templo da Rua Formosa. Eu, que já sou tímido, fiquei ainda mais receoso de um fracasso. Mas comecei a falar decidido a fazer um apelo direto precisamente à gente mais culta, ao mesmo tempo que à rude, imitando os apelos nos comícios do País de Gales, que são assim. E fiz. Perguntei quem queria, dos presentes, manifestar de público o desejo de seguir o Cristo do Evangelho que eu acabara de evocar: um Cristo capaz de ser companheiro, guia e redentor dos homens transviados, fosse qual fosse sua condição intelectual ou social ou moral. Quem estivesse disposto a dar esse sinal de querer seguir o Cristo, independentemente de filiação a igrejas ou a grupos ou seitas, que viesse apertar-me a mão. Veio muita gente humilde. Mas para surpresa geral, muita gente ilustre. Veio o velho João Vicente, advogado austero. Veio seu filho, dipsomaníaco. Veio Cristiano Cordeiro, considerado um dos maiores talentos novos da Faculdade de Direito. Veio Orlando Dantas, excelente pessoa. Orlando Dantas, muito comovido, me abraçou demoradamente e me disse: "Vou seguir uma vida nova". É claro que me comovi também. Mas não dei mostras de comoção.

Minha Mãe estava presente. Muito discreta. Perguntei-lhe: "O que achou?". Ela disse que se comovera com aqueles homens apertando a mão de um menino em sinal de arrependimento e de desejo de seguirem Cristo. Mas que Cristo estava era na Igreja Católica. E que eles e eu precisávamos de um bom padre que nos orientasse e nos fizesse compreender o que é, na verdade, a Igreja verdadeira que é a Igreja Católica. É uma suave ortodoxa. Suave e firme.

1918

Bordo do "Curvelo", 1918

Viajo cheio de saudade. Mas também animado de uma grande curiosidade: saber o que me espera nos Estados Unidos. Como serão meus estudos? Como me adaptarei à vida ianque? É certo que já encontro o caminho aberto pelo meu irmão. Mas somos irmãos sem sermos exatamente iguais. Em vários pontos diferentes.

Pratico meu inglês com uma família inglesa que, não podendo voltar à Inglaterra, vai aos Estados Unidos: os Joyce. Ela, viúva. A filha, uma linda inglesinha com quem venho conversando muito.

Mr. J. era missionário, parece que na Bahia. Ou no Espírito Santo. Morreu de um bicho-de-pé. Bicho mal tirado. O pé do pobre do inglês não resistiu a uma infecção.

Penso no fato de que não há brasileiro que morra de bicho-de-pé. Ao contrário: sem bicho-de-pé, quando menino, quase não há brasileiro. É uma iniciação na condição brasileira a que raros meninos escapam. O bicho entra no pé do brasileiro menino, instala-se aí, coça, é extraído a alfinete quente, põe-se cal de parede na feridinha e não acontece nada. A coceira deixa até certa saudade. Mas se o pé é de inglês, pode acontecer o que aconteceu a Mr. J.: infecção, febre; delírio, morte.

O bicho-de-pé é a febre amarela em ponto pequeníssimo: não faz mal a brasileiro, mas pode ser mortal com relação a estrangeiros. Pobre do pai da inglesinha.

BARBADOS, 1918

Vamos demorar dias e não apenas horas em Barbados. Só aqui me inteirei do perigo imenso que foi em plena guerra a travessia do Atlântico, do Brasil a este pedaço do Império Britânico: os alemães já nos consideram – aos brasileiros – inimigos. Nestas águas têm-se dado já, nos últimos dias, façanhas terríveis dos submarinos alemães, não só contra os ingleses como contra os anglo-americanos, e nós somos considerados aliados dos Estados Unidos.

Confesso que ignorava tais perigos ao deixar o Brasil. Se fui herói, realizando esta travessia, fui herói involuntário. E para ser franco, continuo sem o menor medo. Ao contrário: um tanto seduzido pelo risco.

Lindas paisagens as de Barbados, e espetáculo novo para, um brasileiro, o de uma população negra que fala inglês e cujas senhoras usam chapéus como as inglesas brancas. Bonitas inglesinhas louras se vêem aqui ao lado de mulatas jovens que lembram as do Brasil, embora lhes falte a graça de andar das brasileiras que falta também às negras puras. Muito moinho de vento pitoresco: explicam-me que são de moer cana-de-açúcar. Muita geléia saborosa, em cujos gostos um tanto novos para mim me iniciam Mrs. J. e a filha, minhas companheiras de viagem e inglesas que têm parentes e amigos em Barbados, aos quais me apresentaram gentilmente. Faremos muitos passeios juntos. Grandes saudades de minha Mãe, de meu Pai, de minhas irmãs. Desejo cada dia mais de abraçar meu irmão Ulisses de quem me separei, ele menino de 15 anos, eu de 13. Agora, nos Estados Unidos, ele tem 20. É outro Ulisses. Outro irmão. Até outro brasileiro.

NOVA YORK, 1918

Humilha-me, às vezes, o fato de não poder ler em alemão – o alemão literário ou filosófico – um Goethe, um Nietzsche, um Schopenhauer (aliás, influenciados por

Gracián), um Kant, um Hegel, um Marx, Muito mal arranho o alemão elementar. Mas, em compensação, regozijo-me com o privilégio de ter duas línguas maternas, numa das quais posso ler um Fernão Lopes, um Gil Vicente, um Fernão Mendes, um Camões, um Garrett, um Antero, um Eça, um Machado, um Euclides, um Nabuco, um Oliveira Martins; e noutra não só um Cervantes, um Calderón, um Lope de Vega, um Ganivet, um Unamuno, um Baroja como aqueles místicos e moralistas por nenhum alemão ou russo ou inglês ou francês ou italiano excedido em profundidade. A verdade é esta: o brasileiro culto tem duas línguas maternas, uma das quais é de todas as línguas européias a mais rica em literatura mística. Tenho pena dos "cientificistas" ou dos "modernistas" para quem isso de literatura mística é arcaísmo, indigno de um "moderno" de "formação científica". São uns coitados, esses, que não se apercebem do fato de que o que eles consideram "moderno" com tanta ênfase, é um instante que depressa amadurece em antigo e apodrece em arcaico. O que é certo também da chamada "verdade científica". Enquanto os místicos nos põem em contacto com o mundo que nos faz esquecer tantos valores modernos como os científicos, não por serem valores de todo sem interesse ou sem verdade, mas pela sua insignificância ao lado dos valores que só as intuições dos mais-do-que-poetas alcançam.

NOVA YORK, 1918

Várias das ruas que tenho visto aqui me dão a impressão de conhecidas velhas. De onde as conheço? E logo me vem a resposta: de ilustrações dos contos policiais de Nick Carter. Não vá o Texas me dar a impressão de terra minha conhecida velha por causa das ilustrações de Buffalo Bill. E Londres – que tanto quero conhecer – de cidade já visitada, por causa das ilustrações de Sherlock Holmes.

É pena que as grandes obras de literatura lidas por adolescentes não sejam tão profusamente ilustradas como os contos policiais e as novelas de aventuras. É verdade que eu tenho muito vivas na memória as ilustrações magníficas de G. Doré para o *Paradise lost*. Também as ilustrações igualmente impressionantes de *Dom Quixote*, de *Atala* e da *Divina comédia* – livros que já li. E as d'*Os miseráveis*, de Vítor Hugo – que já li e reli. Mas não me lembro de ilustrações do mesmo relevo nem de Defoe nem de Longfellow nem de Poe; nem de Cooper, nem, de nossa língua, de Camões, Eça, José de Alencar, Machado, Gonçalves Dias – todos os quais se prestam esplendidamente a ilustrações capazes de acompanhar o adolescente a vida inteira, e de fazê-lo sentir mais vibrantemente a literatura lida com olhos ainda de menino – que são olhos mais impressionáveis que os dos homens. Eu próprio sinto que já não vejo tanto quanto via há cinco anos. Era há cinco anos que eu devia ter visto pela primeira vez a Ponte do Brooklyn e estes arranha-céus gigantes, no meio dos quais me sinto um pequeno, pequeníssimo Dom Quixote entre moinhos de vento monstruosos.

NOVA YORK, 1918

Eu via no cristianismo evangélico um cristianismo que seria um bem para o Brasil por ser antiburguês e não por ser anticatólico. Vejo que estava um tanto enganado.

NOVA YORK, 1918

Creio que preciso de esquecer-me de quase todo o meu Tolstói e de reler com novos olhos o velho Spencer para me entusiasmar por esta civilização ultraburguesa. "Mas isto não representa o que os Estados Unidos têm de melhor", me têm dito, de Nova York, americanos das províncias. A julgar as províncias daqui pelos provincianismos de alguns provincianos dos Estados Unidos já meus conhecidos, representa. Afinal, em Nova York há concentração e, com a concentração, possibilidades das formas mais altas de diferenciação. Creio que assim pensaria Spencer.

NOVA YORK, 1918

Dói-me e muito a separação de minha Mãe. Não me sai da memória o seu rosto triste dizendo-me adeus. Foi de manhã. O diabo do vapor só saiu do Recife à noite. Ficou o dia inteiro no Lamarão à vista da terra; e eu vendo as torres, os telhados, os coqueiros do Recife. A cidade ao mesmo tempo distante e próxima de mim. E ali – naquela distância próxima: cruelmente próxima – estava minha Mãe. Separação estúpida. E afinal, para quê?

Curioso é que no vapor vim me lembrando dela com insistência. Lembrando-me dela como de uma mártir a quem as circunstâncias obrigassem a viver separada dos filhos queridos. Primeiro, Ulisses. Depois de uma separação de cinco anos de Ulisses, lá o segundo filho lhe é arrancado de casa para uma ausência no estrangeiro, também de cinco ou seis anos. Se voltar, é claro. Mas há de ser o que Deus quiser. Agora sei o que é separação de filho de mãe. É amarga. É uma saudade, a minha, tocada de remorso: a saudade de uma mãe que sempre sofreu com a minha presença – minha má-criação, meu mau gênio, minhas doenças de menino; e agora sofre com minha ausência depois de ter sofrido a de meu irmão seu predileto.

KENTUCKY, 1918

Estou numa cidadezinha do interior – a dos meus amigos Taylor – chamada Murray. Por incrível que pareça, a casa onde estou não tem quarto sanitário: a "casinha" fica fora, como em certas casas antigas do Brasil. O progresso dos Estados Unidos ainda não é absoluto.

KENTUCKY, 1918

Fiquei horrorizado um dia desses com uma reunião de crentes numa igreja rural. Gritos, desmaios, uma exibição tremenda de histeria religiosa. É esta a gente que envia missionários ao Brasil para elevar a cultura religiosa dos "católicos supersticiosos?" Começo a pensar diferente: que esta gente é que precisa de missionários católicos vindos do Brasil. O que vi na tal reunião não é ardor puramente religioso. O que eu vi aqui domingo passado é também histeria. Mas onde começa a histeria e termina a religiosidade? Impossível de dizer-se. Boas surras de cordões de São Francisco administradas por dois ou três barbadinhos mais rijos nas velhotas e nas moças mais exibicionistas seriam a cura médica para esses excessos histéricos de matutas anglo-saxônias, diria um

Católico simplista. Mas erradamente: a aparente histeria pode ser religiosidade digna de respeito.

KENTUCKY, 1918

Carta de Ulisses. Sua viagem foi, ainda mais do que a minha, uma aventura. Bem que me senti considerado pela gente de Barbados uma espécie de herói que enfrentasse águas infestadas de submarinos alemães. Escapei do perigo. Mas o vapor em que Ulisses seguiu para o Brasil quase levou a breca. Escreve ele: "Saímos de N. Y. numa quinta-feira à noite. Ficamos fora da barra até o dia seguinte e então saímos às 7h30 da manhã. Depois de horas de viagem (não quero dar a data nem nomes para que estas linhas passem à censura) fomos atacados por um submarino alemão. A perseguição durou duas horas. Eles atiraram 32 vezes contra nós. Guinadas e ziguezagues foram parte da nossa salvação. A maior parte, entretanto, foi um *destroyer* americano que respondeu a nossos chamados de socorro. Estávamos desarmados. Não podíamos nos defender e, se as condições tivessem sido outras, teríamos morrido como galinhas. Felizmente tudo está passado. Ninguém foi ferido..."

WACO, 1918

É bom que eu vá aprendendo logo os equivalentes de desaforos brasileiros (ou portugueses) em língua inglesa. O equivalente de "filho da puta" é "son of a bitch"; o de "covarde", "yellow"; o do gesto conhecido entre nós por "banana", o gesto com a mão no nariz, e um agitar de dedos que lembra o do nosso "adeus", que corresponde a "kiss my ass".

Estou instalado na casa de uma boa velhota. O tempo até agora tem se portado muito bem comigo. Verão e outono, depois de ter chegado do Brasil ainda na primavera, com algum frio em Nova York.

WACO, 1918

Interessante o curso que venho seguindo, de Literatura, sobre o ensaísmo inglês. Pois sendo de

Literatura é também de Filosofia: a filosofia que está tão presente nos ensaístas ingleses quanto nos místicos espanhóis e nos moralistas franceses quanto nos filósofos alemães.

O curso começou com o estudo de Francis Bacon que Ranke, em sua análise da história da literatura inglesa, considera "extremamente instrutivo para nos explicar as relações internas da sociedade inglesa". Bacon é célebre pelo seu poder de condensação filosófica. A leitura meditada dos seus ensaios, sob a direção do Professor Armstrong, levou-me a reler Montaigne, lido outrora, no Recife, com Mme. Meunier, que também me fez ler Pascal e La Fontaine.

Novo encontro, no curso, com Milton, agora como ensaísta, e que venho verificando ser considerado por alguns críticos o maior intérprete do que é caracteristicamente anglo-saxônio em pensamento e em ética. Iniciação em Dryden, Thomas Browne, De Quincey, Steele, Addison, Samuel Johnson, Hazlitt, Defoe (ensaísta), Walter Savage Landor, Thomas Huxley, Thackeray (ensaísta), Newman, Pater, Arnold e no estudo sistemático de outros já meus conhecidos, de leituras mais aventurosas que dirigidas: Swift, Lamb, Carlyle, Ruskin, Macaulay.

É um curso que vem me abrindo novas e largas visões do Homem, da Sociedade, da História. Sem o ensaio (inglês, francês, espanhol – curioso que russos e italianos não sejam tão fortes no ensaio) estaríamos muito pobres com relação a problemas básicos do Homem e da Sociedade que a ciência dos Comte, dos Spencer e dos Tylor não parece capaz de esclarecer só por caminhos e por métodos científicos. O mesmo se pode talvez dizer da parte da literatura inglesa, espanhola, francesa, alemã e russa de ficção (romance, conto) que é literatura psicológica e, como tal, revelação da natureza humana. E, ainda, da poesia psicológica e filosófica como, na língua inglesa, a que vem de Chaucer a Browning, passando pelo imenso Shakespeare.

Waco, 1918

É um ensaio que deve ser relido muitas vezes, o de Carlyle, sobre "biografia" e a importância do conhecimento do homem pelo homem: "a scientific interest and a poetic on alike inspire us in this matter". Isso porque, o problema da existência sendo diferente para cada homem, é também, em muitos pontos, o mesmo para todos os homens e, portanto, suscetível de estudo científico (sociológico, biológico, psicológico, etc.). Ao mesmo tempo, um interesse poético inspira ou informa esse estudo, porque não há problema de existência que não seja para o homem um problema de conflito da sua vontade ou de sua pessoa com a Natureza e com a Sociedade. Daí poder dizer-se que, em essência, a História, a Antropologia e, paradoxalmente, a própria Sociologia, não são senão a reunião de inúmeras biografias. Pelo menos não deveria a História ser senão isto: a essência de inúmeras biografias.

Carlyle concorda com os alemães em que o significado que, para propósitos poéticos, se encontra na realidade – em oposição à ficção – é imenso. Daí a importância das *Confessions* de Rousseau, Pois a ficção não deixa de ser mentira. Para Carlyle a superioridade da realidade (mitologia, romance, novela) está no fato de o menor "fato histórico" tornar-se (quando apresentado literariamente) mais impressionante que o mais grandioso "evento fictício".

Será preciso conhecer um escritor grandes homens, como Boswell conheceu Johnson, para produzir grande literatura da realidade, e não de ficção, sob a forma de biografia? Carlyle pensa que não e recorda o fato do Rev. White, sem ter conhecido grandes homens, mas apenas pequenos pássaros e só os pássaros de Selborne, ter escrito obra literariamente valiosa. Obra que, sendo de história natural, é também de biografia, embora simples biografias de pássaros e não de homens. Grande ensaio, este de Carlyle. É um desdém, o seu, hoje oportuno, pela excessiva literatura de ficção que se vem tornando moda não só na língua inglesa como noutras línguas modernas.

1919

Waco, 1919

Quase não recebo cartas do Brasil. Uma ou outra. Quase todas da família. Rara a que me chega de um amigo. Enquanto aqui não há estudante que não receba de sua cidadezinha, não só de sua família, como de seus amigos, numerosas cartas por semana.

Será que nós, brasileiros, não temos o espírito da amizade, mas só o da camaradagem? É o que me parece às vezes. Pelo menos o brasileiro está longe de rivalizar com o americano dos Estados Unidos na amizade epistolar. A correspondência é aqui alguma coisa de sagrada entre os amigos.

Waco, 1919

Venho estudando Geologia com Pace, Biologia com Bradbury e Psicologia com Hall, ao mesmo tempo que Sociologia, Economia Política e Ciência Política (que aqui inclui boa parte de Jurisprudência). Tanto a Geologia como a Biologia e a Psicologia são essenciais aos estudos em que pretendo me especializar: os de Ciências Sociais e Políticas, incluídas as Jurídicas. Apenas dentro do sistema universitário deste país é possível, em virtude de sua flexibilidade, e necessário devido ao próprio caráter universitário dos cursos de bacharelado, juntar um estudante a estudos de especialização os de generalização científica e humanística. Daí os cursos que venho tomando e pretendo tomar até 1920, quando seguirei para a Universidade Columbia ou para a de Yale, não sei ainda – de História, Filosofia e Literatura. Aqui em Baylor os cursos de Literatura Inglesa e comparada são considerados os mais difíceis devido ao catedrático: o admirável Armstrong. É homem exigente e absorvente. É mais conhecido no norte dos Estados Unidos e na Europa do que qualquer outro professor de Baylor. Sua fama repousa principalmente nos seus estudos sobre o grande poeta inglês Robert Browning, que foi também pensador ou filósofo: sua poesia é também uma filosofia que se estuda sistematicamente. É a Browning que o nosso Eça se refere numa das suas páginas escritas na Inglaterra como a um escritor ainda em vida quase adorado ou divinizado por intelectuais ingleses: "um deus de guarda-chuva". Já comuniquei a Armstrong essa impressão de Eça do culto inglês a Browning, quando o poeta ainda vivia. É claro que Armstrong, ainda que professor de literatura comparada, nunca leu uma página de Eça. Como nós somos desconhecidos! Quando digo "nós" me refiro ao conjunto Portugal-Brasil como expressão literária. Ninguém lê escritor português ou brasileiro fora desse conjunto. A não ser Camões: Camões é lido por alguns eruditos. Mas Fernão Lopes, Fernão Mendes, Gil Vicente, Eça são ignorados. Desconhecidos. O próprio Armstrong atribui a Camões alguma importância. Mas não a que atribui a Dante ou a Cervantes. Destaque-se a favor de Armstrong, que já fez discípulos brasileiros traduzirem para o inglês escritores brasileiros: Santa Rita Durão e José de Alencar. Mas comigo vive insistindo para que abandone a língua portuguesa e adote a língua inglesa como minha língua literária, tornando-me assim escritor, como ele diz, "universal". É uma sereia, cantando sempre ao meu ouvido: "A glória te espera na língua inglesa: abandona, pois, a portuguesa, que é, como tu próprio reconheces, uma língua clandestina!". Para tanto me falta ânimo: não tanto o ânimo de aventura literária como o de repúdio a valores maternos. Sou muito sensível ao que há de materno, para um brasileiro, na língua portuguesa. Talvez uma obsessão psicológica de filho preso demasiado à mãe, e, por extensão, a tudo que se lhe apresente como materno.

Waco, 1919

Saí a semana passada com o meu amigo dinamarquês Ivar Skougaard para caçar em matas suas conhecidas. Também foi o Homer Caskey, chegado há pouco de Oxford e meu professor de anglo-saxão.

Não fui de todo infeliz: abati uns pássaros. O bastante para uma ceia com gosto de mato.

O diabo é que me perdi. Passei horas perdido. Afinal cheguei a uma casinha de lavradores pobres: marido, mulher e filhos pequenos. Foi para mim o melhor da festa. Fiquei conhecendo de perto camponeses anglo-saxônios de uma pureza rústica, lincolniana, que me encantou.

Eu pensei que iam troçar muito de mim. Mas o velhote até reparou que a mata era traiçoeira: tão igual que parecia não ter começo nem fim. Pior foi a volta de trem. Quase não me deixam viajar sem que eu apresentasse documentos. Os documentos estavam com Ivar.

Waco, 1919

Devido aos exagerados louvores que me faz em suas classes e fora delas o Professor A. J. Armstrong, meu apelido entre os estudantes é "Genius" ou "Wisdom". Apelidos nada simpáticos: são dos que criam distâncias entre o distinguido por eles e a massa. A despeito disso, a massa universitária está longe de antipatizar-me. Tenho camaradas até entre atletas que só se interessam pelos jogos e entre *girls* que se extremam em ser frívolas, além de diletantes do amor. Uma tarde dessas um desses atletas, rapaz inteligente ainda que *debonair* ou mesmo vadio, me abordou: "*Genius*, let me tell you one thing". O que ele queria dizer-me era isto: que eu não me iludisse com o meu sucesso intelectual numa universidade de província como Baylor. Ele queria ter notícias de minha situação em Columbia, quando eu fosse para lá.

Waco, 1919

Já posso resumir minha impressão da Universidade de Baylor. É terrivelmente provinciana. Mas é universidade (que pena não termos uma só universidade no Brasil!) e isto reduz o mau efeito do meio provinciano sobre os seus estudantes. Não lhe faltam uns toques cosmopolitas. Basta ter entre os seus professores um Armstrong para ter contactos cosmopolitas que alternam com os provincianos, dando equilíbrio ao conjunto. É bom que o estrangeiro que vem aos Estados Unidos conheça os seus meios provincianos, com suas mesquinharias, mas também com suas virtudes. Mesquinharias e hipocrisias. Meu grande desejo é voltar para Nova York. É de Nova York que eu preciso: Nova York e depois a Europa. Por conseguinte, da Universidade de Columbia e não da de Yale, para onde o Brooks aconselha que eu vá daqui. Nem Yale nem Harvard: Columbia. Entretanto, gostaria de passar também um ano em Stanford. É pena que o Branner já não seja seu reitor.

WACO, 1919

Repito: Armstrong talvez seja o único que me compreende nesta Baylor, onde, sem ser compreendido, sou, entretanto, tratado por quase toda a gente como um príncipe. Ele e um pouco o Professor Hoffmann, que é alemão parecido com o Milkau do *Canaã*, de Graça Aranha. Armstrong não é nada suave. Ao contrário: é vulcânico. Ontem ele me disse: "O que V. precisa fazer é sair de Baylor e não voltar para o Brasil". Achei a frase brutal. Será que ele pensa que o Brasil é uma terra de bárbaros? Parece. Acha ele que eu deva tornar-me escritor; mas escritor na língua inglesa. "Escritor na língua portuguesa é bobagem", diz-me ele do alto do seu imperialismo lingüístico e literário de grande conhecedor da literatura inglesa. Considera-a – continua a repetir-me – a rainha das literaturas com as outras todas, mesmo a francesa, a alemã, a italiana, a espanhola, a russa, muito abaixo dela. Da portuguesa só toma conhecimento de Camões e da língua, por causa dos *Sonnets* de Mrs. Browning dizerem: "from the Portuguese".

Repito: o que Armstrong sugere é para ele muito simples, mas para mim alguma coisa que repugna completamente ao meu brasileirismo. Diz ele: "V. deve naturalizar-se cidadão das Estados Unidos. Aos 18 anos, já pode fazê-lo. Eu lhe garanto que V. será escolhido *Rhodes scholar* para Oxford. É para Oxford que V. deve ir.

É escritor de língua inglesa que V. deve tornar-se". Os elogios que me faz são imensos – depois de me ter acusado de plagiário: "este seu *paper* é tão bom que só sendo plágio". Vibrei de raiva.

Não tenho sequer coragem de escrever para o Brasil sobre tal assunto. Naturalizar-me americano ou inglês para afirmar-me grande escritor? Isto nunca. Meu dever é voltar ao Brasil. Se tiver de ser escritor, meu dever é escrever em língua portuguesa. "O exemplo que V. deve seguir é o de Camões", diz-me Armstrong. E Hoffmann também parece pensar assim. É um alemão tão angélico que às vezes não parece deste mundo. Estranho que também ele me dê este conselho.

WACO, 1919

Ouço a grande orquestra francesa, conduzida por M. André Messager. Inesquecível. O velhote é um artista, sendo ao mesmo tempo de uma sobriedade de gestos, de uma elegância, de uma discrição, que não sei se deva ser considerada francesa. Converso com o velho maestro e com vários dos franceses da sua orquestra imensa. Cada um é um tipo. Cada um tem o seu feitio de barba. Um usa *pince-nez*, outro usa óculos, ainda outro lunetas com uma fita preta presa ao paletó. Vários repartem o cabelo ao meio. Alguns ostentam gaforinhas petulantes. Há os que, fiéis à figura convencional de artistas, exibem cabeleiras mais ou menos românticas: algumas tão românticas que parecem postiças. Todos muito franceses e nenhum igual ao outro no aspecto: cada um com o seu aspecto. Até no sorrir variam: alguns sorriem *à la* Voltaire; outros com menos ironia e mais naturalidade.

É exatamente isto – individualidade, aspecto pessoal próprio, diferente, original – que falta à gente daqui dos Estados Unidos. Ninguém usa *pince-nez*; e monóculo se supõe uma excentricidade de europeus decadentes ou pedantes. O tipo de óculos é um só. Único. Uniforme. O penteado também. Barba, quando aparece, é convencional, Príncipe de Gales: nenhuma barbicha que marque de personalidade um rosto menos estandardizado. Bigode é o aparado: não aparece nem o caído *à la* R. L. Stevenson, nem o bigode em tufos.

Daí a curiosidade em torno de multidão de franceses que acaba de estar aqui: cada um deles um tipo. Um deles me disse que todos estavam desolados com a comida americana. Lembrei-me do que sofri aqui nos primeiros meses: minha revolta contra o horror da culinária estandardizada. Aos poucos, entretanto, venho descobrindo aqui pratos a que não falta algum sabor. Apenas precisam de ser comidos em casas de família. Feitos em restaurantes parecem papelão torrado: não há aqui senão excepcionalmente a arte culinária dos restaurantes. A não ser, é claro, em grandes cidades como Nova York, que já conheço; e como Nova Orleans e São Francisco, das quais tenho ouvido falar.

WACO, 1919

Que o "bairro negro" de Waco fosse qualquer coisa de terrível, eu imaginava. Mas é ainda mais horroroso do que eu previa. Imundo. Nojento. Uma vergonha para esta civilização filistina que, entretanto, envia missionários aos "pagãos" da América do Sul e da China, da Índia e do Japão. Tais missionários, antes de atravessar os mares, deveriam cuidar destes horrores domésticos. São violentamente anticristãos.

Aliás, eu, desde os meus primeiros contactos com os Estados Unidos, que venho perdendo respeito por seu cristianismo evangélico. O que me parece é que ele próprio necessita de cristianizar-se, de evangelizar-se, de purificar-se de seus pecados, para então ter direito a dar lições ao "romanismo" e ao "papismo".

Conversei já com vários negros. Gente amarga, mas resignada.

Uma linda negrinha – mas de modo nenhum com a graça das brasileiras de cor – se aproximou de mim: "Baylor?" Respondi que sim. Conversamos um bocado. Fiz-lhe várias perguntas. Uma sua camarada impacientou-se: "Do you boy want jig-jig?" Pelo menos foi que compreendi. Ela não compreendia que eu estivesse naquele antro senão levado pela fome de mulher fácil.

WACO, 1919

Viagem macabra, esta que acabo de fazer a Dallas. Fui com os outros estudantes de Biologia do Professor Bradbury à Faculdade de Medicina da Universidade, que está situada em Dallas; e que me dizem ter a reputação de ser, ou de estar se tornando, uma das melhores dos Estados Unidos. É a menina dos olhos do Reitor de Baylor, o velho Brooks.

Fomos, os estudantes de Biologia, a pré-Antropologia, presenciar, como estudantes quase pré-médicos, dissecção de cadáveres. Os cadáveres me arrepiaram menos do que eu esperava. Verdes. Incrivelmente verdes, me pareceram bonecos. Não me deram a impressão nem de ex-homens nem de ex-mulheres, mas de bonecos fabricados para ser estudados, examinados e desmontados em salas branquíssimas, antissépticas.

O que me arrepiou foi, na volta, ao passar por uma cidade ou vila chamada Waxahaxie (creio que é assim que se escreve esse nome arrevesado: ameríndio, suponho, como aliás Waco), sentir um cheiro intenso de carne queimada e ser informado com relativa simplicidade: "É um negro que os *boys* acabam de queimar!" Seria exato? Seria mesmo odor de negro queimado? Não sei – mas isso sim me arrepiou, e muito. Nunca pensei que tal horror fosse possível nos Estados Unidos de agora. Mas é. Aqui ainda se lincha, se mata, se queima negro. Não é fato isolado. Acontece várias vezes.

WACO, 1919

Estudando Anglo-saxão – a língua, a literatura – com o Professor Homer Caskey, recém-chegado da Universidade de Oxford. Tipo simpático. Feião, magro, anguloso. Americano do sul dos Estados Unidos, com alguma coisa de inglês.

Estudo Anglo-saxão em lugar de Alemão, que, normalmente, eu deveria estar estudando, por ser essencial a altos estudos universitários, seja lá qual for a especialidade. Mas o estudo do Alemão está suspenso nas universidades americanas. Não me parece uma medida inteligente. Mesmo considerado o assunto em termos puramente belicosos, não se deve deixar de estudar a língua do inimigo. Afinal, Goethe e outros fulanos dessa espécie estão acima do Kaiser e dos seus prussianos, que o que há neles, grandes escritores da língua alemã, pensadores, poetas, romancistas, de germânico, não pertence de modo algum apenas à Alemanha, à força prussianizada, de hoje.

Ontem, na aula, o Professor Caskey explicava que a predominância, no anglo-saxão, de palavras curtas, de uma e de duas sílabas, devia-se ao clima: aos extremos de frio. A gente anglo-saxônia defendia-se desses excessos do seu clima áspero, abrindo a boca o menos possível. Explicação que me pareceu simplista, pelo que levantei ousadamente a mão e perguntei: "E as longas palavras dos escandinavos?" A predominância de palavras imensamente longas nas línguas escandinavas? Foi uma sensação entre os estudantes. Caskey portou-se como um bom anglo-saxão. Declarou a pergunta interessantíssima. Não pensara no assunto. Agradeceu-me o reparo.

WACO, 1919

Carta de França Pereira. Que me comunica? Que fui eleito sócio correspondente da Academia Pernambucana de Letras, da qual ele é presidente.

A distinção me comove. A Academia Pernambucana de Letras não é uma academia qualquer. Tem passado. Tem tradição. A ela tem pertencido gente pernambucana de alto valor como Alfredo de Carvalho, Artur Orlando, creio que Martins Júnior. Hoje Oliveira Lima, que a prefere à Brasileira, que abandonou indignado.

É essa academia que elege seu sócio-correspondente um obscuro pernambucano e ainda incerto escritor de apenas 18 para 19 anos. Escritor – esboço de escritor – que engatinha; não anda; não corre. Engatinha, caindo, levantando-se; voltando a engatinhar. Sonhando não apenas andar e correr: também dançar como escritor. Quem apenas anda ou mesmo corre não é pleno escritor. O pleno escritor é o que escreve, dançando como que ao som de uma música que somente ele ouvisse: com ritmo, com – diria um grego – eurritmia. Na língua portuguesa, dentre os modernos – modernos no sentido lato da palavra – é como escreve Eça, Machado, Nabuco, Euclides, é como são escritores. De Euclides poderia dizer um malicioso que nunca dança valsa – como Nabuco – porém, por vezes, polca. Polca galopante. Raros seus passos de valsa. Se quisesse, entretanto, poderia valsar.

WACO, 1919

Um estudante brasileiro recém-chegado a esta parte dos Estados Unidos da América é o baiano Landulfo Alves. Excelente pessoa. Mas impregnado como ele só de preconceitos brasileiros. Inclusive o da doutorice. E agrônomo. Agrônomo intitulado doutor.

Ontem me perguntou: "V. vai se doutorar em quê?" Disse-lhe que não me preocupa em que vou me formar em universidade americana. O que me interessa é estudar, adquirir saber, aperfeiçoar conhecimentos de acordo com minhas tendências. Pretendo ficar aqui uns anos. Ir de Baylor, boa universidade de província, para Columbia ou Harvard ou Yale. Depois, à Europa.

Ele se escandaliza. Arregala os olhos como se estivesse diante de um maluco. Diz que eu preciso escolher um curso em que me doutorar: Medicina, Engenharia, Direito, Agronomia. Do contrário, adverte, ficarei sobrando no Brasil. A conclusão é que, segundo L. A., o Brasil de hoje só daria valor ao "doutor", ao doutorado seja lá em que for; e podendo até ser instruído, douto, bem preparado. (Aqui entra minha ironia.)

Não creio que seja exatamente assim. Eu, por mim, estou disposto a instruir-me o máximo, em cursos universitários aqui e na Europa. Mas sem profissionalizar-me de acordo com as convenções em vigor. Criando o meu próprio caminho. Fingindo, até, quando voltar ao Brasil, não ser homem formado.

O bom do Landulfo – é realmente uma excelente pessoa – me ouviu espantado. Assombrado.

Depois do quê, fomos almoçar em restaurante meu conhecido. Não tolerou o presunto: "Não parece presunto. Não é como o do Brasil". E vem estranhando o café.

WACO, 1919

Armstrong me convoca ao seu *office*. Chama-me de *son*. Noto que tem alguma coisa de sério a falar comigo. E tem. Diz-me que sabe pelo seu serviço secreto que quase não venho fazendo outra coisa senão ler e estudar. Lendo na biblioteca da Universidade. Lendo na Biblioteca Carnegie. Rodeando-me de livros no meu quarto. "Não está direito", diz-me ele. E me alarma com a doença terrível que aqui se conhece pelas iniciais TB (tuberculose). Pois "assim V. vai entisicar de estudar".

Não me parece que haja tal perigo, embora eu continue o mesmo magricela do Brasil e deteste 9/10 da comida americana. Armstrong quer que eu jogue tênis: vou tentar. A verdade é que, estudando – diz Armstrong que estou estudando por dez –, poderei terminar aqui o curso de bacharel em dois anos, em vez de precisar de cinco, como precisou Ulisses. Não tive até agora férias de verão: estudei no verão na *Summer School* da Universidade, ganhando assim meio ano universitário. Farei o mesmo nos outros verões. Não preciso de férias. Do que preciso é de ler. De ler muito e de estudar sem perda nenhuma de tempo. Mas não só por necessidade: também por prazer. E tendo por companheiro de leituras a italianazinha que Armstrong desaprova. Entretanto, ela me compreende melhor que as americanas 100%.

WACO, 1919

Curiosa figura, a de A. Joseph Armstrong. Tem alguma coisa de jesuíta em suas relações com a Literatura em língua inglesa (para a qual trabalha como se trabalhasse para "a glória de Deus") e comigo, adolescente, aos seus olhos, exótico, em quem supõe haver um gênio que deve ser posto ao serviço daquela Literatura com "L" grande. Ontem ele me chamou ao seu gabinete para um assunto inteiramente pessoal: sabia que eu estava a namoricar com uma moça de família italiana. "*Son* – disse-me ele, que ora me chama de *son*, isto é, filho, ora de "Genius", ora de "Wisdom" –, V. precisa de namorar com moças puramente anglo-saxônias, em cuja intimidade amorosa V. se aprofunda cada vez mais nos segredos da língua inglesa. Sua vocação é para escritor. Ou muito me engano ou V. é um gênio. E seu instrumento de expressão não pode ser uma língua obscura e quase sem literatura como a portuguesa. Tem de ser a inglesa. Desde agora, tudo que V. fizer deve ser com o sentido de um destino a que V. não deve fugir". Em resumo: que eu não continuasse o meu *flirt* com a aliás, para mim, encantadora italianazinha, também estudante da Universidade.

Waco, 1919

Desconfio que A. J. A., o grande cosmopolita desta universidade de província que é Baylor, homem viajadíssimo por ceca e meca, não é o que aqui se chama um "100% American". Isto porque a sua verdadeira pátria não me parece que seja USA, mas a Literatura: a Literatura em Língua Inglesa, no centro, e as outras literaturas européias em redor, formando uma espécie de novo império romano de que Roma fosse Londres e o maior dos césares, não Shakespeare, porém o poeta-filósofo Robert Browning.

Quando um desses dias Armstrong me falou na urgência que havia em naturalizar-me eu americano, isto é, cidadão dos Estados Unidos (com consentimento dos pais, é claro, pois tenho ainda 18 anos), fiquei assombrado. Seria que ele me julgava um imigrante sôfrego para melhorar a vida? Um indivíduo sem futuro no Brasil? Não era. Seu pensamento é outro. Isso de pátria política para ele é secundário quando há no indivíduo – ou lhe pareça haver – grande vocação literária. Ele está convencido da minha grande vocação literária. E, sendo assim, devo ser "cidadão romano" dessa pátria, ao seu ver sem igual, desse império lingüístico onde o sol não se põe, que é a literatura em língua inglesa. Para esse imperialista da literatura ou da língua inglesa, fora do império formado pela na verdade mais opulenta das literaturas que o mundo já conheceu, não há salvação para escritor nenhum; escrevendo mesmo em francês, alemão ou espanhol, ele será um escritor paroquial, não um escritor pleno. O exemplo que ele me cita com maior ênfase é Conrad. Seu plano para mim: naturalização, *Rhodes scholar* em Oxford, escritor em língua inglesa.

Waco, 1919

Admirável, o Armstrong. Com ele acabo de ler a *Divina comédia*. Ele – como mestre de Literatura Comparada – é entusiasta de tudo que é mediterrâneo. Creio que segue neste particular o seu quase adorado Browning: inglês, muito inglês, e mesmo assim devoto da Itália.

O que Armstrong não compreende é que eu leia com gosto os "exóticos": Loti, por exemplo, e Lafcadio Hearn. Nem mesmo

Romain Rolland ele considera "importante". Sua devoção é pelos clássicos, até Browning, embora com esse culto concilie a admiração por poetas ultramodernistas e anglo-saxoníssimos como Vachel Lindsay e os não tanto anglo-saxões Carl Sandburg, Ezra Pound, Amy Lowell. Paradoxal.

Entretanto, cada dia eu me torno mais atraído pelo exotismo romântico de Lafcadio Hearn. Se é que o que ele fixa como exótico é de fato exótico para um nativo do trópico criado vendo mulheres de cor como eu sou.

WACO, 1919

Estudando Alemão (estudo particular) com Eggert. É um dos professores alemães de música da Universidade. Quero dizer, alemão já naturalizado americano.

Em Biologia está me servindo muito o que aprendi de Desenho com o velho Teles que, entretanto, creia que quase matou em mim a vocação para o desenho e a pintura, como artes criadoras. Vocação animada tanto (em mim) por Mr. Williams. O querido inglês Mr. Williams: o melhor de quantos mestres já tive. O velho Teles não compreendia desenho espontâneo ou que se desviasse do objeto que ele mandava o aluno copiar. O aluno devia copiar com extrema exatidão esse objeto. O desenho científico.

Agora, em trabalhos de laboratório, venho apresentando desenhos que o assistente do Professor Bradbury, de Biologia, não se cansa de elogiar. Exatos. Bem copiados. O velho Teles fez de mim, em desenho, um bom copista, afastando-me do desenho criador. Afastando-me do desenho e da pintura e lançando-me na literatura com um sentido plástico das letras.

SAN ANTONIO, 1919

Em San Antonio, como em El Paso, a presença do México se faz sentir contra o imperialismo anglo-saxônio que absorveu o Texas, a Flórida, a Califórnia, sem entretanto vencer todas as resistências indo-hispânicas ao seu triunfo. Ao contrário: o anglo-saxão de hoje encontra, nos Estados Unidos, certo prazer em cultivar e desenvolver sobrevivências dos antigos donos de terras por ele absorvidas em sua vigorosa e às vezes turbulenta e donjuanesca fase de adolescência nacional.

San Antonio está cheia de espanholismos, mexicanismos, indo-espanholismos que dão a um ibero-americano, mesmo de fala portuguesa, a impressão de estar entre parentes próximos. A presença mexicana é aqui uma presença não apenas do México mas da inteira América indo-hispânica com seus tipos híbridos de mulher, às vezes de uma inconfundível beleza, suas cores de trajos, seu espanhol cantado em que a influência indígena se faz sentir, sua culinária de sabores ardentes e cheiros fortes que fazem a culinária anglo-americana parecer apenas clínica, medicinal, higiênica.

1920

Waco, 1920

Graças a Mestre Armstrong, conheci ontem o velho Markham: Edwin Markham. Um dos homens mais famosos não só nos Estados Unidos como no mundo de fala inglesa. O poeta que escreveu os versos célebres de exaltação do "trabalhador de enxada".

É um velhinho com um ar bom de Papai Noel de cartão-postal. Bochechas cor-de-rosa. Barbas muito brancas. Cabeleira de pintor ou de poeta. Gravata, também. Mas simples, discreto, risonho. Sem atitudes de homem célebre.

Quase toda gente aqui conhece seus versos de cor. Talvez seja hoje o poeta mais recitado nos Estados Unidos.

É evidente que sua celebridade vem menos de sua arte poética, que não é das mais altas, que do sentido social de sua poesia. Um sentido trabalhista. Trabalhista, note-se bem; e não socialista. Pois isso de socialismo aqui é seita: idéia de muito poucos. Enquanto o trabalhismo ou laborismo, não: empolga muita gente.

WACO, 1920

Lendo Frank Norris. Sente-se nele a influência de Zola. Vigoroso. Mais escritor que Jack London. Lendo também Sudermen traduzido do alemão. E Stefan George, também traduzido. Este por sugestão de Eggert. Há alguma coisa nos alemães que me encanta de modo particular. Goethe continua a me dar a impressão de alguém que recriou vida e até natureza, num sentido mais fortemente poético que o de Balzac, aliás imenso ao criar numerosos tipos. Recriar natureza é sem dúvida arte imensamente mais poderosa que a de criar tipos. Mas criar tipos exige do criador gênio do mais agudo. É também a arte de Tolstói; criador de vida, de natureza; e não apenas de tipos. A sua superioridade sobre Dostoiévski, criador de tipos. Criador ou fixador. É verdade que tanto Balzac como Dostoiévski criaram símbolos e não apenas personagens. Também são imensos como criadores de símbolos.

WACO, 1920

Conversa com Harriet Monro. Pergunta-me pela "América Latina". E também pela Espanha. Novos poetas? Que influência sofrem? As francesas?

Uma mulherzinha franzina, fina, pálida, voz que quase não se ouve de tão menina tímida que é. Gestos quase envergonhados de ser gestos. Entretanto, uma das maiores forças no movimento de renovação, ou revolução, das letras – sobretudo da expressão poética que agora agita os Estados Unidos. Sua revista *Poetry* tem, por vezes, qualquer coisa de ultra-revolucionário. De suavemente revolucionário como se ela, Harriet, transmitisse à revolução literária que *Poetry* representa um pouco de sua própria feminilidade um tanto arcaica. Feminilidade que, nessa moderníssima intelectual, se diria sobrevivente de alguma família patriarcal do velho Sul: da Virgínia ou das Carolinas.

Harriet Monro é, como pessoa – ou personalidade –, o oposto de Amy Lowell: mulher tão afirmativa. Tão ostensivamente afirmativa. Entretanto, pode-se dizer que, como revolucionárias literárias, as duas se completam. Remam no mesmo sentido: contra a maré da expressão poética convencional. A favor da chamada "New Poetry". "New Poetry", "New Criticism", "New History" são três dos movimentos renovadores que fazem da literatura – ou da cultura – dos Estados Unidos de agora uma das mais vibrantes no mundo moderno. Não lhe falta sequer um romance que começa a rivalizar, em força de sentido social, com a "New Poetry". Nem a seu drama – O'Neil à frente – falta o mesmo sentido social insurgente que o aproxima, em termos de novos temas sociais, do que foi o de Ibsen e, mais recentemente, vem sendo o de Shaw.

WACO, 1920

Outra carta de Oliveira Lima. Acha que não devo pensar em voltar de vez ao Brasil e informa sobre a situação do intelectual do nosso país. Situação hostil a quem deseje ser escritor: viver de escrever. Aqui é o Professor Armstrong que insiste: "O que V. deve fazer é tornar-se escritor em língua inglesa. Seus laços com o Brasil devem continuar apenas sentimentais. Não há futuro para um grande escritor em língua portuguesa – língua obscura – e tome nota das minhas palavras: em V. há o germe de um grande escritor".

O. L. aprova meu plano de continuar os estudos na Universidade de Columbia.

WACO, 1920

Ter ouvido William Butler Yeats e conversado com ele foi para mim uma experiência que eu, como estudante, não poderia ter maior. Ficará este meu encontro com o irlandês genial como um dos grandes momentos na minha vida.

Primeiro a conferência. Um trecho de autobiografia. Yeats é a negação do orador mas a afirmação do conferencista que valoriza as palavras com uma arte de quem dominasse sons e sentidos ao mesmo tempo. Nunca ouvi conferência igual. É assim que pretendo ser *lecturer*. E não – nunca! – um didata doutoral. Ou um orador.

Após a conferência fui apresentado pelo Professor Armstrong a Yeats. Vi-me diante de uma bela figura de homem em quem a idade, em vez de destruir a firmeza dos traços do rosto fino, delicado, porém viril, vem acentuando uma como permanente juventude. Sua voz é também jovem. Não se artificializa em sonoridades oratórias, mas tem a sua música inconfundível de expressão. Mãos também jovens, as suas. Jovens e expressivas. Só o *pince-nez* me parece absurdo em Yeats.

Conversamos. Pergunta-me várias coisas. Quer saber os meus planos. Que não deixe de ir à Europa, aconselha-me. Quer saber se há sobrevivências celtas no Brasil. (Lembro-me de Euclides da Cunha dizendo-se tapuio, celta e grego). Interessa-se pelo que supõe haver de poético no folclore religioso da América Latina. Recorda a presença celta entre os iberos. Ocorre-me que Yeats é ele próprio uma rara combinação de celta e de anglo. Fico com uma nova idéia dos celtas depois dessa conversa inesquecível com o grande renovador do que é celta na literatura das Ilhas Britânicas e do que é literário entre os europeus modernos.

WACO, 1920

Grande impressão, a de Vachel Lindsay. De Vachel e de Amy Lowell. Talvez ele, Vachel, tão diferente de Yeats, seja, como pessoa humana, maior mesmo que William Butler Yeats, de quem já escrevi neste diário. Sei que o demônio do irlandês é dos três o maior poeta e também o mais homem de letras. Mas tanto Amy Lowell como Vachel Lindsay tem um vigor de personalidade humana, para além da personalidade literária, que dá uma força à sua presença e à sua palavra, que deve se assemelhar à força do Walt Whitman, nos seus grandes dias de renovador da poesia em língua inglesa.

Amy Lowell surpreendeu-me na sua conferência de ontem: começou por elogiar de modo superlativo o autor de um artigo a seu respeito que ela acabara de ler. O artigo é meu. Fui-lhe apresentado depois da conferência: ela repetiu os elogios. Chamou-me até de gênio. E o inglês, onde eu aprendera inglês para escrevê-lo como o escrevia? Convidou-me a visitá-la em Boston.

WACO, 1920

Repito: extraordinário o que acaba de se passar: Amy Lowell começou a sua conferência de ontem referindo-se ao artigo que escrevi a seu respeito como tendo sido escrito por alguém que "além de extremamente inteligente", "talvez um gênio", teria "olhos para ver e ouvidos para aprender as sutilezas de música e de cor da poesia imagista". Não me citou pelo nome: talvez não o soubesse pronunciar. Mas toda a gente olhou para mim. Fiquei nada mais nada menos do que encabulado. Mas contentíssimo. "Talvez um gênio", quem foi considerado no seu país, quando menino, quase um "retardado mental"!

WACO, 1920

Edwin Markham me disse que desejava conhecer o Brasil. A selva brasileira. A selva brasileira é a sedução de muito anglo-saxão. O anglo-saxão guarda no íntimo um amor à selva, que talvez seja a sua marca de "bárbaro" em contraste com o europeu supercivilizado do Mediterrâneo. A atitude do brasileiro civilizado é mista: por um lado, de repúdio à mata; por outro, de submissão a essa mesma mata, da qual não se libertou de todo.

WACO, 1920

Terminadas as matérias – todas, ainda com um *surplus* – para o bacharelado, sigo imediatamente para a de Universidade Columbia a fim de me entregar aos estudos de mestrado e doutorado. Mas sem dar importância aos graus: só aos estudos nesses níveis. Preciso dar o exemplo de desprezar a mania pelos graus acadêmicos que torna o Brasil tão ridículo. Outro dia um ianque gaiato, que já esteve no Brasil, disse aqui numa roda: "No Brasil quem não é analfabeto se intitula de doutor". Não gostei do humorismo. Mas o doloroso é que é verdade.

Que me espera em Nova York? Deixo isto aqui quase sem saudade. Grande saudade dos Armstrong – A. J. e Mary Maxwell. Sua casa foi para mim um refúgio nos meus dias de *blues*, como aqui se diz. Ele continua a dizer que eu não devo voltar ao Brasil – a não ser para visitar a família. Que devo me tornar "escritor na língua inglesa". Um "novo Conrad". Fez-me até estudar Anglo-saxão com Caskey, recém-chegado de Oxford, e que é um bom *scholar*.

Encanta-me em anglo-saxão o *ling* como sinal de diminutivo. É uma língua jovem, verde – o verde de que Goethe tanto gostava – em relação, quer ao inglês, quer ao alemão. Jovem, matinal, imatura. Mas mesmo assim tem suas sutilezas, além de um verde vigor: espécie de viço de virgindade.

O estudo do anglo-saxão é uma espécie de cura contra o vício das longas palavras ou dos solenes polissílabos: em português como na língua inglesa *post*-Chaucer, polissílabos derivados principalmente do Latim; e aos quais Shakespeare – ao contrário de Milton – soube preferir, em momentos exatos, as curtas mas incisivas palavras vindas do Anglo-saxão. Inclusive a delícia de palavra inglesa (principalmente para quem está de namoro ou idílio com o Anglo-saxão, que é *darling* (*dear-ling*),

Bunyan é outro mestre no uso de palavras curtas, derivadas do Anglo-saxão. Seu inglês é tão sem solenidade quanto o português de Fernão Lopes.

Nova York, 1920

Shepherd – o Professor Shepherd – obteve para mim o privilégio de seguir qualquer curso ou aula da Universidade, além daquelas em que estou registrado. Um raro privilégio. Com o *scholarship* que me foi concedido, não tenho de pagar *tuition*. E a Universidade é minha. Sou *scholar* da Universidade de Columbia: da maior das universidades. Nenhuma outra da Europa ou da América tem hoje os mestres de Ciências Políticas, Jurídicas e Sociais – minha especialidade – que Columbia reúne na sua congregação. Estou com a vida que pedi a Deus. Hei de tirar o máximo da oportunidade que me está sendo dada. O máximo. Grava bem isto, meu diário. E perdoa meus transbordamentos. Mas pensando bem, não é este o teu papel: acolher meus transbordamentos, minhas alegrias, minhas vaidades e também minhas tristezas?

NOVA YORK, 1920

Estou decidido a continuar nos cursos de Mestrado e Doutorado e especializar-me, como no de Bacharelado, que acabo de concluir (sem ter, entretanto, dentro dos prazos, me apresentado para o grau: por exceção esse grau me será conferido em ausência), em Letras e em Ciências, das que aqui são denominadas Humanas ou Políticas (e que incluem a parte nobre das Jurídicas) e Sociais: Economia Política, Antropologia, Sociologia, Ciência Política propriamente dita, Direito Público (Direito Constitucional, Administrativo, Direito Internacional, Diplomacia), História Social, Psicologia Social, Filosofia e, é claro, História. Isto sem desprezar a Literatura. Não só satisfaço assim os meus gostos como sigo o conselho do velho Oliveira Lima, que é o de preparar-me para uma possível – embora de modo algum provável – carreira diplomática. A advocacia é atividade que de modo algum me seduz. Nem me seduz a magistratura. Nem o curso apenas técnico de Direito, feito aqui ou na Europa, me serviria no Brasil. Além do quê, o curso apenas técnico de Direito não é, nos países anglo-saxônios, dos que têm maior dignidade universitária. A parte universitariamente nobre do Direito se estuda aqui como Ciência Política e crescentemente como Ciência Social. A influência da Sociologia (e da Antropologia) sobre o Direito é cada dia maior aqui como na Inglaterra. Na própria Alemanha e na própria França é o que se vem verificando. O estudo básico para qualquer especialização científica ou filosófica em matéria social é o da Antropologia, que tem hoje um dos seus centros mais "criadores", como aqui se diz – "creative", é a boa palavra inglesa – na Universidade Columbia, com Boas. Acresce que aqui se acham outros grandes mestres de Ciências Políticas, Jurídicas e Sociais, cujos cursos seguirei: Seligman, Giddings, John Bassett Moore, John Munro, Dewey, Hayes.

NOVA YORK, 1920

O Professor Shepherd obtém para mim, que tenho assegurada na Universidade de Columbia a condição de *scholar* por mérito intelectual – isso me dispensa de taxas ou de *fees* universitários, que em Columbia são um tanto altos – o direito de freqüentar – repito – qualquer curso, além de seguir aqueles dos quais serei aluno regular. Inscrito, portanto, e sem poder faltar às aulas: a presença neles é considerada essencial.

Os estudos universitários nos Estados Unidos, se não são tão fortes quanto na Europa nos cursos de bacharelado, são considerados rivais dos europeus e, em certas faculdades, superiores aos europeus, quando cursos graduados ou pós-graduados numas tantas matérias.

Já sendo .Bacharel, seguirei cursos pós-graduados. Minha Faculdade é uma das mais importantes da Universidade de Columbia: a de Ciências Políticas, que inclui algumas das Jurídicas e as Sociais.

A Universidade de Columbia talvez tenha, atualmente, a maior constelação de mestres nessas ciências: um Boas, um Giddings – o da teoria da "consciência da espécie" –, um John Bassett Moore, um Hayes (História Social), um Seligman, cuja *Interpretação econômica da História* é considerada obra clássica. É um livro que fixa a importância da contribuição de Marx para as ciências sociais sem se tornar passivamente apologético do grande judeu alemão ou – o que seria pior – de um marxismo parado no século XIX.

NOVA YORK, 1920

Desde que me instalei em Nova York que tenho a impressão de ser um tanto nova-iorquino. A Universidade de Columbia, por sua vez, me parece mais fácil de ser conquistada do que eu supunha.

Vejo que preciso de estudar Antropologia e muito. Em Antropologia física, como em Biologia humana, já está feita minha iniciação graças a Bradbury e aos médicos seus amigos da Faculdade de Medicina de Baylor, em Dallas: uma das melhores dos Estados Unidos. Do que agora preciso é de Antropologia social e cultural. A simples História não basta aos meus estudos, dado o critério que ambiciono seguir: se a tanto me ajudar o engenho para que a ciência complete a arte. Caminhamos para uma fase que não será nem Ciência em detrimento da Arte nem de Arte desacompanhada da Ciência, mas das duas: essenciais à compreensão do Homem pelo Homem. A simples Jurisprudência histórica, por exemplo, não basta para se adquirir domínio sociológico e filosófico sobre a Jurisprudência (o único que me interessa, pois a figura do advogado deformador da realidade no interesse dessa ou daquela causa de momento me repugna): precisa de ser completada pela Jurisprudência antropológica. De modo que ouvirei lições sobre o assunto de Boas, ao lado das de Dunning – juntamente com as de John Bassett Moore e de Munro, de Direito Público, e as de Seligman, de Economia Política, também em suas relações com Direito Público.

NOVA YORK, 1920

Lendo Sorel e Maurras, excelentes com relação a ilusões quanto ao infinito progresso humano. Convidado por Amy Lowell para visitá-la em Boston. Irei.

NOVA YORK, 1920

Mestre Armstrong me escreveu fazendo-me seu representante numa reunião de gente de teatro: autores, atores, críticos. Isso me deu oportunidade de conhecer de perto algumas das maiores figuras do teatro de Nova York: John Drew, George Arliss, os Barrymore, Madge Kennedy. Madge é de fato de uma graça extraordinária: o que numa mulher é mais do que a simples beleza. É também bonita, aliás, quase diria bela.

No Brasil se pensa que o cinema está tornando o teatro uma velharia ridícula nos Estados Unidos. A verdade é que nos Estados Unidos o teatro, ligado à melhor literatura, é de uma vitalidade magnífica. Não há artista de cinema cuja grande aspiração não seja tornar-se artista de teatro. É o sucesso desejando tornar-se Glória.

Uma das vantagens de estudar um estrangeiro ou americano de província na Universidade Columbia é esta: estar num dos grandes centros mundiais de arte dramática.

NOVA YORK, 1920

Basta olhar-se na Universidade de Columbia para um John Bassett Moore, para um Giddings, para um

Boas, para um Seligman, para um Dewey, cercado cada um não só de americanos dos Estados Unidos como de europeus, de asiáticos, de africanos, para sentir-se que aqui se concentra de fato alguma coisa de metropolitano e de cosmopolita, como se Columbia fosse uma superuniversidade. Talvez seja hoje a maior concentração assim universalista e não apenas universitária, em todo o mundo. Quase sempre caminho para as aulas da manhã em companhia de um estudante inglês, que já me disse mais de uma vez: "Não há na Europa uma universidade assim tão cosmopolita. E ai de universidade que não for cosmopolita!" Isso dito por um inglês é alguma coisa.

NOVA YORK, 1920

Santayana é a minha grande descoberta nova. É ele quem está me reconciliando com o catolicismo. Sinto que a sua interpretação mais do que filosófica, poética, da concepção católica da vida, corresponde a alguma coisa de profundo que escapa aos filósofos simplesmente filosóficos. Talvez não nos seja dado, neste mundo, o domínio filosófico sobre uma verdade absoluta. A este respeito, já Bergson e William James nos advertem, um através do seu intuicionismo, outro através do seu pragmatismo. Santayana vai além numa concepção poética de verdade – inclusive de verdade religiosa – que aceita como equivalente de uma verdade rigorosamente teológica ou rigorosamente filosófica uma verdade poética. Não terá se inspirado para isso no *Marius the epicurean*, de Walter Pater? Creio que sim. Mas tendo a seu favor seus antecedentes – não sectários – católico-ibéricos sobre os quais o protestantismo anglo-saxônio não agiu senão superficialmente.

NOVA YORK, 1920

Dois livros que vêm impressionando fortemente: o *Confessions of a young man*, de George Moore, e o *Private papers*, de Gissing. Como que os descobri por meu próprio faro literário: sem sugestão de mestre nem de pessoa mais velha. O caso, também, da minha descoberta de Angel Ganivet, em espanhol, numa livraria aqui perto da Universidade, e de Huysmans em francês.

São descobertas de um gosto personalíssimo a leitura de livros que não nos foram recomendados por pessoa alguma; mas nos quais de repente se encontra um indivíduo sob a forma de idéias, de imagens, de confissões, de experiências que parecem ter sido pensadas, sentidas e vividas por uma espécie de pioneiro dele próprio.

Outras leituras que me vêm dando um gosto tal pela literatura sem o qual eu já não encontraria sabor na vida: a de Henry James, a de Meredith, a de Symons, sem falar, é claro, no Walter Pater. Desde que li Pater a primeira vez, ainda em Baylor, tornou-se ele tão parte da minha vida como Charles Lamb, que eu supunha não pudesse ser excedido por nenhum outro escritor na arte do ensaio.

Autores sempre relidos: em francês, Montaigne, Pascal, Rabelais. Em inglês, Shakespeare, Swift, Defoe. Não me entusiasmei com o Samuel Butler. Impressionou-me muito mais Blake, com seu modo fantástico de ver o mundo: um modo fantástico de místico que penetra às vezes nas verdades menos aparentes.

1921

NOVA YORK, 1921

Das filosofias cujos diferentes sabores venho experimentando, as que me atraem mais são a de Santo Agostinho contra a de São Tomás, a de Pascal contra a de Descartes, a de Nietzsche contra a do próprio Kant. E agora James e Bergson contra Comte e Mill. Digo de cada uma que se destaca por ser contrária a alguma outra, para acentuar suas características.

O mistério está presente nos problemas do homem e da vida com que se defronta o filósofo de um modo que não pode ser compreendido nem kantiana nem comtiana nem spinozamente – impassivelmente ou matematicamente. Isto não significa aceitar-se sem mais aquela uma solução extrafilosófica para os problemas filosóficos. Mas significa decerto admitir-se para a indagação filosófica muito mais que os meios matemáticos do conhecimento dentro dos quais querem encerrá-la como quem encerrasse uma ciência: a zoologia ou a botânica, por exemplo.

NOVA YORK, 1921

A grandeza de uma universidade como a de Columbia, sua superioridade sobre as Harvard e as Yale e suponho que também sobre as Bonn e as Sorbonne, as Heidelberg e as Oxford de hoje, está na complexidade que lhe dá sua condição de cosmopolita: cosmopolita mais do que qualquer dessas suas rivais, umas, suas superiores nisto, outras, naquilo, mas todas menos cosmopolitas e menos universalistas do que ela. Não só se sente isto nas suas faculdades e nos seus mestres (alguns vindos para cá, por períodos mais ou menos consideráveis, de outras universidades, como a de Oxford) como nos seus institutos e nos seus clubes. Não deixo de freqüentar seu próprio Clube Cosmopolita – que me oferece uma variedade esplêndida de contactos com a mocidade contemporânea: sempre mocidade, sempre contemporânea mas diversificada pelas diferentes civilizações que seus indivíduos representam. Nem venho deixando de ter contacto com o Instituto das Espanhas, no convívio do qual vem se apurando em mim a consciência de pertencer, como brasileiro, ao mundo hispânico, tanto quanto pertencem a esse mundo os meus amigos da Andaluzia ou de Navarra, da Catalunha ou do Peru. Também freqüento o Clube ou Círculo Francês, no qual me iniciou meu colega René Carrié; e através do qual me conservo em dia com uma França cujos pensadores, intelectuais e artistas, pelo fato mesmo de serem, ao mesmo tempo, muito das suas várias regiões francesas (que o digam Mistral, Barrès e Maurras) e muito do universo senão total, latino, tanto têm de oferecer à gula de um neolatino como eu me sinto, por extensão da minha qualidade de hispano e em contraste com os anglo-saxões, os eslavos, os germânicos, os orientais, que tenho conhecido aqui – alguns dos quais meus bons camaradas; mas sem que eu tenha com eles as mesmas afinidades que com um italiano ou um francês, para não falar de um espanhol ou de um peruano, de um português ou de um galego. À consciência dessas maiores ou menores solidariedades eu tenho chegado pela experiência de contactos com rapazes e moças de várias partes do mundo, com os quais minha identidade de geração – indivíduos da minha idade – e de motivos de vida – o de nos prepararmos através de estudos superiormente universitários para tarefas semelhantes, depois de plenos adultos – me dão o mínimo de intimidade comum, necessário ao esforço de auto-análise que aqui registro. Registro aquelas solidariedades com grupos, sem deixar de reconhecer que em indivíduos não-hispânicos e não-latinos tenho encontrado, pessoalmente, alguns dos melhores amigos desta minha fase de vida e de experiências. De brasileiro, vivo quase de todo afastado. Se não me engano, sou o único brasileiro que atualmente segue em Columbia estudos de Ciências Políticas, Direito Público e Ciências Sociais – pelo menos de modo sistemático. Pois uma vez por outra me encontro nas aulas de Direito Internacional de John Bassett Moore com o Cônsul-Geral do Brasil – o admirável Hélio Lobo.

NOVA YORK, 1921

Giddings, muito solene dentro do seu fraque preto, majestoso como se fosse a própria encarnação da Inteligência anglo-saxônia nas suas melhores e mais imperiais virtudes, a barba ainda ruiva lembrando a das fotografias coloridas de Eduardo VII, investiu hoje com todo o vigor de sua palavra de mestre de mestres contra os estudantes que, em resposta às perguntas de exame aqui chamado de "meio-do-termo", escreveram respostas "vagas". "Minhas perguntas – bradou ele – foram precisas. Eram respostas precisas que elas exigiam". Senti-me parte atingido pela censura de Giddings, pois divaguei na resposta à sua pergunta sobre o conceito sociológico de "energia". O que valeu-me um C: um duro e humilhante C. De ordinário ele e outros mestres me têm dado AA e BB.

Giddings dá aulas de duas horas: longas aulas. É verdade que só para pós-graduados, sendo também de duas horas até de três e quatro – a duração dos chamados "seminários", também reservados só a estudantes de Mestrado e Doutorado e pós-Doutorado. Pois nos Estados Unidos, não havendo lentes-proprietários de cátedras, os professores universitários se sentem obrigados a se renovar seguindo cursos de superprofessores, que são, como Giddings, Boas, Seligman, Dewey, John Bassett Moore – os grandes velhos de Columbia – mestres de mestres. Não se pense que nos cursos de pós-doutorado não se exija muito dos inscritos. São cursos absorventes e intensos.

Aliás, os estudos pós-graduados são, nas universidades dos Estados Unidos, os mais intensos e absorventes; e os subgraduados, os mais simples. Alguns chegam a ser fracos, comparados com os europeus.

Nova York, 1921

Com Geddes, Le Play, Mistral e Maurras e um tanto sob a influência de movimentos literários por assim dizer antimetropolitanos, aqui nos Estados Unidos, como o do Oeste Médio, o do Oeste, o do Sul, e sobretudo o de Yeats, na Irlanda, venho me orientando para o estudo dos problemas sociais e culturais sob critério regional; e para valorização do regional nas artes. O nosso Sílvio Romero teve a intuição da necessidade desse critério quer para a administração do Brasil como república quer para a sua interpretação e a sua expressão, como um todo nacional literário. Mas vagamente. Sua aplicação de Le Play no Brasil é superficial. Silvio Romero me dá a idéia da diligente galinha que ciscou muito terreiro no Brasil para que ternos pintinhos descobrissem na terra ciscada uma multidão de minhocas de que não se apercebiam, atentos só ao milho, à cevada, às comidas nobremente dignas do bico de uma galinha-mãe. Faltou-lhe o conhecimento da importância da minhoca, importância posta em relevo por Darwin em página digna de fazer companhia à de Thomas Huxley sobre "um pedaço de giz".

Lendo também Fustel des Coulanges, René Carrié me fez membro do Círculo Francês da Universidade Columbia. Acompanho o movimento intelectual francês pelas revistas e pelas conversas com os jovens franceses desse Círculo.

Nova York, 1921

Venho seguindo o curso do Professor *Sir* Alfred Zimmern, de Oxford e da Columbia ao mesmo tempo. Curso também ao mesmo tempo de Direito Público e de Sociologia da História, tendo por base o estudo das instituições gregas. Especialmente o estudo do Estado grego, particularmente o da escravidão na Grécia clássica.

Zimmern – *Sir* Alfred: baronete e portanto nobre britânico – é um expositor admirável. Lúcido, sóbrio, com um *sense of humour* de resto bem inglês. É ele exemplo do que há de helênico na moderna cultura dos ingleses, que tem em Oxford seu principal reduto do espírito grego – o de "ver e conhecer" – diverso do hebraico e do romano, de que estão mais impregnados não só os europeus latinos como vários dos próprios ingleses, não oxonianos, e os anglo-americanos em vários aspectos da sua vida e da sua cultura; em diversas de suas instituições; em muitos dos seus motivos de ação e das suas normas de comportamento. O "espírito grego" é mais raro. Seu reduto é Oxford.

De Oxford continua a comunicar-se à cultura inglesa alguma coisa de grego, de helênico, que, harmonizado com o espírito anglo-saxônio (que dá à mesma cultura seu bom lastro "bárbaro"), constitui um dos melhores encantos da moderna civilização britânica. Desse helenismo é representante Zimmern. Sua palavra é a de um grego moderno como grega é também a sabedoria – e não apenas ciência – que irradia dos escritos de Gilbert Murray e do Deão Inge.

NOVA YORK, 1921

Fui ao teatro ver *Miss Lulu Bett*. Confesso que de ordinário há para mim no teatro ou no drama – como se diz aqui – alguma coisa de artificial que me afasta dele: mesmo quando é o teatro do reformista Ibsen. Mas essa Lulu Bett me comoveu. É desses dramas – no caso, o drama da solteirona – em que o verbo se torna carne. Vê-se a solteirona. A solteirona em carne viva. Esta é a vantagem do drama: tornar o verbo, literalmente, visivelmente, carne. Façanha de Shakespeare em escala monumental.

NOVA YORK, 1921

F. B. S. sugere-me ir ouvir Frank Harris: uma de suas palestras semipúblicas em que ele recorda experiências da sua vida de escritor cosmopolita, que conheceu de perto Oscar Wilde, Kipling, Shaw. O diabo é que Harris, segundo diz a gente bem informada sobre os assuntos que ele versa, mente um bocado. Fantasia demais. Mas é fato que conheceu de perto a gente ilustre que evoca pelos nomes e até pelos apelidos. Inclusive Walter Pater.

NOVA YORK, 1921

Grande solenidade na Universidade de Columbia. Homenagem a Foch. Vejo de perto não só o grande francês como várias outras figuras de prol. Também me apresentam a um menino gordo que é considerado um dos novos gênios da Universidade pelos *tests* agora em vigor. Ele me estende a mais mole das mãos e sorri inexpressivamente quando lhe dizem de mim: "Este sul-americano é magro, mas é seu colega em peso intelectual". Depois do quê, se afasta gingando, arrastando além do peso do gênio o da gordura das nádegas, que, nele, talvez seja o maior. Afinal, esses *tests* são coisas muito mecânicas.

Voltando a Foch: parece-me em boa condição física. Rijo. Suportando bem a fama e a glória. A glória: daí a procissão acadêmica em sua honra. Muitos amarelos, verdes, roxos, azuis, vermelhos sobre o negro das becas doutorais. O anglo-saxão dá enorme importância aos ritos universitários. Igual à que dá aos ritos religiosos nas catedrais, nas igrejas, nas simples capelas.

Já faz frio. O sol parece uma lua. Não aquece. Parece contentar-se em apenas parecer sol. Sob esse sol quase lua é que a Universidade de Columbia aclama Foch um dos maiores homens do século pela vitória do seu gênio militar sobre a máquina de guerra prussiana. Grande vitória, na verdade. Mas até quando poderá a França continuar a depender, na sua competição com a Alemanha, dos seus gênios militares, enquanto várias de suas outras expressões de força, de organização e de vitalidade nacionais declinam melancolicamente?

Este o drama que a todos nós, homens deste século impregnado ainda de cultura européia, interessa e alcança. Pois precisamos da França, ao lado da Alemanha; e não superada por uma Alemanha que venha a reerguer-se de derrotas apenas militares. Precisamos da França como da Grã-Bretanha; e quase tanto quanto da Grã-Bretanha, de uma Rússia que volte a ser Rússia. E muito, da Espanha – se é que a Espanha e Portugal e a Rússia são Europa.

Nova York, 1921

No Hotel Brevoort, com Vachel Lindsay. Ele me recebe – ao simples estudante que sou – dando-me uma importância enorme. Surpreendo-o a desenhar mulheres de cabelos soltos. Continua a desenhá-las enquanto conversa comigo.

"Mas, V. está mesmo decidido a ser escritor em língua portuguesa?", pergunta-me naquele seu inglês inconfundível, no qual sempre me lembrarei de o ter ouvido cantar, no Texas, seus poemas, para um colégio de jovens negras, levando-as a um entusiasmo quase religioso.

Digo que sim, sentindo-me um tanto ridículo. Ele porém acrescenta sério, sem sorrir (nunca o vi sorrir): "V. é heróico".

Nova York, 1921

A superstição que mais domina as universidades americanas de hoje é a do Ph.D. A do doutorado à maneira alemã: imitado da Alemanha. Trata-se de um antianglo-saxonismo idiota: enquanto o M. A. (*Magister Artium*) de Oxford e de Cambridge (e de que a Universidade de Columbia, como antigo Colégio do Rei da Inglaterra, foi até há pouco a mais alta expressão nos Estados Unidos) consagra o generalismo humanístico, o Ph.D. germânico glorifica o especialismo pedante, estreito, ridículo, até. Aquele de que Eça de Queirós fez a caricatura perfeita ao seu Dr. Topsius. Conheço aqui vários recém-formados no grau de Ph.D. Ou ainda doutorandos. Quase todos uns cretinos. Ignorantes como eles sós. Daí meu rumo: estudar aqui o mais possível com grandes mestres nos cursos de Mestrado e de Doutorado. Mas sem me tornar postulante desses graus. Sem escravizar a eles meus livres e aventurosos estudos. Fazendo, neste particular, muito espanholamente, o que me dá *la gana*.

Nova York, 1921

Logo depois de ter beijado Helen intensamente, na boca, até chegarmos ao êxtase, pensei: tenho de guardar a memória desse momento para sempre. É colecionando as recordações de momentos assim intensos e preciosos que um indivíduo se enriquece. Guardo algumas dessas recordações. Uma vez por outra retiro-as da memória e vivo-as uma segunda, uma terceira, uma quarta, uma quinta vez.

NOVA YORK, 1921

Beijei Helen na boca. Sugando-lhe a boca como se fosse um supersexo. A louríssima Helen é personagem, comigo, de um romance inglês que uma nova Brontë tivesse escrito com água, mas com alguma coisa de Lawrence no seu modo de tratar de amor e de beijos. Um longo beijo. Mais que um beijo. Foi como se pela boca ela se entregasse toda a mim – sexo e alma. Toda e para sempre. Repito que nunca me esquecerei desse instante. É pena não poder eu reter um instante como esse de uma forma mais carnal que simplesmente abstrata. E como eu gostaria de guardar certos instantes como se eles tivessem existência própria e fossem como jóias que se destacassem do tempo para não serem desgastadas por ele. E persistissem como instantes vivos e não simples e meio mortas sobrevivências na memória ou na saudade de quem os experimentou.

NOVA YORK, 1921

Sinto o drama de H. É o drama da puritanazinha romântica de um vilarejo da Nova Inglaterra. Enamorou-se de um canalha. Entregou-se ao canalha. O canalha a abandonou. Impossível a H. continuar no vilarejo, sem nenhuma graça para ela. Aproveitou-se do fato de gostar de pintar aquarelas. Convenceu os pais puritanos que deviam deixar que ela viesse estudar Arte – Arte com A bem maiúsculo! – em Nova York. E em Nova York não teve dúvida: tornou-se "Artista" de Greenwich Village. Foi onde nos encontramos. Senti logo na "Artista" a puritanazinha a querer recuperar a seu modo, muito a seu modo, o tempo perdido no seu vilarejo. Mas sem conseguir despuritanizar-se. Ficamos camaradas. É uma linda lourinha. A primeira vez que eu quis beijá-la, ao deixá-la no seu apartamento, repeliu-me. Repeliu-me uma segunda vez. Até que anteontem deu-se como que toda a mim num beijo mais que beijo. É minha para o que eu quiser.

Nova York, 1921

Nova visita a Vachel Lindsay no Brevoort. E de novo o encontro no seu apartamento, desenhando. Folhas e folhas de desenhos. Verifico que predomina, nesses desenhos do poeta, a figura de uma mulher de cabelos soltos. Num dos desenhos, pareceu-me surpreender a mulher de cabelos soltos inteiramente nua. Assunto para um psicanalista.

Nova York, 1921

Bach é essencial para mim. Desde Baylor. Em Baylor, na capela deserta, o velho Hoffman o tocava exclusivamente para Robert Pool e George Young, para que o ouvíssemos; e com um prazer de alemão que via a música de um seu compatriota adorada por um sul-americano vindo de terras para ele ainda um tanto selvagens. Agora, em Nova York, vou à Catedral de São João – São João o Teólogo – só para ouvir Bach. Às vezes ouço também o velho Manning – não de todo mau, a discursar no seu inglês não só de anglicano mas da Inglaterra. Mas é Bach que me leva à Catedral ainda cercada de andaimes: imensa, catedralesca sem dúvida, mas ainda em construção; e que, ao som de Bach, parece antecipar-se na sua condição plena de imensa catedral americana do anglo-catolicismo.

Nova York, 1921

Estou interessado em estudar o que talvez se possa chamar a sociologia do brinquedo como um aspecto da sociologia – sociologia e psicologia – da criança ou do menino. Mr. Edmonds está me auxiliando na visita à fábrica de brinquedos. Desejo anotar as predominâncias de gosto com relação a brinquedos, da criança ou do menino de uma grande cidade cosmopolita como Nova York. Considero assunto importante e fascinante. Sonho com um museu de brinquedos rústicos feitos de pedaços de madeiras, quengas de coco, palhas de coqueiros, por meninos pobres do Brasil.

NOVA YORK, 1921

Não perco concertos de Bach na Catedral de São João o Teólogo. É a música que mais corresponde ao que há em mim de místico, para quem, entre o protestantismo e o catolicismo, não há fronteiras rígidas. Mesmo assim, compreendo o drama de Newman. Também sofri uma agonia semelhante à dele, sem me ter aquietado com a solução que o levou à ortodoxia católica. Serei sempre um inquieto?

NOVA YORK, 1921

Indiquei a Hélio Lobo a obra de Beard, *Economic interpretation of the [americana] Constitution*, como obra essencial. Ele nunca ouvira falar nem desse livro nem de Beard! Suponho que no Brasil ninguém os conhece. Hélio Lobo é um brasileiro como não parece que existam muitos nos altos cargos da diplomacia e do governo. Encontro-o sempre nas aulas de Direito Internacional de John Bassett Moore como se fosse um estudante qualquer.

NOVA YORK, 1921

Converso com o Professor De Onis sobre assuntos hispânicos. Ele se espanta do fato de eu não só aceitar como desenvolver uma concepção de civilização que põe o Brasil do mesmo modo que Portugal no conjunto hispânico de nações. De ordinário, ele me explica, os portugueses reagem com excessivo furor emocional contra a concepção hispânica de civilização, julgando-se vítima de um imperialismo espanhol, perigoso e absorvente. Tal imperialismo existe, mas não é ele, penso eu, que nos deve impedir, aos brasileiros e portugueses, de nos sentirmos parte de um conjunto de cultura que nos fortalece enquanto, separados inteiramente deles, nos amesquinhamos numa espécie de dissidência caprichosa e sectária, como a daqueles católicos (dos quais existem ainda sobreviventes) que se separaram da Igreja por não aceitarem a supremacia de Roma. Os grandes valores hispânicos são evidentemente os espanhóis. Por que deixamos de ser hispanos para nos julgarmos completos e suficientes como um Gil Vicente, um Camões, um Frei Luís de Sousa, e mesmo um Fernão Lopes e um Fernão Mendes que a um moderno Eça, que não bastam de modo algum para dar, sozinhos, a uma cultura, a grandeza que a hispânica possui, quando a esses valores junta os supremos pela sua universalidade: Lulio, Cervantes, El Greco, Vives, Velásquez, Gracián, Frei Luís de León?

LAKE GEORGE, 1921

Curiosa a explosão de ontem, contra mim, de um jovem estudante americano, tipo médio.

À mesa do almoço, explodiu de repente: que não gostava de mim porque eu era um aristocrata; e nos Estados Unidos não havia lugar para aristocratas! E esta? Que aristocratismo irritante será esse que eu conduzo sem me aperceber dele?

LAKE GEORGE, 1921

Primeiro vôo de hidroavião sobre as águas dos lagos. Boa sensação.

MONTREAL, 1921

No Canadá. A verdade é que me sinto melhor no Canadá do que nos Estados Unidos. Por quê? Talvez a alimentação contribua para isso. Mas deve haver motivos outros: o ambiente todo, com alguma coisa de latino a misturar-se às predominâncias anglo-saxônias, é, como se diz em inglês, mais "congenial" para um indivíduo de meu feitio.

NOVA YORK, 1921

A psicanálise veio mostrar que nada havia no mundo de mais anormal que a normalidade. E a ser a anormalidade, em si, mais interessante de se olhar e de se estudar que a normalidade, nós não precisamos, como os homens do século

XIX, de concentrar todo o nosso interesse em três ou quatro Lords Byrons ou dois ou três Baudelaires: é só prestar atenção, farejando a nota de anormalidade íntima, à gente que nos rodeia. Há Lords Byrons por trás de muito *pince-nez* de professora pública do município; por trás dos bigodes caídos no canto da boca de muito funcionário do Tesouro e da Prefeitura; por trás de muito olhar comum de tabelião ou de armazenário de açúcar.

A psicanálise veio democratizar o anormal e como que aristocratizar o normal. É uma revolução estupenda: espécie de Revolução Francesa no mundo interior do Homem. Revolução Francesa com guilhotina e violência. Provocadora de suicídios e de homicídios, mas também salvadora de vidas extraviadas.

WASHINGTON, 1921

Oliveira Lima mostra-me numerosas cartas do seu arquivo: de Joaquim Nabuco, de José Veríssimo, de Euclides da Cunha, do Príncipe Dom Luís. Muito interessantes as cartas de Dom Luís de Bragança. Era homem de fato lúcido, e compreendo que Oliveira Lima tivesse se deixado seduzir, a certa altura, pela causa monárquica, encarnada por um Bragança tão esclarecido: com a visão do próprio problema social, da própria questão operária, tão ignorada pelos Rui Barbosa e por outros políticos republicanos presos aos aspectos exclusivamente políticos e jurídicos da chamada "realidade brasileira".

Fala-me Oliveira Lima das ligações do Metz – do seu amigo alemão Metz – com o Príncipe. Até onde terão ido essas ligações, não consigo descobrir: o Oliveira Lima se mostra reservado nesse ponto. O que parece é que Metz, alemão inteligente e meticuloso (hoje casado com uma senhora americana, muito das relações dos Oliveira Lima), esteve no Brasil em viagem de pesquisa política, por conta do arguto Bragança, empenhado em restaurar a monarquia no Brasil. Mas não consigo ver claro esse aspecto das relações entre o Príncipe e o alemão. O que sei é que, se houve tal pesquisa, o relatório Metz deve ser precioso do ponto de vista sociológico e não apenas do político.

O ambiente dos Oliveira Lima é sem dúvida alguma o de uma casa de brasileiros de certo modo fiéis à causa monárquica, embora coloquem acima dessa causa os interesses nacionais brasileiros, a exemplo do que fez o Barão do Rio Branco. As relíquias monárquicas que os cercam são numerosas. Inclusive fotografias.

Mas em matéria fotográfica, nenhuma me impressiona mais do que as do álbum de Sousa Correia – álbum de que O. L. se tornou herdeiro. Vê-se aí, em fotografias honrosíssimas para o Brasil, o fino diplomata que foi o "Chevalier Correa" sentado entre figuras da casa real da Inglaterra, algumas de pé. Compreende-se assim o prestígio que alcançou o Brasil em Londres, nos dias do "Chevalier", ministro e amigo íntimo de Eduardo VII. Ou do futuro Eduardo VII.

WASHINGTON, 1921

Conheço em casa de Oliveira Lima o Barão von Below. É profundamente alemão. De tanto ser chamado de germanófilo o nosso Oliveira Lima, emergiu da Guerra um brasileiro quase adorado pelos alemães. Entretanto, suas grandes afinidades creio que continuam com o espírito inglês. Seu *humour* é inglês. Foi uma pena o equívoco que o separou talvez para sempre da Inglaterra.

WASHINGTON, 1921

O Embaixador Cochrane de Alencar convida-me a almoçar na Embaixada. Ele não tem relações com Oliveira Lima. Aliás, parece que são bem poucos os diplomatas brasileiros ativos com quem Oliveira Lima se conserva em boas relações: Gastão da Cunha e Sousa Dantas são dois dos seus aliados, contra a "mediocridade" e o "arrivismo" no Itamarati. Dentre os mais jovens, Ciro de Freitas Vale e dois ou três outros.

O Embaixador Cochrane de Alencar é filho de José de Alencar. Eu lhe conto ter aprendido de cor, quando menino, muita página do autor de *Iracema*. (Agora, quase homem, já não tenho por Alencar o velho entusiasmo. Mas ainda o releio às vezes com a antiga delícia. Não é como Junqueiro, que me fascinou a meninice para tornar-se quase intolerável à minha adolescência.) Continuo a considerar Alencar importantíssimo.

O embaixador me ouve com paciência. É um homem medíocre, porém bom. Autenticamente bom. Eu gostaria de fazer as pazes dele com Oliveira Lima. Mas é difícil: reforçado por Dona Flora, O. L. é uma espécie de Gibraltar. Uma rocha de intransigências.

Conheço na embaixada um jovem secretário quase meu conterrâneo, pois é filho de pernambucano: Joaquim de Sousa Leão. Simpático e sem nenhuma afetação diplomática. O pai é grande amigo de Oliveira Lima.

WASHINGTON, 1921

É horrível pensar na morte como eu venho pensando. A idéia da completa dissolução talvez me leve à loucura. Sinto às vezes que vou ficar louco por não saber fugir à obsessão da morte. Ou do nada.

Vim a Washington passar uns dias com o casal O. L. Eles me acharam triste, e Dona F. me perguntou se era "alguma americana". Não é: é a idéia da morte. A do nada.

Abri-me ontem à noite com O. L. Falei-lhe da inquietação que vem me angustiando. Da minha obsessão com a idéia da morte. Da dificuldade em conciliar-me com essa idéia terrível. Do meu medo de enlouquecer.

Ele sorriu e me disse que na minha idade atravessara dias angustiados pela mesma inquietação. Também temera a loucura.

Pareceu-me impossível um O. L. inquieto: romanticamente inquieto. Receoso da própria loucura. Entretanto, esse homem, que é hoje uma montanha de bom senso, chegou a temer a loucura, de tão inquieto que chegou a ser na mocidade.

Fez-me bem essa conversa de homem para homem com O. L. Agora o vejo com outros olhos: como um homem que conquistou o bom senso atual através de terríveis batalhas mentais. De modo que não sou o primeiro a travar tais batalhas. O. L. travou-as e venceu-as, sendo hoje uma espécie de Dr. Johnson brasileiro pela independência bravia e pelo quixotismo de atitudes. Mas sem que lhe falte um profundo bom senso. Quase como o também gordo, quase obeso, inglês.

WASHINGTON, 1921

Há um aforismo espanhol – "Cada hombre es un mundo" – que Oliveira Martins ampliou assim: "Um caráter bem estudado vale por um mundo visto".

Em convívio com Oliveira Lima, para quem sou cada dia pessoa da sua própria família, tenho a impressão de estudar de perto um caráter; e de, através desse caráter, ver um mundo que já não é o atual. Há nele e em Dona Flora muito de uma Europa, de um Brasil, até de uns Estados Unidos, que já não existem. Mundos desaparecidos. Tempos idos: como que mortos. E eles são um pouco "louvadores desse tempos idos" pelo próprio e inevitável conflito de caráter de cada um – formados ambos na Era Vitoriana – com esta época que sem ser positivamente isto ou aquilo é, com certeza, antivitoriana; e até se esmera em negar as virtudes consagradas pela Europa agora em dissolução.

Estamos numa época de dissolução. O. L. não é nenhum caturra que se feche aos fatos novos e aos novos problemas para ater-se nostalgicamente a um passado morto; mas há nele um caráter e, à base desse caráter, um mundo inteiro em conflito com o de hoje. Daí seu repúdio a tantas atualidades.

NOVA YORK, 1921

Longa conversa com a velha Rundle (*née* Maxwell) sobre o Brasil do meado do século XI. A velhinha deve ter nascido por volta de 1840. Terá agora seus oitenta e tal anos. Está lúcida. É um encanto de velhinha. Inteligente e fidalga.

Mostra-me fotografia antiga do palacete dos Maxwell no Rio: vasto palacete. Belo arvoredo. Aspecto de grandeza. Fala-me com saudade do Rio do tempo de Pedro II ainda moço. Ela freqüentava os melhores salões da corte brasileira, filha que era de Maxwell, o então rei do café. Quem lê os livros e jornais da época encontra referências numerosas ao nome desse famoso escocês abrasileirado. Era na verdade um nababo: imensamente rico. Escocês encantado pela natureza do Brasil e pelas maneiras, pelos costumes e me diz a velha Rundle que muito particularmente pelos doces e bolos brasileiros. E ao contrário dos escoceses típicos, um perdulário. Sua era uma das melhores carruagens do Rio no meado do século XIX. Seus pajens e escravos primavam pelos belos trajos. Suas mucamas, também. A velha Rundle cresceu como uma autêntica sinhazinha: ninada, mimada, servida por mucamas, negrinhas, negras velhas que lhe faziam todas as vontades. "Como não ter saudades de um Brasil onde fui tão feliz?", pergunta-me ela servindo-me vinho do Porto. "E por que não voltou ao Brasil?", pergunto-lhe eu. Mas não insisti na pergunta: a velhinha chorava. Chorava seu Paraíso Perdido, e esse Paraíso Perdido foi o Rio de 1850 – com todos os seus horrores; mas a que entretanto não faltavam grandes encantos. São assim as épocas: todas têm seus encantos e não apenas horrores de epidemias, imundície, crueldade.

NOVA YORK, 1921

Lendo Stanley Hall: seus estudos da criança e do adolescente. Suas teorias sobre os jogos e brinquedos – e importância dos estudos de psicologia e sociologia para a interpretação da personalidade do homem através do que ele foi como menino. Venho visitando lojas e armazéns de brinquedos – dos quais Nova York, este imenso laboratório, está cheio – e já pedi a Mr. Edwards que me pusesse em contato com as principais fábricas de brinquedos aqui de Nova York.

O que eu desejaria era escrever uma história como suponho ninguém ter escrito com relação a país algum: a história do menino – da sua vida, dos seus brinquedos, dos seus vícios – brasileiro, desde os tempos coloniais até hoje. Já comecei a tomar notas na biblioteca de Oliveira Lima: nos cronistas coloniais, nos viajantes, nas cartas dos jesuítas. Sobre meninos do engenho, meninos do interior, meninos das cidades. Os órfãos dos colégios dos jesuítas. Os alunos dos padres. Os meninos mestiços – filhos de franceses com índias – encontrados pelos portugueses. De crias de casas-grandes. De afilhados de senhores de engenho, de vigários, de homens ricos, educados como se fossem filhos por esses senhores. É um grande assunto. E creio que só por meio de uma história desse tipo – história sociológica, psicológica, antropológica e não cronológica – será possível chegar-se a uma idéia sobre a personalidade do brasileiro. É o menino que revela o homem. Mas nunca ninguém aplicou esse critério ao estudo da formação ou do desenvolvimento nacional de um país.

Todo espaço, nas histórias convencionais – e talvez em todas até hoje escritas – é ou tem sido pouco para a glorificação dos adultos: e dentre os adultos, só os homens; dentre os homens, só os importantes como políticos e militares. É um erro. Deixa-se quase inteiramente fora do projetor histórico, isto é, na sombra, a mulher; deixam-se quase na sombra os intelectuais, os lavradores, os artistas, os homens de ciência, os artesãos, os industriais, os comerciantes; os servos, os escravos; e ignora-se a presença – a simples presença – da criança, do menino, do adolescente.

É preciso que se reaja contra isso. Porque não há compreensão possível do Homem, deixando-se de procurar compreender a Mulher e o Menino. Como não é possível compreender-se o Senhor, sem se compreender o Escravo.

MONTREAL, 1921

Outra vez no Canadá. Há no Canadá alguma coisa de inconfundivelmente canadense sob as suas aparências, ora européias, ora americanas. Suas fronteiras com os Estados Unidos existem, a despeito da grande cordialidade de relações entre a imperial República e este pedaço quase republicano de Império: Império Britânico.

Encontro aqui alguma coisa de conhecido, de familiar, de afim do Brasil, que deve ser a graça latina deixada aqui por franceses católicos, ainda hoje, sob alguns aspectos, resistentes à assimilação pelos anglo-saxões e pelo protestantismo. É um país que acolhe um neolatino do Brasil com um espírito fraterno que vem daquelas duas fontes comuns de civilização desenvolvida na América: a fonte latina e a fonte católica.

Ao mesmo tempo é uma gente, uma paisagem, uma civilização, a canadense, já muito anglo-saxoniada: às vezes tem-se a impressão de que se está ainda nos Estados Unidos. Mas só a impressão. Só Nova Orleans, nos Estados Unidos, receberia um estrangeiro com tantos restaurantes bons: superiores aos estandardizados, da maioria das cidades anglo-americanas. Cada um com seu pitoresco, suas especialidades, seus vinhos. Seus jardins é que são deliciosamente ingleses como anglo-saxônia, em seu modo de ser universidade, é a sua Universidade.

Curioso que o Canadá não tenha produzido uma literatura digna desse país. Nem tampouco uma arte. Nem uma música fortemente característica.

NOVA YORK, 1921

Miss G. vem insistindo comigo para tornar-me amigo – subentenda-se: amante – da costureirinha que a ajuda: tipo de moça anglo-saxônia nem bonita nem feia, um tanto mais triste, talvez, do que o comum das moças da sua raça e da sua classe e com certa fome velada de macho nos olhos quase angelicamente azuis. Dentro da orientação que, segundo A. J. A., eu devia seguir – companheira ideal para mim. Companheira de discretas aventuras de sexo e ao mesmo tempo de minha integração no mundo anglo-saxônio que em Nova York é um mundo à parte do cosmopolita. Confesso, entretanto, que estou preso pelas graças mais sabiamente sexuais da cubana a quem seu compatriota, M., me apresentou.

As *girls* anglo-saxônias, eu as conheço bem, dos muitos *necking parties* que venho freqüentando desde a puritana Waco: esses *neeking parties*, que na verdade substituem a cópula nua e crua por imitações de cópula semivestida e seminua. O quase sempre vertical em vez de horizontal. Mas o bastante para acalmar num adolescente a gula por mulher: por intimidade sexual com mulheres. São grandes orgias de rapazes – alguns semivirgens – com moças: várias delas também semivirgens.

NOVA YORK, 1921

Interessantes os trajos dos grandes professores de Columbia, que marcam neles as gerações a que pertencem. Os mais velhos quase sempre se apresentam de tal modo elegantes, nos seus fraques pretos – o caso de Giddings, de Seligman, de John Bassett Moore –, que parecem vir para as aulas como se viessem para casamentos ou para enterros. Excetue-se

Boas: deste a aparência é a de um velhote boêmio. Boas parece mais um músico que um antropólogo. Os mais moços se apresentam bem menos elegantes. Quase iguais aos estudantes no à-vontade das roupas frouxas que em alguns chegam a extremo de parecer vestes de palhaço. O caso de Kendrick. De vários o trajo é um meio-termo entre tais extremos: Munro, Fox, Van Doren, Hayes, Zimmern (de Oxford), Shotwell, Brander Matthews, Dunning, Shepherd, Haring (que é aliás de Harvard e está este ano em Columbia, como Zimmern está aqui, sendo de Oxford: estão em Columbia, como professores extraordinários). Isso para falar apenas dos professores que conheço mais de perto.

BOSTON, 1921

Venho a Boston a convite de Amy Lowell. Mas não deixo de visitar Goldberg.

Almoço com o casal Isaac Goldberg. Almoço – diz-me ele de início – à moda dos judeus.

Dão-me a comer uma carne (já não me lembra seu nome em *yiddish*) que me recorda o cozido brasileiro. Até onde irá – penso durante o almoço com os Goldberg – a influência do judeu sobre a cozinha portuguesa? Sobre a cozinha brasileira? A "feijoada dormida", o "munguzá dormido", o quitute que se come depois de uma noite como que de repouso encoberto da iguaria, talvez seja reminiscência brasileira dos dias de quitutes encobertos e até secretos dos cristãos-novos.

Goldberg é homem de Harvard. Bacharelou-se em Harvard, Seria ótimo professor de literaturas neo-hispânicas – inclusive a brasileira – na mesma Harvard. Por que não o querem na velha universidade onde outrora Longfellow ensinou literatura portuguesa, ao lado da italiana e da espanhola? Porque – explicou-me um anglo-saxão – sua "personalidade judaica" é considerada "desagradável" pelos anglo-saxões. Em outras palavras: porque há em Harvard preconceitos anti-semitas.

Deficiência de que está livre Columbia, que é, ao mesmo tempo, muito inglesa e muito anglicana – de acordo com sua tradição de escola fundada ainda por monarca inglês sob a proteção da Coroa:

ainda hoje o seu símbolo ou a sua insígnia – e amplamente cosmopolita. Inclusive com muita presença judaica. Pena que ao seu catedrático de Literatura Espanhola – Don Federico de Onis, erudito espanhol dos mais completos na sua especialidade – falte o conhecimento de língua portuguesa e das literaturas de Portugal e do Brasil. Exatamente o conhecimento que tornaria Goldberg mestre ideal de literaturas hispânicas em qualquer grande universidade deste país ou da Europa.

NOVA YORK, 1921

Vinha eu ontem muito ancho, de chapéu-de-coco, pela calçada da Broadway, a caminho da Universidade – uma aula de Direito Internacional de John Bassett Moore que não queria perder – quando um meu colega, com quem já tenho conversado a caminho das aulas, me interrompe: "Não ponha o seu chapéu de lado, que isto só fazem os canalhas, e Você é positivamente a negação do canalha". Apressei o passo com o risco de espatifar-me na neve escorregadia, porque senti na voz do camarada o mesmo que senti havia anos, ainda menino, uma vez, na voz de outro indivíduo, Mr. X, que começou a elogiar-me e do elogio passou-me a apalpar os músculos dos braços, daí descendo até procurar-me o membro e fazendo-me correr dele e das suas carícias como se corresse de um doido: de um terrível louco.

NOVA YORK, 1921

Outro registro da visita aos Goldberg. Já disse que me receberam com um almoço tipicamente israelita. Ele, inteligentíssimo. Ela, muito simpática. Não gostei quando ele me disse, com uns olhos de mártir São Sebastião: "Nunca pensei que um hóspede dos Lowell viesse almoçar com uns pobres judeus de subúrbio humilde de Boston". Isso ou mais ou menos isto. A despeito de toda a sua inteligência e de todo o seu saber, I. G. sofre de masoquismo: o masoquismo comum a tantos judeus. Menos no Brasil. Quem descobrirá masoquismo em José Carlos Rodrigues? Ou em Davi Campista?

I. G. pergunta-me muita coisa acerca de Amy Lowell. Como é na intimidade. Se realmente fuma charutos. Se seus pratos de sobremesa são de ouro. A graça é que está a se formar uma lenda de que eu sou o favorito atual da "grande Lowell" – como a chama I. G. Suspeita fantástica.

NOVA YORK, 1921

Depois que passei um ano em Nova York, sinto-me um pouco cidadão desta nova Roma. A Universidade de Columbia só aqui poderia florescer com todo o esplendor do seu modo cosmopolita de ser universidade. Apenas o fato de ser ela cosmopolita não significa que não seja nova-iorquina e anglo-americana em seus característicos principais. Seu reitor é tão anglófilo que alguns o consideram anglomaníaco: fato significativo, pois é uma figura representativa, que a Universidade está sempre a apoiar contra os críticos que uma vez por outra se levantam contra o seu programa e as suas atitudes: programa e atitude de presidente de uma universidade que, pela sua importância verdadeiramente extraordinária, chega a ser uma espécie de república. Tão grande e forte que é como se fosse um Estado dentro do Estado. Uma república não de estudantes, mas de homens de estudos, desde os já envelhecidos no trato das ciências, das letras e da filosofia aos meninos de gênio, matriculados, como excepcionais, entre seus alunos. Aqui está – nisto de admitir Columbia como estudantes meninos de gênio, tratando-os, depois de submetidos a *tests*, do mesmo modo que a rapazes de 20 anos – uma inovação audaciosa. Uma das expressões do espírito nova-iorquino, experimental, audacioso, inovador, desta Universidade imensa, ao lado de seu pendor para a tradição inglesa (foi fundada pelo Rei Jorge II e dentro de ritos anglicanos) e para a tradição conservadora, em política. A tradição dos seus Hamiltons. Pelo que Columbia é por excelência a universidade metropolitana em que se reflete a inteligência imperial de Hamilton em contraste com a universidade por excelência provinciana da Virgínia, fundada pelo também grande Jefferson: provinciana e regional. Virgínia, quase como Columbia, a seu modo é metropolitana e cosmopolita. Compreende-se que de uma das cátedras de Columbia pronuncie muito à vontade suas conferências de repercussão mundial o americaníssimo filósofo John Dewey, que é um experimentalista sempre em vibração. Que aqui ensinem também outros gloriosos velhos de espírito eternamente moço e renovador cujas lições são ouvidas por estudantes de todas as partes do mundo: o antropólogo Giddings, o mestre de Direito Internacional, John Bassett Moore, o de História do Direito e Jurisprudência, Dunning, o de Diplomacia, Munro, o de História Social, Hayes e Fox. De todos esses venho seguindo as aulas; sempre no meio não só de anglo-americanos, afro-americanos, canadenses, como de japoneses, chineses, indianos, europeus.

NOVA YORK, 1921

Ouvindo ontem Seligman, autor de um excelente livro sobre a "interpretação econômica da História", falar de Marx, pensei: esses judeus, quando têm cérebro, são de fato grandes intelectuais. Grandes e influentes. Ninguém que fosse, no século XIX, um intelectual mais inflexível que Marx. É certo que ele, para desenvolver seu sistema de idéias, precisou de apoiar-se nas abstrações germânicas ou arianas de Hegel. Mas o que opôs a Hegel é criação das mais fortes. Antítese. Além do que em Marx o intelectual soube acrescentar às idéias um poder revolucionário que distancia o seu intelectualismo das simples abstrações acadêmicas – tão dos alemães. Será o poder de influir politicamente, revelado por Marx e por intelectuais judeus dos tempos modernos, uma herança judaica vinda dos profetas bíblicos, também eles, como intelectuais que eram à sua maneira, revolucionários influentes?

NOVA YORK, 1921

Recordando o chá, anteontem, com Leon Kobrin; não me esqueço dele. Com David Pinski e outros, repita-se que ele é hoje um dos maiores escritores em língua *yiddish*. Um velhote encantador. Ele e a senhora: um casal em que, como com o nosso Oliveira Lima, Flora, e com o já clássico Machado de Assis, Carolina, marido e mulher parecem completar-se. Parece que ela é quem passa a limpo o que Kobrin produz em letra talvez de médico. E talvez dê opiniões sobre o que ele escreve, como parece ser a tendência entre as copistas quando muito íntimas dos autores. Talvez sugira alterações nas frases. Substituições de palavras. "Isto, não, Leon". Dona Flora tem o seu doce controle sobre as palavras do seu querido "Lima", embora diretamente ele não se deixe dominar por ninguém.

Repito que não deixei de me emocionar quando Kobrin me disse: "Nesta mesma cadeira onde o meu jovem amigo está sentado, costumava sentar-se meu velho amigo Leon Trotski", E faz o elogio de Trotski como escritor, de quem eu sabia que Kobrin continua amigo fraterno. Lamenta Kobrin que Trotski não tenha se concentrado na literatura. O diabo da política! E para quê? Kobrin não tem fé nenhuma na arte política. Dá-me a impressão de um cético, embora dos suaves, tipo Machado de Assis. Talvez sua própria fé na arte literária não seja absoluta. De qualquer modo é o seu grande motivo de vida e sua literatura a de um homem profundamente honesto. Como também a de Pinski.

NOVA YORK, 1921

Se os homens pudessem um dia se recriar ao seu jeito, uns ficando 3/4 órgãos sexuais, outros 9/10 barriga, outros 2/3 cabeça, alguns orelhas enormes para ouvir músicas, uma classe numerosa seria a dos 9/10 coração. Corações enormes espetados nuns gravetos de perna. O bastante para poderem andar e se mostrar. Corações bem encarnados – ou rubros – exibindo-se voluptuosamente nas ruas, nas festas, nas procissões. Escorrendo sangue pelas ruas. Sarapintando tudo do seu sangue fácil.

Isto seria evidentemente a delícia de muita gente: ficar só coração. Mas um coração à vista. Nada de camisa nem de paletó por cima desse órgão. Corações lubricamente nus e à vista.

Há exibicionistas do coração como há exibicionistas do órgão sexual.

Molnar classificou uma vez os exibicionistas do coração seus conhecidos. São parecidíssimos com os exibicionistas do sexo que a ciência estuda e classifica. Os mais numerosos, como os sexuais com a braguilha, como que fingem se esquecer de abotoar a camisa, deixando uma ponta do coração de fora.

Escreve Molnar dessa primeira classe de exibicionistas que "agem como por acidente". Deixam, com efeito, o pedaço do coração à vista, pela abertura da camisa; e quando alguém lhes chama a atenção para o *faux pas*, ficam encarnados, mostram-se incomodados, abotoam depressa a camisa.

Outra classe é a dos que põem *rouge* ou carmim no coração. São indivíduos estes, diz Molnar, que não julgam estar com o coração bastante vermelho. Pelo que estão sempre lhe esfregando *rouge* por cima.

A terceira classe é a que se poderia chamar a dos sem-vergonha do coração. Segundo Molnar, estão sempre a ostentar o coração, à maneira de meninozinhos de um ano ou dois ou três a quem os pais precisam estar a dizer que não levantem o timão até o pescoço quando há gente de fora em casa.

Ainda outra classe, na classificação de Molnar: os que, diz ele, brincam de esconder com os corações. Guardam os corações da vista dos outros como se fossem uns grandes pudicos. Mas ficam indignados se os outros não procuram e descobrem logo os corações escondidos.

Mas ainda há uns voluptuosos do coração que Molnar não sei como se esqueceu de fixar, e cuja volúpia não se contenta em exibir o coração próprio, mas se estende a procurar ver o dos outros para comparações indiscretas, pedindo aos outros que lhes deixem ver os corações guardados ou escondidos. Como que desabotoam com impertinência paletós e camisas. Como que rasgam às vezes peitilhos de casacos.

Os extremistas desta classe devem ser aqueles que assassinam a punhal ou faca de ponta procurando o coração; para gozá-lo ainda vivo nas mãos; não se contentando senão com o coração arrancado do peito como uma goiaba espapaçada de madura.

NOVA YORK, 1921

Ninguém em vida de Nietzsche se aventurou a procurar ver o autor do *Zaratustra* na intimidade do seu mundo interior. É pena. Porque imagino que teria visto o bastante para escrever não uma biografia de pensador-poeta, mas uma história de mal-assombrado. O Nietzsche conhecido é uma simulação formidável;

e o Nietzsche de verdade, um assombro de diferença do simulado. Aqueles vastos bigodes – tudo cabelo postiço, grudado nos beiços com goma-arábica; e o rosto natural quase um rosto de moça. O peito arrogantemente largo – pura armação de pau; e o tórax, de verdade um tórax franzino de menino; um corpo como o de Stevenson doente de tísica em Valima. A dentuça de *he-man* também postiça; e os dentes próprios, uns dentinhos quase de leite. A fala, nada de vozeirão de Zaratustra: fala de moça. Fala de moça ralando-se nas asperezas de sons alemães como em cacos de garrafa; preferindo o luxo latino de vogais já puídas pela Madre Igreja e pela cultura greco-romana. E dentro do peito de menino, nada de pedra ou pedaço de pau em vez de coração. Um coração de verdade; e volutuosamente terno. Parecido com o Coração de Jesus das estampas devotas.

Nietzsche foi a negação em ponto trágico dos excessos que o predispunham a uma vida quase feminina de mole e volutuosa ternura. Nele havia mais de mulher e de menino do que de homem: em reação a isto é que procurou ser exagerado *he-men*, Trepou-se em pernas de pau. E extremou-se em compor uma moral, que é toda ela um auto-retrato expressionista com uns órgãos sexuais de touro e um coraçãozinho de rã. Não só expressionista: também exibicionista no sentido sexual e, pelos mesmos motivos, patológicos.

Uma comédia da vida comum faz lembrar a tragédia de Nietzsche: a dos pais que em casa fingem rudeza para neutralizar o excesso de ternura das mães para com os filhos. O alemão quis ser isso: o pai rude. O pai rude contra a Madre Igreja que lhe pareceu estar amofinando e amolecendo tudo. O pai, ainda, contra a predisposição de certos homens a serem um tanto mulher que dentro dele, Nietzsche, era mais forte que a pura e violenta virilidade ou arrogância de homem. E que dominou Renan, segundo confissão do próprio e suave apóstata.

Em Nietzsche o campo de batalha entre pai e mãe, por causa dos filhos, não foi burguesmente um lar; nem as forças, marido e mulher. Foi uma guerra civil dentro da própria personalidade entre predisposição feminina e masculina, desafiando uma a outra para uma luta de vida ou morte, sem contemporização nem transigência. E nós, cristãos, e uma parte dele, Nietzsche, os filhos.

NOVA YORK, 1921

Os americanos médios são quase todos uns meninões trepados em pernas de pau (ou de aço): suas superioridades técnicas sobre os outros povos. Quase tudo que eles, americanos médios, presumem ter de grande, vá se ver de perto que é grandeza em virtude de pernas de pau feitas de aço. Uns gigantes de Barnum e Bailey feitos em série, como os carros Ford e as máquinas Singer. O lastimável é que, da meninice, os americanos médios conservam mais as insuficiências e as turbulências que o frescor da imaginação e o verde da expressão. Ou a coragem verdadeiramente criadora de outros valores que não sejam os mecânicos: aperfeiçoamento de suas pernas de aço.

Os americanos médios são na verdade o menos criador de grandes valores dentre os grandes povos modernos. O que lhes vem da Europa, ainda quente de originalidade criadora, eles deixam primeiro esfriar. Têm medo dos valores ainda quentes de novos.

NOVA YORK, 1921

Vi uns desses dias marinheiros de guerra do Brasil caminhando pela neve do Brooklin. Pareceram-me pequenotes, franzinos, sem o vigor físico dos autênticos marinheiros. Mal de mestiçagem? Entretanto, no artigo que, a meu pedido, escreveu para *El Estudiante* – a revista para estudantes da América Latina que dirijo juntamente com Oscar Gacitua, chileno –, o sábio John Casper Branner faz o elogio do mestiço brasileiro, mesmo quando de aspecto assim pouco ou nada atlético. Conta que certa vez viajava de trem pelo interior do Brasil, quando a locomotiva se desarranjou. Foi uma consternação entre os passageiros: não iriam sair tão cedo do ermo em que a máquina enguiçara. O maquinista não inspirava nenhuma confiança: era um desses mestiçozinhos franzinos e desajeitados que no Brasil são chamados indistintamente caboclos. Ou amarelinhos, em português ainda mais brasileiro. Era, porém, uma maravilha de mecânico ou de técnico. Em pouco tempo, consertou a máquina. Foi como se a ingresia não tivesse segredo para ele. Para Branner, não era caso isolado. O mestiço, o caboclo, o amarelinho – talvez fosse a melhor caracterização – o que muitos brasileiros chamam hoje o "brasileiro Jeca" era um tipo inteligente e capaz, a despeito do seu aspecto, por vezes, desfavorável.

NOVA YORK, 1921

Veio procurar-me ontem um inglês, Mr. E., que não sei como descobriu meu endereço. É uma espécie de náufrago em Nova York – mar áspero onde tantos náufragos findam os dias agarrados a alguma ilhota que não é de modo algum a Ilha de Manhattan com seus tesouros diferentes dos da ilha de R. L. S.

O curioso é que Mr. E. veio para cá de Pernambuco. Do Recife. Era no Brasil um inglês se não próspero, estável, desses que parecem caminhar pelas estradas, em direção às suas casas de negócios ou de jogos-de-bola, como se levassem o rei da Inglaterra na barriga. Vejo agora Mr. E. um inglês amargo, triste, de fato sovado e sem rei nenhum na barriga; nem rei nem *steak*, que aqui deve comer raramente, caro como é o bife de qualidade (*T bone*) em Nova York. Seu projeto é fundar comigo um jornal que, publicado em inglês, em Nova York, possa ser subvencionado por brasileiros: pelo governo e por particulares. Mostra-me artigos seus: nada maus. E o aspecto do homem é o de um inglês honesto. Apenas a mim não me interessa desviar-me dos estudos para empenhar-me nos vagares que não tenho jogado como já estou a uma revista de estudantes – numa publicação como a projetada pelo amargo Mr. E. Mostro-lhe meu programa universitário: os cursos que sigo por obrigação, por serem exigidos de quem faz aqui estudos de mestrado e doutorado juntos, como eu os faço; e os que sigo por devoção: para aproveitar-me da exceção a meu favor conseguida pelo Professor S. desde que fui laureado pela Universidade como um *scholarship* dos que são concedidos aos estudantes de notas A-B – de seguir, como ouvinte, qualquer curso na Faculdade de Ciências Políticas, Jurídicas e Sociais – e também de Filosofia e de Literatura e História, além dos requeridos. Ele se assombra. Sinto que sua idéia é a de que todo brasileiro é um indivíduo à procura de caminhos fáceis nos estudos e na vida. De modo que devo lhe parecer um monstro.

Levei-o a tomar um café. Recordou o Recife do tempo da Lingüeta que eu conheci menino. O cesto de embarque nos transatlânticos (eu ainda embarquei para cá em cesto): uma singularidade recifense de que o ano passado, estando eu ainda na Universidade de Baylor, me falava, encantado, outro inglês, este hoje próspero e baronete ou nobre sir: John Foster Frazer.

NOVA YORK, 1921

Lendo Pío Baroja. É um mestre da frase precisa, ágil, simples. Sob certos aspectos, é um espanhol antiespanhol; sob outros aspectos, ninguém mais espanhol. O próprio Unamuno torna-se ao lado dele um escritor um tanto orador. O próprio Ganivet perde para ele em sobriedade de palavras. Nesse particular é um mestre. Preciso de lê-lo muito e de relê-lo.

NOVA YORK, 1921

Uma descoberta, a de Gissing. Já não encontro graça em nenhum outro escritor em língua inglesa. Nenhum que me seduza mais do que esse secundário, meio escondido atrás dos grandes. Um dos encantos da literatura em língua inglesa está nesses secundários que sob certos aspectos são superiores aos de primeira linha.

NOVA YORK, 1921

Na Universidade de Columbia uma vez por outra vem à tona a figura de um menino prodígio, que psicólogos peritos em *tests* disto, *tests* daquilo, consideram gênio. Já vi mais de um deles. Dão-me a impressão de uns perfeitos bestalhões. Gordos, redondos, óculos aro de tartaruga. Nenhum dos três que já vi, magro. Nenhum que deixe de usar óculos. Óculos como para que se saiba que já são sábios, eruditos, corujas.

Comparo-me com eles e acho que Amy Lowell e o Professor Armstrong talvez tenham um pouco – só um pouco – de razão quando me consideram gênio. Foi como Armstrong me recomendou aos seus amigos aqui de Nova York. Começo a acreditar um tanto – só um tanto: não sou crédulo – nele e em Amy Lowell e, em contacto com estudantes de várias partes do mundo, vindos para Columbia como grandes inteligências, descubro – estarei certo na descoberta? – que sou superior a muitos deles. Menos, é claro, em matemática. Não me esqueço de que a Congregação da Universidade de Baylor teve de dispensar-me de um exame de bacharelado – Física Matemática – no qual eu decerto fracassaria. Argumento apresentado pelo Professor Armstrong: trata-se de um gênio. Isto é só o meu diário. Dito em voz alta ou publicado me deixaria mal: um idiota a acreditar nos que levianamente o chamam de gênio.

1922

WASHINGTON, 1922

Boa impressão do Visconde d'Alto, Ministro de Portugal. Bom e fino velhote. Muito europeu. Muito fidalgo. Mas muito português. Está encantado com o meu trabalho na Universidade Columbia a favor da língua portuguesa e da cultura lusitana. Profetiza-me "um grande futuro".

Conheço também em casa de Oliveira Lima o Montalto de Jesus. É português de Macau. Fisionomia de chinês, mas não diz uma palavra nem faz um gesto que não sejam de um português de quatro costados. Ilustração da tese do meu mestre Boas: a cultura predomina sobre a raça.

Oliveira Lima me fala longamente do Visconde de Santo Tirso. Conheceu-o em Washington. Feio como ele só. Baixote. Sempre de monóculo. Mas de uma inteligência e de um *sense of humour* verdadeiramente superiores.

Oliveira Lima era então secretário de Legação. Andava às turras com o Assis Brasil, que, a julgar pelas suas palavras, era homem que não tomara chá em pequeno – o chá aqui sendo o da Índia, nem sempre bem substituído como símbolo pelo chá que os ingleses chamam "do Paraguai".

Conta-me Oliveira Lima que o Visconde – que escritor encoberto, digno de ser comparado aos bons "moralistas" dos franceses e dos bons "humoristas" dos ingleses era Santo Tirso! – destacava-se, como pessoa, por ser extremamente grotesco. Comicamente feio, até.

Tanto que ao atravessar as ruas de Washington, com sua feiúra ridícula acentuada pelo monóculo pedante – símbolo de pedantismo para os americanos mais simplórios –, foi às vezes vaiado pelos garotos. Que Washington também tem os seus garotos. Os seus moleques louros, digamos assim. Pois foram esses moleques louros que mais de uma vez vaiaram o Visconde português.

Temo que eles às vezes dêem para vaiar o Oliveira Lima, por ser o homem imensamente gordo que é. Há muito riso ostensivo de gente mal-educada quando ele atravessa certas ruas desta burocrática cidade de homens em tudo médios: na inteligência, na cultura, na moralidade, no corpo.

WASHINGTON, 1922

Robertson me leva ao que a monumental Biblioteca do Congresso tem de mais santo ou de mais sagrado: sua seção de documentos. Sinto-me como se estivesse num reino encantado. No próprio reino dos Céus, na mansão ("na casa de meu Pai há muitas mansões") das Onze Mil Virgens, Robertson me apresenta aos homens terríveis que guardam estas preciosidades: os mss. Tenho agora o direito de tocar em papéis virgens, lê-los, estudá-los, copiá-los. Um manuscrito o próprio Robertson me indica como valioso para meus estudos sobre a sociedade brasileira no meado do século XIX.

NOVA YORK, 1922

Helen C. foi comigo a um piquenique nos arredores de Nova York. Também Simkins e Bárbara. Também outro par de estudantes. Algum lirismo e alguma boêmia.

NOVA YORK, 1922

Continuo a não saber o que é, em Nova York, casa de mulheres da vida. Greenwich Village, porém, em alguns dos seus aspectos já meus conhecidos, não deve estar longe dos deboches característicos dessas casas. Apenas são deboches sem comercialismo. Isso como que os dignifica. Como que os baudelairiza. Outro dia, indo visitar uns camaradas, quem me recebeu foi linda camarada de seus 20 anos, toda nua. "Estava no banho quando você tocou a campainha". É claro que não tivera tempo de se resguardar com a toalha! Também é claro que seu descuido foi bem compreendido; e Frinéia quanto possível honrada.

Parece que em Greenwich Village as americanazinhas de província – Frinéia é uma delas – vindas de meios mais puritanos é que se tornam as criaturas mais demoníacas. As mais ostensivamente lúbricas.

Também há por aqui muito sexo desviado. Apenas as expressões mais comuns desses desvios de sexo são diferentes das dominantes no Brasil: pelo menos das do meu conhecimento. Aqui são as sucções que dominam. A felação. É quase uma instituição sexual anglo-saxônia.

NOVA YORK, 1922

Aprendo em Freud alguma coisa que explica a mim mesmo: não só explica mistérios de minha meninice, de que eu próprio me recordo, como outros de que se recordam as pessoas antigas da minha família. Por exemplo: o incidente, humilhante para mim (e, por isto mesmo, recordado por tias, primas e outras pessoas antigas da família, sempre que algum triunfo parece elevar-se um pouco acima da mediocridade: elas então aparecem, representando à sua maneira e dentro dos limites domésticos o papel dos pregoeiros que gritavam aos ouvidos do triunfador nas ruas de Roma o célebre "lembra-te que és mortal"), de haver eu, quando menino ainda de engatinhar, me lambuzado, um dia, sem repugnância alguma, com meu próprio excremento. Eu fora deixado só – falta do cuidado das pessoas grandes da família – sobre uma esteira. Quando os adultos reapareceram, me encontraram naquela situação lastimável, do ponto de vista dos adultos: de suas noções de higiene.

Freud explica que as funções de eliminação fecal são importantíssimas na primeira fase de vida afetiva da criança. As matérias fecais, quando a criança primeiro se apercebe delas, lhe surgem como parte essencial do seu próprio ser: matérias próprias de neném, tiranizado pelos adultos, que se sente dono deles, por lhe parecerem coisa exclusivamente sua, saída do seu corpo; e não dádiva de adultos ao seu bebê. Daí a essas funções se associarem, desde o início da vida afetiva da criança, se não idéias, aproximações de idéias, de independência no indivíduo. Dono do seu próprio excremento do qual pode – se os adultos vigilantes da educação higiênica tanto quanto da formação geral da criança, cochilarem ou se ausentarem – lambuzar-se, numa primeira afirmação de independência. Aliás, lembro-me de que, já adolescente, em Boa Viagem, encontraria um prazer especial em defecar no mato; e a eliminação fecal ao ar livre, sob as árvores, de cócoras, como os indígenas, me daria sensação agradável de independência, impossível no fechadíssimo, claustral WC.

Outros mistérios a psicanálise parece esclarecer. É claro que há o perigo de ser o seu método de interpretação levado ao exagero. Mas isto é inevitável, tratando-se de revolução tão radical nos chamados "domínios da psicologia".

NOVA YORK, 1922

Enviei a Ulisses Pernambucano um livro de psicologia com a orientação nova, que é uma orientação influenciada pela sociologia. Ele está interessado no assunto, através da leitura de uns artigos meus. Novidade para o Brasil. Terei sido um dos primeiros a falar (em artigo) a brasileiros, em Psicanálise. Outro, o sábio João Ribeiro.

Já por mais de uma vez me referi, em artigos para o *Diário de Pernambuco*, que a *Revista do Brasil*, de Monteiro Lobato, vem transcrevendo, à psicanálise, a Freud, ao freudismo. Creio que são desconhecidos, no Brasil. Ou quase desconhecidos, assim como o novo psicologismo americano. No estrangeiro Freud é mais do que Marx, que começa a ser falado em certos meios brasileiros, de onde está desaparecendo o velho e extremo apreço por Augusto Comte.

NOVA YORK, 1922

Carta de Oliveira Lima. Insiste em que eu não devo voltar de vez para o Brasil, isto é, para o nosso Recife; pois sabe que ao voltar de vez para o Brasil será para o Recife e não para o Rio ou São Paulo que irei. Descreve Oliveira Lima: "Seus pulmões precisam de outro ar para respirar. O seu meio há de ser aqui" (no estrangeiro).

Eu porém continuo decidido a voltar de vez para o Recife: – para Pernambuco – o ponto do Brasil a que me julgo no dever de *regressar*, ao mesmo tempo que é a terra brasileira que me considero com o direito de possuir plenamente, completamente, como um macho a uma fêmea, com todas as forças de que sou capaz. Mas tenho ainda um ano para decidir entre o Recife ou Pernambuco – isto é, o Brasil – e não sei que outra parte do mundo. Um ano na Europa o dirá. Não me deve faltar o contacto com que a Europa tem de mais europeu: de mais Velho Mundo em contraste com o Novo. Ou em complementação dele. Armstrong – repito – deseja que eu me naturalize cidadão dos Estados Unidos para ir passar dois ou três anos em Oxford como *Rhodes scholar*. Isto, não. Mil vezes não. Renunciar ao Brasil não renunciaria por vantagem nenhuma. Do mesmo modo que no Brasil não renunciaria ao Recife ou a Pernambuco – pelo Rio ou por São Paulo.

NOVA YORK, 1922

Ainda Helen. A. J. A. talvez a aprovasse como companheira ideal para mim. É tipo perfeito de "Anglo-saxon girl". Tem todas as características do tipo: é loura como um anjo de estampa devota e, como um anjo de estampa devota, tem olhos de um perfeito azul claro. Ainda não consegui compreendê-la bem: mas isto é parte do jogo. É a primeira "Anglo-saxon girl" da Nova Inglaterra que conheço de perto. Rebento de família puritana do interior da Nova Inglaterra, veio procurar em Greenwich Village sua libertação sexual. Parece que vê em mim uma espécie de irmão mais moço – de caçula – de piratas espanhóis. Mal sabe que não sou tão sábio em assuntos de sexo como ela imagina. Mas venho simulando um saber mais que perfeito em perícias que conheço mais de oitiva que de experiência profunda. O que tem dado certo.

NOVA YORK, 1922

Meus colegas de estudos de Direito Público na Universidade querem me ouvir sobre assunto brasileiro: a composição de parlamento ou congresso em nosso país. Naturalmente de acordo com o critério um tanto marxista do notável estudo de Beard, que foi até há pouco mestre da Universidade de Columbia, sobre a Constituição dos Estados Unidos: estudo ao qual se faz análise minuciosa da composição da Constituinte segundo a classe e o interesse regional que cada um representou naquela assembléia decisiva. Para tal estudo, no Brasil, falta-nos ainda documentação, mas é evidente que o elemento agrário dominou no Parlamento do Império, projetando-se sobre a legislação e colorindo o Direito Público da época, enquanto nova mentalidade, ainda agrária mas, em grande parte, de transição para a economia urbana, inspirou a Constituição da República – imitada da dos Estados Unidos – e vem dirigindo sua interpretação, aplicação ou deformação (que o digam as lamentações às vezes bíblicas do verboso mas neste ponto sincero Rui!).

A mocidade que estuda Direito Público na Universidade de Columbia inclui algumas das maiores inteligências jovens do país. A tradição de Hamilton e, hoje, a presença, aqui, de juristas como John Bassett Moore, atrai do país inteiro grandes vocações para a vida pública, a magistratura, a administração, a diplomacia, que vem especializar-se, na Universidade de Columbia, sob mestres de renome mundial. É possível que entre aqueles jovens que vão me ouvir na semana próxima esteja algum futuro Presidente da República ou Secretário de Estado ou "Attorney General".

NOVA YORK, 1922

Nada mais ridículo do que o boato, entre uns tantos estudantes, de que Amy Lowell me adotou como amante e me faz ir constantemente a Boston ou vem com freqüência a Nova York encontrar-se comigo. Podia ser verdade mas não é. O que há é bisbilhotice em torno de uma mulher superior que, além de rica e aristocrática – da melhor aristocracia de Boston –, é hoje uma das maiores figuras na literatura em língua inglesa. Com relação a mim, o que existe de sua parte é interesse por um rapazote exótico que, a meu ver, compreende de fato a sutileza de sua poesia cheia de cor e sobretudo rica de sugestões ao mesmo tempo visuais e musicais. De onde terá saído esse boato? De sul-americanos estudantes em Harvard, talvez. Pois vindo do Brooklyn estive em Harvard e ouvi um deles dizer: "Este é um *enfant gaté* de Miss Lowell".

NOVA YORK, 1922

Furioso *necking party*, ontem, em Morning Side. Por conseguinte, à sombra da Alma Mater. Umas *girls* realmente lindas; e sábias na arte de carícias no escuro na qual as pontas dos dedos e as bocas realizam prodígios. É uma instituição, a desses *parties*, que não pode deixar de ser uma revolução sexual no sentido de afastar adolescentes e rapazes das prostitutas e de dar um novo rumo às suas aventuras pré-nupciais de sexo. Alguém deve escrever um ensaio sobre o assunto.

NOVA YORK, 1922

Sempre uma impressão desagradável de que aqui ninguém é dono do seu tempo. O tempo é que é dono do homem. Daí essa religião da pontualidade absoluta: tributo de uma criatura a seu criador; de um mortal a um deus imortal. O tempo aqui é muito mais senhor dos homens – muito mais, seu Deus – que a Deusa da Liberdade. Mesmo porque, sob a tirania do Tempo com T maiúsculo, não pode haver senão uma semiliberdade.

NOVA YORK, 1922

Por que pedi ao superintendente da International House que me ponha em contato, para objetivos ligados aos meus estudos, com fábricas de brinquedos desta vasta cidade? O brinquedo das crianças é assunto que me atrai. Por quê? Talvez porque, quando menino, foi na companhia dos meus brinquedos – alguns dos quais eu personalizava, dialogando com eles – que encontrei um dos melhores refúgios para me defender da banalidade da maioria dos adultos. Tenho ido várias vezes à seção de brinquedos na monumental Lord & Taylor. É uma maravilha. A tendência é para os brinquedos mecânicos dominarem. Tendência, a meu ver, lamentável no seu exagero. A meu ver, o brinquedo ideal será aquele que exigir o máximo do que na criança for imaginação construtiva, poder inventivo, ânimo criador. E não o que lhe chegue às mãos como bocados já feitos. Pretendo escrever alguma coisa sobre brinquedos na minha planejada – mas tão difícil de ser escrita sem vivência brasileira – "História da vida de menino no Brasil". Ou: "A procura de um menino perdido". Já comecei a tomar notas sobre o assunto, quer na Biblioteca Pública de Nova York – que é, como biblioteca, uma catedral – quer nos muitos livros já desencaixotados da biblioteca particular do meu amigo Oliveira Lima. Quando na Alemanha, não deixarei de ir a Nuremberg, a cidade dos brinquedos. As relações entre o menino e os brinquedos penso que condicionam o comportamento e a personalidade do futuro homem: o ser considerado perfeito que sai do menino quando há quem pense que o contrário é que é verdade. De qualquer modo, o menino e seus brinquedos é um fascinante tema para antropólogo: para aquele que dê a importância que merece ao futuro homem mais escondido que revelado na criança.

NOVA YORK, 1922

Ontem, numa das tavernas iluminadas à fumarenta luz de vela, em Greenwich Village, estávamos conversando, uma *girl* da Universidade de Columbia e eu, quando sentimos que da mesa vizinha saía, insólito e despudorado, um cheiro de sexo de mulher mal-lavado. Ou nada lavado: o cheiro cru.

Vinha de uma enorme mulher muito alva e muito loura. A companheira mais conhecedora da Village do que eu me informou que se tratava de uma conhecida lésbica sueca. O cheiro – me adiantou

– não era de descuido de higiene: coisa aliás de espantar em mulher sueca, tendo a Suécia a fama de ser hoje, talvez mais que a doce Suíça, o país de gente mais limpa, mais bem lavada, mais higiênica, mais profilática, mais asseada, de todo o mundo. A *girl* me informou: ela vem até nós de sexo mal-lavado por uma espécie de estratégia lésbica. Com esse odor forte de sexo cruamente sujo ela atrai, ou pode atrair, mocinhas inexperientes, quase inocentes, porém sedentas de aventuras sexuais extremas que lhes dêem a sensação de ser depravadas. Enquanto ouvia as explicações, o tal odor parecia ser dos tais que, de tão espessos, são coisas que podem ser apalpadas e até cortadas a faca como certos queijos célebres pelos seus cheiros fortes, que, sentidos de longe pelos *gourmets*, lhes dão verdadeiros gozos ao paladar por pura antecipação. Olhei em redor de nós; e juro que vi umas *girls* do interior, tendo talvez sua primeira aventura em Greenwich Village, vindas – quem sabe? – de algum vilarejo do Middle West, um tanto agitadas. Seriam predispostas a prazeres lésbicos? Estariam sentindo no forte odor de sexo mal-lavado um convite à aventura desejada? Talvez. Mas é possível que eu tivesse me deixado impressionar pelo que me dissera minha aliás interessantíssima companheira, mestra na arte dos palavrões que saíam de sua linda e cheirosa boca como de lugar errado.

NOVA YORK, 1922

O Professor Joseph Armstrong – a maior autoridade viva sobre a poesia dos dois Browning, Robert, Elizabeth, e Professor de Literatura Comparada – está convencido de que sou um gênio. E não faz mistério disso. Que pensar do assunto o sul-americanozinho assim glorificado? O homem é de convicções fortes, mesmo quando erradas. O caso, evidentemente.

Ao comparar-me com a maioria dos ianques, sulistas e latino-americanos, meus colegas na Universidade de Baylor, senti-me, é um fato, superior. Não digo propriamente gênio – a palavra gênio soa de modo quase místico aos meus ouvidos – mas superior. Deve haver em mim alguma coisa de antibanal, anticomum, antimedíocre. Mas até onde irá? Apenas inteligência, talento, genialidade tem vários graus, e se Poe foi gênio não foi um Shakespeare ou um

Cervantes. E se William Butler Yeats é um gênio, não será exatamente um Dante. Nem Edison será como inventor incomum um prodígio como foi o além de inventor, supremo artista, Leonardo da Vinci. É possível que no futuro eu me aproxime da genialidade sem atingi-la. Armstrong pode estar ouvindo o galo cantar sem saber onde. Aliás o canto dos galos há os de uma espécie chamada de Jerusalém – que deixam os outros quase na categoria de corujas que, em vez de cantar, piam. Note-se, a respeito do pronunciamento escandaloso do Professor J. A., que Baylor é uma Universidade de província; e não uma Columbia ou uma Harvard.

NOVA YORK, 1922

No Brasil, na casa do meu Tio Virgínio – Virgínio Marques Carneiro Leão, catedrático da Faculdade de Direito do Recife –, ainda ouvi, quando colegial, bacharéis de fraque recitando versos ao som da *Dalila* tocada no piano por mãos de sinhás ilustres. Espetáculo aos meus olhos meio ridículo – o artificial da entonação do declamador é qualquer coisa de grotesco. Ridículo, portanto, aos meus olhos – os bacharéis quase sempre nas pontas dos pés – e ridículo para meus ouvidos.

Por que no Brasil não surgem nos salões, tanto quanto nas feiras, poetas que cantem seus poemas? Os poemas são, quase todos, para ser cantados e não declamados. É o que faz aqui nos Estados Unidos o meu amigo Vachel Lindsay. Que impressão ele faz nos ouvintes quando canta "General Booth enters into Heaven". O poema é lírico, com uns toques de dramático, sacro, religioso, evangélico.

No Brasil deve haver quem pergunte, como aquele personagem do Eça com relação à literatura na Inglaterra, se há poetas nos Estados Unidos. Se há poesia. No século passado houve certo Edgar Poe e um tal de Walt Whitman nada maus como poetas. Ao contrário: poetas dos melhores que têm havido em qualquer país e em qualquer língua.

Atualmente, a poesia neste país atravessa um período de notabilíssimo avigoramento que já tomou o nome de "New Poetry". Além do que vozes africanas começam, em inglês poético, a juntar-se magnificamente às anglo-saxônias. Nos Estados Unidos de agora há uma verdadeira revolução literária na poesia, no romance, no teatro –

O'Neill que diga – e na crítica. Na crítica puramente literária com Brooks e na da literatura misturada à social e de idéias com o verdadeiramente extraordinário Henry L. Mencken.

NOVA YORK, 1922

Weaver me oferece um livro que vou ler com verdadeira gula: cartas de Nietzsche.

As cartas de um grande homem, seja intelectual ou homem de ação, pensador ou artista, místico ou político, são como nenhum outro documento pessoal reveladoras do caráter dos que as escreveram: mesmo quando procuram encobrir-se, fantasiar-se, parecer até o contrário do que são. Não é preciso ser Sherlock Holmes para surpreender essas simulações.

Do que tenho visto das cartas de Nietzsche, ele é autêntico nesse gênero ora de literatura, ora de antiliteratura. No seu caso os dois extremos se misturam.

Pode-se talvez dizer que no seu estado cru a carta pessoal é antiliterária. Quem a escreve, escreve-a despreocupado de expressão literária. Mas quando escritor autêntico, dificilmente o consegue. No próprio à-vontade antiliterário ou não-literário a literatura acha jeito de se exprimir de maneira descuidada, é claro.

Porque toda carta que é solene, literariamente caprichada, é como se fosse a negação de si mesma. O autor não consegue ser epistolar na expressão porém retórico. E uma carta retórica do começo ao fim é uma anticarta.

Não digo que nas cartas de Nietzsche não haja de modo algum retórica: a retórica que também uma vez por outra transparece de seus ensaios, dando a certos parágrafos tons oratórios.

Mas isso é raro. Nietzsche nada tem de retórico convencional. É um *scholar* que não se desprende do artista, isto sim. E a arte do ensaísta, mesmo num Pater insistentemente artístico, estético, voluptuoso da palavra na sua prosa, quando o ensaísta é ensaísta e não orador – como em inglês Macaulay e em português Rui Barbosa – nunca resvala na retórica.

NOVA YORK, 1922

Interessadíssimo na obra de George Sorel. São Sorel, Weber e Simmel que mais leio atualmente. Isso depois de ter lido Samuel Butler e George Gissing. Depois de ter devorado Blake. É um mundo de camadas, como que diversas à maneira geológica, que nunca se acabam, esse, da literatura inglesa.

NOVA YORK, 1922

Spingarn – um homem de Columbia *defroqué* – é um crítico-filósofo que faz pensar, como bom discípulo de Croce. Estou em correspondência com ele. Pena não o ter encontrado mais como professor da Universidade: nem a ele nem a Beard. Repito que revelei Beard ao Hélio Lobo, que ficou encantado com *Economic interpretation of the [americana] Constitution*, na verdade um grande livro. Quem precisava de aprender aí boas lições era o nosso Rui, tão indiferente aos aspectos sociais e econômicos do Direito Público e preso a um americanismo jurídico já arcaico. Alheio a um Marx (sem que precisasse de aderir ao marxismo sectário) em vários pontos essencial.

Voltando a Spingarn: sob o critério de que crítica literária só se compreende como sendo principalmente (mas não exclusivamente) interpretação estética (e não biografia nem história nem sociologia nem psicologia em torno do autor da obra considerada) é que escreverei para a *Revista do Brasil* meu artigo sobre o livro de Goldberg, no qual modestamente colaborei: *Brazilian literature*. Creio que esse critério é novo para o Brasil. Pelo menos em face do que conheço de crítica literária brasileira: a do Silvio Romero, a do José Veríssimo, a do Tristão de Alencar.

NOVA YORK, 1922

Melo Morais já fez o elogio da febre amarela do ponto de vista nacionalista. Mas não disse tudo. A febre amarela foi a doutrina de Monroe do Brasil: o Brasil para os brasileiros.

Isso de ter sido a independência do Brasil "feita sem morte" é conversa. Foi feita com muita morte. Apenas morte de febre em vez de morte de bala. A febre amarela a cooperar com o nativismo.

Quando o Rio estava ameaçado de intervenção estrangeira, Floriano, que era presidente e tinha fama de caboclo valente, aproveitou a ocasião – é o que diz o mito – para fazer a sua frasezinha. Disse a frase que lhe é atribuída – já se tornou histórica – que havia de receber os estrangeiros a bala. Frase muito bonita para o ouvido da grande Madame X que é a História. Mas sem expressão ou autenticidade brasileira. Floriano, para ser exato, deveria ter dito em vez de "a bala", "a febre amarela".

PARIS, 1922

Grande primeira noite em Paris. Recolho tarde ao Hotel Regina. Muito vinho ao jantar com uma americanazinha companheira de viagem. Levou-me ao seu hotel. Jovem recém-casada!

Hoje ainda cedo eu estava na rua Tulherias. Champs Elysées. Rue de la Paix. A coluna de Napoleão. Rivoli, o Luxemburgo. Terminei almoçando perto do Odeon, com a tal americanazinha ansiosa de aventuras exóticas. Exóticas e eróticas.

Muito estrangeiro pelas ruas, mas nos parques muito francês. Muita mocidade. Muito idílio. Muito sexo. Muito namorado com a namorada. Agarrados. Chamegos. Beijos. Sensualidade lírica.

Olho com olhos já de homem esta Paris maravilhosa que lamento não ter conhecido menino: com olhos ainda de menino. Era o desejo de minha Mãe: que eu viesse estudar ainda adolescente na França. Lembro-me intensamente dela porque o francês que arranho, primeiro aprendi com ela. Depois com meu Pai e, sobretudo, com Madame Meunier, que foi minha professora particular. Onde estará a velhinha? Voltou à França há anos. Deve estar em algum recanto de província. Gostaria de revê-la na *sua* França que ela tomou um pouco minha.

Paris, 1922

A Europa é para um brasileiro verdadeiramente outro mundo: o "Velho Mundo" da frase feita, em contraste com o modo de o Brasil ser novo: parte nem sempre nova do chamado Novo Mundo. Esse modo brasileiro de ser "novo", aliás, contrasta com o dos Estados Unidos: mais ostensiva ou escandalosamente novo nas aparências que o Brasil. Enfim, dois mundos distintos do Brasil e da América do Sul, mas distintos de nós cada um à sua maneira: a Europa e os Estados Unidos. O chamado "Velho Mundo" e o Centro – como é decerto, hoje, o norte dos Estados Unidos – do Novo Mundo são mundos diferentes do sul-americano. Particularmente – penso eu – do brasileiro.

Entretanto é certo o que diz o italiano Ferrero no prefácio notavelmente perspicaz que escreveu para a edição inglesa de *Canaã*, de Graça Aranha: em certo sentido o Novo Mundo está hoje na Europa e o Velho na América. Daí o drama fixado por Graça: o brasileiro (conservador) resistindo ao europeu (renovador).

Na Europa há mais iniciativa no sentido de renovação intelectual e estética do que na própria América inglesa, que intelectual e esteticamente vem assumindo atitudes antes conservadoras que revolucionárias. Suas inovações são antes técnicas que intelectuais ou estéticas. As intelectuais apenas começam, tendo tido Whitman como pioneiro audaz. Pontes como a do Brooklyn e arranha-céus como Woodsworth não representam novos arrojos estéticos mas técnicos. Simplesmente técnicos. Só agora começa a haver nos Estados Unidos inovações literárias em grande escala.

Na literatura anglo-americana repito que há Whitman, que é de fato o cantor de um Mundo Novo: mas foi profeta sem honras no seu mundo e mais homenageado no Velho Mundo do que nos Novos. No Brasil, quem o conhece? Um ou outro erudito. Entretanto ele não é poeta para eruditos mas para jovens ainda sem tempo para a erudição: intuitivos, instintivos, sensuais. Neste particular, maior que Emerson. Mais amplo que Poe. Rival de Melville.

É certo que começam a aparecer nos Estados Unidos críticos literários novos (Randolph Bourne, Van Wyck Brooks, Spingarn, Mencken) com arrojos renovadores. Certo que começam a surgir poetas também corajosamente renovadores da poesia em língua inglesa. Um teatro novo. Um novo romance. E na Universidade de Columbia, todo um grupo de grandes renovadores dos estudos antropológicos, sociológicos, históricos. Simples começos, porém. E onde os arquitetos, os pintores, os escultores, os compositores que seriam agora uma afirmação da América inglesa como Novo Mundo? É uma inquietação, a estética, do mesmo modo que a política, a social, a literária – que se vem encontrar, atualmente, mais forte e generalizada na Velha Europa.

PARIS, 1922

Vou com A. à Sorbonne. Conferências de S. Medíocre mas nem por isso desinteressante, o douto velhote.

PARIS, 1922

S., que conheci em casa de Amy Lowell e está agora em Oxford, convida-me a ir com ele à casa de Ezra Pound. Tenho vontade mas hesito. Com Yeats – grande Yeats! – foi diferente e também com Vachel Lindsay e com Amy Lowell: o velho A. apresentou-me a eles do melhor modo. Eu devia ter aceito o oferecimento de Amy Lowell. Ela quis apresentar-me aos seus amigos de Paris e Londres. Assim eu poderia conhecer essa gente. Mas como um curioso, a querer ver de perto monumentos humanos, não irei vê-los.

PARIS, 1922

Regis de Beaulieu me faz freqüentar os cafés dos *felibistes*, isto é, da gente que em literatura segue Mistral e hoje, em política, Maurras e Léon Daudet. Conheço já Marius André, um dos chefes do movimento. É um homenzinho cheio de vivacidade: seco, franzino, miúdo mas esplêndido de inteligência latina e de malícia francesa. Conheço velhos franceses do sul que foram amigos de Mistral: o na verdade grande Mistral. Eles me consideram quase dos seus.

De um deles ouço interessantes indiscrições a respeito de amores do grande poeta. "A propósito" – diz-me ele – "V. que é brasileiro conhece na sua terra um general chamado..." Não se lembra logo do nome. Afinal, sai-se com uma caricatura de nome que mesmo estropiado parece mais espanhol que português; pois é possível que, bom francês, o *felibiste* esteja a confundir o Brasil com a Bolívia. Ou mesmo com a Nicarágua.

Não conheço no Brasil ninguém com nome parecido ao que ele comicamente pronunciou. Mas o que desejava contar-me, muito na intimidade, entre goles de conhaque, é que a francesa, agora generala sul-americana e talvez quase presidente de alguma república, ora sob o domínio militar, foi, na mocidade, muito amiga de Mestre Mistral, a quem teria inspirado alguns belos poemas líricos. Amiga de todas as intimidades e mestra de sutilezas das artes marciais.

PARIS, 1922

S. me apareceu a semana passada entre os anglo-americanos à Henry James, com quem convivo em Paris. Deu-se imediatamente a conhecer: conhecemo-nos de Boston, da casa de Amy Lowell.

A propósito: ele trouxe de Miss L. cartas de apresentação para vários amigos dela de Paris e de Londres. Creio que cartas para Ezra Pound e até para Joyce. E convidou-me a acompanhá-lo nas excursões de entrega dessas cartas e na procura de outras celebridades para quem se acha munido de boas apresentações. Mas o momento não é dos que favorecem o encontro de celebridades em Paris. Já é verão e não é chique dizer alguém que está em Paris, mesmo quando aqui permanece.

Daí não terem sido encontrados nem Ezra Pound nem James Joyce. De Joyce informam que está tratando dos olhos parece que em Viena. Em Viena ou em Zurique.

S. me apresenta a outro americano à Henry James, que me mostra uma carta fechada de um médico a outro a respeito de sua saúde; sente-se tentado a abrir a carta mas tem escrúpulos. Desconfia de TB, isto é, tuberculose. Curioso como entre anglo-americanos até as doenças são conhecidas por iniciais. Grandes doenças como TB. E os grandes homens, como G. B. S., G. K. C., H. L. M.

Pena não ter me encontrado com Ezra Pound e, por intermédio dele, com James Joyce. Timidez e hesitações. Seria mais um contacto meu, direto e pessoal, com um autêntico grande homem da nossa época. Já tenho vários na minha coleção e guardo como preciosidades, na memória, a recordação de certos instantes de conversa com uns e de longos convívios com outros. Longos convívios com Vachel Lindsay e Amy Lowell, com Boas e com Giddings e com Oliveira Lima; boas e longas conversas com William Butler Yeats, com Edwin Markham, com William Taft, com Rabindranath Tagore, com o Príncipe Alberto de Mônaco; pequenas conversas com Foch, com Pershing, com Mott; e, agora, a convivência com o velho Clément de Grandprey, com quem venho aprendendo tanta coisa sobre o Oriente e que me fez conhecer, em sua casa de Versalhes, um mundo que poucos sul-americanos da minha idade poderão ainda conhecer na intimidade, como eu o conheci: esse mundo em dissolução de aristocratas franceses e russos, vários dos quais senti que enxergavam em mim, sul-americano, o começo de um mundo novo não só no tempo como no espaço. Regis de Beaulieu já me apresentou ao grupo de seus amigos mais velhos que foram discípulos de Mistral, um dos quais, sabendo-me brasileiro, referiu-me um romance que o grande poeta teria tido com a mulher morena e bonita de um general brasileiro (Quem terá sido? E terá sido mesmo brasileiro? Esses franceses confundem muito brasileiro com peruano, boliviano, colombiano: tudo é gente de *là-bas* para eles). Beaulieu é muito do grupo de Maurras e Daudet, cujo movimento venho estudando desde meus dias de Columbia e do *Circle Français* (e aqui devo me confessar grato a Carlton Hayes e René Carrié pelo que me fizeram conhecer da Europa de após-guerra antes de eu viajar para cá) e promete levar-me a Maurras para uma longa conversa. Mas terei de ter cuidado: Maurras é surdo. Pergunto a Beaulieu com alguma malícia se do ouvido da *direita* ou do ouvido da *esquerda* (os russos há muito que são surdos dos ouvidos da *direita*). Cujo esquerdismo tem alguma coisa de direitismo. Há quem seja surdo dos dois lados: ele responde, sorrindo, que de ambas. E lembra que na *direita* de Maurras há alguma coisa de esquerda como na esquerda dos russos há muito de direita. O que levou nossa conversa para a filosofia de Georges Sorel.

PARIS, 1922

Não sei o que se passou comigo ontem neste hotel de Passy. Sei que estava repousando à tarde, depois de muito ter andado pela minha já amada *rive gauche*, quando de repente senti descer sobre mim uma luz tão forte que eu quis gritar, alarmado: faltou-me, porém, a voz. Tudo muito rápido. Instantâneo. Isto fica entre nós, meu diário: ninguém o saberá contado por mim. Confio na tua discrição de amigo íntimo: o meu grande amigo íntimo.

PARIS, 1922

B. não me anima a continuar assíduo nas conferências da Sorbonne que venho procurando seguir. "Por que gastar o tempo na Sorbonne?" E me leva às conferências de Maurras que são, com efeito, verdadeira introdução ao estudo de Ciência Política ou de Direito Público considerados em algumas de suas relações mais significativas com a Sociologia. É claro que introdução a esse estudo do ponto de vista de um monarquista absoluto como é Maurras. Monarquista singular: enamorado de regionalismo e de sindicalismo. Do próprio sindicalismo de Sorel, cujo grupo de adeptos estou também freqüentando com o maior interesse.

Curioso é verificar-se que Comte e a sua Sociologia (no Brasil tão dos republicanos de 89) são aqui autor e ciência mais da gente monárquica que da republicana liberal. Não só Comte como o próprio Renan: o da *Reforme*.

Quanto à Sorbonne, é evidente que há exagero da parte dos maurrasistas quando a consideram apenas "fachada", somente "tradição". Uma instituição como a Sorbonne não perde a sua força da noite para o dia. Pode não atravessar agora um dos seus grandes períodos de criatividade (Sei que "criatividade" é anglicismo, mas por que não assimilarmos à língua portuguesa? E tão expressivo!). Mas não é de modo algum uma instituição morta. Isto a despeito de

La farce de la Sorbonne, de René Benjamin, que aí investe contra essa glória francesa com uma fúria de panfletário um tanto semelhante à do nosso Antônio Torres em seus ataques à Academia Brasileira de Letras. O que parece é que a Sorbonne vem se fechando ao pensamento mais castiçamente francês que Maurras não hesita em recolher de Renan – o Renan pensador político e crítico social. Um Renan diferente do cético, do acatólico, do homem-sem-fé, que seu neto Ernest Psichari como que nasceu para retificar e corrigir. Mas – observe-se – não para destruir.

PARIS, 1922

Sobre o dia que passei em Versalhes na casa do velho C. de Grandprey: tenho a impressão de ter vivido um dia mágico num mundo que já não existe. Noutro mundo e noutro tempo: na Europa de antes da guerra, de que tanta gente de Paris me diz que foi a "verdadeira Europa". A "perfeita Europa". Eu era talvez o único intruso naquele mundo ressuscitado: todos os outros eram sobreviventes dessa Europa perfeita. Europa perfeita agora desfeita. Posso dizer que a conheci, convivendo com homens e senhoras por um dia inteiro de regresso ao seu velho mundo: ao espírito, às maneiras, aos assuntos desse seu velho mundo. Vi o aristocrata russo, a princípio tão soturno, abrir-se. Fomos de Paris a Versalhes no mesmo compartimento de trem, ele hierático como uma estátua, bigodes retorcidos no melhor estilo antigo. Quando lhe fui apresentado, sorriu e até riu, feliz de se ver restituído, naquele recanto de Versalhes, à Europa sua velha amada. O conde francês também o vi contente como um menino e a condessa também. Iguais ao duque russo. O General Clément de Grandprey, que também é da nobreza francesa, parecia sentir-se responsável por aquela ressurreição histórica e por fazer participar dela "nosso jovem amigo do Brasil", como me chamou mais de uma vez. Quando me despedi deles, já à noite, o velho francês me disse: "Adeus, caro amigo. Sei que não nos veremos mais. Seja muito feliz no seu lindo Brasil, país de que guardo tão boas recordações".

Voltei a Paris quase como se estivesse estado entre fantasmas. Um grupo como esse que me admitiu à sua intimidade de velhos fidalgos de modo tão encantador já não parece gente deste mundo, mas de outro: já acabado. Ou de outros: todos reduzidos a sombras. Eles próprios me falaram da Europa do tempo da Rainha Vitória como ainda outra Europa: senão melhor, mais Europa, do que a dos dias de Eduardo VI e de Jorge V.

O velho de Grandprey quando moço conheceu o Oriente quase virgem do Ocidente; e contou coisas que viu na China verdadeiramente bizarras. "Nada disso existe mais", observou ele enquanto acariciava marfins e porcelanas de sua fina coleção, que deve ser uma das melhores coleções particulares de coisas orientais e exóticas na França. Ou na Europa. De passagem, conheceu o próprio norte do Brasil. O Brasil do fim do século XIX com suas igrejas barrocas e seus monumentos.

PARIS, 1922

Mostro a Regis, com quem estive ontem na Sorbonne, o retalho de um artigo de A. F. a meu respeito, tão elogioso quanto o que escreveu sobre minha primeira presença na Europa. No de agora, A. F. compara o meu português – vejam só! – ao francês de Renan! Regis (em quem já tenho um amigo e que está escrevendo um artigo a meu respeito para *L'Étudiant Français*) ficou entusiasmado com a comparação, pois para ele, como para os maurrasianos, em geral, há um Renan que não deve ser confundido com o de *Vie de Jésus* e que é o da *Reforme intelectuelle et morale*. Interessante como A. F. me acompanha de longe, enchendo-me de elogios. Inclusive o de me considerar "o maior talento" e a "cultura mais alta" da nova geração brasileira.

PARIS, 1922

Ao mesmo tempo que me leva a ouvir Maurras, seu Mestre – "cher Maître!" – e a conhecer seu amigo Léon Daudet, em Saint-Sulpice, R. de B. me obriga a uma revisão de Sorel (Georges) e de Pareto. São Sorel e Pareto – e também Maurras – que mais temos discutido nas nossas conversas de *La Rotonde*: o café que Lenine freqüentava, segundo me dizem.

Sobre o fracasso da democracia liberal, demasiadamente ligada ao *laissez-faire* econômico, não creio que possa haver mais dúvida. O problema é o do reajustamento da convivência democrática a novas formas de governo, isto é, de poder político, que o tornem capaz de intervir decisivamente na vida econômica sem oprimir ou prejudicar as atividades intelectuais, estéticas, espirituais, dos homens. Esse ponto é delicadíssimo.

Fui ontem a uma reunião de estudantes da "extrema esquerda". Muito entusiasmo, mas não há, entre eles, a lucidez crítica que se encontra nos maurrasianos, embora também estes sejam o seu tanto sectários. Maurras é muito surdo, não sei se dos dois ouvidos ou de um só. Isto parece concorrer para dar-lhe certa intolerância e certa suficiência: a suficiência dos surdos que não são mudos.

Mesmo assim, sua inteligência é admirável. Seu poder de crítica, de raciocínio, de argumentação, alguma coisa de extraordinário. Muito francês. Muito latino mas pouco hispânico. Sem que o prejudique o sistema de raciocínio legalista dos advogados, sabe argumentar com agudeza analítica. O mal que prejudica de modo lamentável a inteligência do nosso Rui não afeta a sua.

PARIS, 1922

Minha impressão de certos livros: bom que eu já os tenha lido, mas melhor ainda que não tenha de relê-los. Enquanto com outros livros sucede o contrário: bom que os tenha lido, mas ótimo que me sobre tempo e vagar para relê-los. Porque são livros para ser principalmente relidos. Seu melhor gosto está guardado para quem os reler, algum tempo depois de os ter lido.

PARIS, 1922

Será que estou apaixonado pela belga? E ela estará tão saudosa de mim como parece pelas cartas? O fato é que vem me escrevendo como se estivéssemos em pleno idílio. Como se nos fosse possível prolongar o idílio daquela noite de trem em que nos encontramos, ela acompanhada do pai e da mãe. As carícias sob o cobertor, eu não as esquecerei nunca. Fomos ao máximo. Ela relutou mas acabou solidária. E como! Que sorriso o desse demônio de morena de olhos verdes tão criança e ao mesmo tempo já tão mulher! Será que ainda nos tornaremos a ver? Não acredito. Guardarei sempre a lembrança do seu sorriso e dos seus olhos e das suas mãos. Ela acaba de enviar-me romanticamente um pouco do seu cabelo, que é uma seda de fino e macio.

PARIS, 1922

Conferências de Fortunat Strowski na Sorbonne. Bem ordenado. Correto. Mas sem nada de extraordinário. Esse polaco que Paris assimilou é um medíocre. Interessa-me a matéria que professa: Literatura Comparada.

Parece haver hoje na Sorbonne um espírito de burocracia intelectual e de correção acadêmica que a uniformiza quase de todo. Um professor se mostra tão semelhante a outro a ponto de todos se parecerem funcionários públicos da mesma repartição. É um dos seus contrastes com Oxford. Com Columbia também. É verdade que Columbia não soube tolerar nem um Spingarn nem um Beard. Não quis conservá-los por serem diferentes de Brander Matthews, seu funcionário exemplar: correto, bem ordenado, incapaz de perturbar a rotina universitária com uma idéia ou uma atitude menos ortodoxa.

BERLIM, 1922

Há dias na Alemanha. Agrada-me, e muito. Tem caráter. E o roxo é a sua cor dominante. Deliciado com os museus de antropologia e etnologia da Alemanha que venho visitando, orientado pelo meu mestre Boas.

BERLIM, 1922

Paris e agora Berlim – nos seus museus etnológicos ou etnográficos – como aqui se diz – ou do Homem, isto é, antropológicos, tenho cumprido o meu programa de estudos, a seu modo pós-graduado e segundo sugestões do europeu Boas. Pois na Europa, pedi a orientação do grande Boas para esses meus contactos com museus vivos como são os da Alemanha, os ingleses e franceses. Boas, como antropólogo, é um entusiasta dos museus desse gênero. Pensa que neles se pode aprender mais do que em simples conferências abstratas em puras salas de aula.

Esses três museus – o de Paris, o de Oxford, o de Berlim – pedem dias seguidos de estudos panorâmicos. Panorâmico sem se considerar o que pode ser realizado em qualquer deles como estudo especializado.

Em todos tenho encontrado material interessantíssimo. Venho tomando notas. Apontamentos. Notando omissões com relação ao Brasil. Ao riquíssimo tema antropológico que é o Brasil.

Quando teremos, no nosso país, um grande museu do Homem especializado na apresentação sistemática, didática, cientificamente orientada, de material antropológico relativo à gente brasileira – ao seu físico, às suas etnias, à sua cultura (entrando aqui uma reorientação dos nossos estudos antropológicos sob a inspiração dos Boas, dos Wissler, dos Kroeber) – as suas várias expressões regionais?

Se puder, é uma das coisas culturais para a qual concorrerei, quando me reintegrar no Brasil: a organização de um museu antropológico segundo a orientação de Boas, que é uma orientação, em grande parte, alemã. Reintegração que não sei se acontecerá. Sinto que será quase impossível. Mas não nos antecipemos. O que venho descobrindo na Europa é que minhas afinidades com ambientes e gentes daqui são muito mais profundas que com ambientes e gentes dos Estados Unidos.

MUNIQUE, 1922

Não sei se em certos aspectos Munique não deve ser considerada superior à própria Paris. Seu ambiente, mesmo nos dias maus que a Alemanha atravessa, é de fato o de uma cidade onde grande parte da gente vive sinceramente e até sensualmente, e sem que isso exclua a abstração, para a pintura, para a música, para o teatro, para a literatura. Seus museus são mais vivos que quaisquer outros museus da Europa. Os alemães sabem dar às suas coleções de arte antiga uma vida que falta às inglesas e às francesas; e às de arte moderna, todo o arrojo revolucionário que elas são capazes de comunicar às sensibilidades livres de convenções acadêmicas. Este país dos "Srs. professores doutores" é também um país de grandes arrojos experimentais e antidoutorais, antiprofessorais, nas artes, nas ciências, na própria filosofia. Nietzsche deixou descendência. Agora mesmo, o Expressionismo que revoluciona a pintura européia é um movimento alemão que parte de Munique. Alcança o teatro: já vi aqui e em Berlim teatro expressionista. Vibrei com as inovações.

Vem me impressionando na Alemanha e, especialmente, em Munique, desde que aqui cheguei, a arte do reclame, do anúncio comercial, da tabuleta. É entre os alemães uma arte superior: nem na França nem na Inglaterra há sequer aproximação destas verdadeiras maravilhas em que artistas admiráveis tiram efeitos extraordinários de roxos, de violetas, de pretos, em combinações com outras cores. Muito roxo entre as cores.

Outro reparo: a comida alemã, mesmo em dias maus, é arte superior à dos anglo-americanos. Deliciam-me as sopas, um tanto parentas das portuguesas e das espanholas. Nada francesas. E o chocolate parece que só na Alemanha sabem verdadeiramente fazê-lo na Europa. O chocolate, bebida de inverno, é aqui uma delícia.

NUREMBERG, 1922

Grande impressão desta velha cidade. Cidade de São Sebaldo. Sinto a presença de Dürer. Impressiona-me um Cristo quase espanhol. Vejo em latim a frase "O verbo se fez carne".

"O verbo se fez carne" é uma das frases que mais me comovem. Que mais me fazem pensar. Em grego (língua a qual soletrei, impregnando-me de todo o seu significado mais íntimo) está no texto que começa "Kai arquéro logos", se é que pode ser assim transposta para o nosso alfabeto. Cada letra, em grego, nessa frase que é a base da filosofia ou da teologia cristã, é uma força a juntar-se amorosamente a outras forças. E da Teologia, ou da Filosofia, "o verbo se fez carne" pode aplicar-se a várias ligações entre forças que para se completarem têm de sofrer essa espécie de cópula em que o verbo se junta amorosamente à carne. Em que o espírito se manifesta em formas sensuais, deixando de ser abstrato, sem perder sua potência supra-sensual. Supratemporal, também.

Não sei de expressão que mais se multiplique em significados. Ou que mais se preste à caracterização daquelas ligações de forças que, em virtude do amor que aproxima umas das outras, dá à experiência humana o máximo de plenitude. As relações do criador com a criação. As do amante com a amada.

Berlim, 1922

Os Contos de Hoffmann em teatro. Apresentação expressionista. Magnífica apresentação. Artisticamente magnífica, quero eu dizer. Pois, como luxo, qualquer *Follies* de Nova York se exibe com maior esplendor.

O Movimento Expressionista domina as novas expressões de artes plásticas numa Alemanha que ressurge em grande parte apoiada nas suas vocações para as artes plásticas e para a música: vocações tão altas. Passará algum tempo, suponho eu, para esse ressurgimento se manifestar nas Letras, nas Ciências Sociais, no Direito. Mas nas artes plásticas e na música já principia a fazer-se sentir, entrando por olhos e ouvidos dos estrangeiros menos inclinados a acreditar em que uma nova Alemanha volte, sob novas formas, a concorrer para o chamado equilíbrio europeu.

O Expressionismo nas artes plásticas é talvez o que há de mais expressivo de uma nova Europa: e o centro de onde irradia é a Alemanha. É Berlim. É principalmente Munique.

Não vi "ismo" algum, em Paris, animado da mesma vitalidade. No teatro, essa renovação como que se afirma de modo múltiplo, incluído cenário, apresentação, combinações da arte dramática com a música e com o *ballet*. Na pintura e na escultura, Munique já é o centro de uma revolução como não parece haver igual na Europa de hoje. Principalmente na pintura.

Sem a derrota, a Alemanha estaria se exprimindo nesses arrojos renovadores em artes como a da pintura? Talvez não. O que parece indicar que as grandes derrotas têm, tanto para os povos como para os indivíduos, as suas compensações.

Berlim, 1922

Repito que um aspecto de Berlim que me encanta, de modo todo particular, é a arte de suas tabuletas. A arte dos seus anúncios comerciais. A arte das suas vitrines. As combinações de cores, nessas várias expressões de arte comprometida. A predominância de uns roxos como que berlinenses que se harmonizem da maneira mais feliz – estética e psicologicamente feliz – com pretos, brancos, azuis, amarelos, verdes, outros roxos.

Evidentemente há aqui uma união especialíssima como talvez não exista em nenhuma outra cidade do Ocidente, entre anúncio e arte. Entre comércio e arte.

Compare-se neste particular Nova York – tão cheia de anúncios, de tabuletas, de sugestões comerciais – com Berlim. Ou mesmo com Paris. Nova York e Paris perdem longe para a capital da Alemanha. Mesmo agora: para a capital de uma Alemanha devastada na sua economia, inclusive no seu comércio até há pouco imperial, pela derrota na Grande Guerra.

Derrota de que as evidências são constantes. Algumas impressionantes. Se os anúncios comerciais não a proclamam, o comércio ele próprio não consegue dissimulá-la. É um comércio sem grandeza.

E impressiona ver nas ruas, outrora do maior esplendor comercial, alemães altos e de físico majestoso, com aparência de desnutridos e aspecto, alguns deles, de mendigos. Vi um deles com os dedos dos pés saindo de sapatos esburacados. Mas mesmo assim com um ar importante de súdito irredutível do Kaiser Guilherme II. Ainda de bigodes *à la* Kaiser.

Enquanto à noite, e um pouco durante o dia, são vários aqueles jovens dos dois sexos, quase todos muito germanicamente louros, que se oferecem a estrangeiros em quem cuidem surpreender o ânimo para aventuras sexuais. Aos jovens por vezes se juntam mulheres já no outono da vida. Mas ainda como que germanicamente imperiais nas formas *à la* Rubens.

BERLIM, 1922

Pobre Alemanha! A inflação vai chegando aqui a extremos terríveis. Há muita miséria ostensiva. Alemães com bigodões imperiais, majestosos de porte, kaiserianos de feitio, mas, repito, sapatos cambados e rotos e fatos remendados ou já rasgados.

Tinham-me dito em Paris que a prostituição tinha-se tornado um horror em Berlim e noutras cidades alemãs desvairadas com a inflação e a miséria. Não há nisso exagero. Em plena rua ou praça de Berlim pode um estrangeiro ser surpreendido com uma linda mão de mulher a apertar-lhe o membro. Convite a um encontro imediato. Não faltam lugares. Tenho tido várias aventuras. Vicente também.

Não é só: em sua pensão, pode o estrangeiro ser procurado sob vários pretextos por adolescentes de ambos os sexos: vêm oferecer-se. Os adolescentes do sexo masculino talvez sejam, na Alemanha, os mais belos da Europa, com a sua palidez meio romântica: uma palidez que só se vê em alemães. Têm, alguns ainda mais que os franceses, alguma coisa de espiritual que falta às moças já quase mulheres, e, em geral, na Alemanha, demasiadamente pesadas desde muito novas. Entretanto, algumas mulheres são aqui extraordinárias de beleza. Mesmo com a pobreza atual, cheias de viço, embora lhes falte a graça francesa ou nova-iorquina. Calçam-se mal. Seus pés calçados estão longe de ter a elegância dos das moças brasileiras e anglo-americanas. Transbordam dos sapatos. A arte do calçado está atrasada na Europa. Menos – segundo me dizem – na Itália.

LONDRES, 1922

Chego a Londres com alguma coisa de Henry James mirim. Jantar em casa do Cônsul-Geral do Brasil. Um velho com uma elegantíssima barbicha. Muito amável, muito fino, muito ajustado ao cargo de representante do nosso país em Londres. Oliveira Lima escreveu-lhe recomendando-me. Ele vem caprichando em atender ao velho amigo, hoje sem prestígio oficial. Vem me recebendo como se eu fosse filho de Ministro de Estado ou sobrinho de Presidente da República.

No consulado descubro que o Cônsul-Geral e o Cônsul adjunto são inimigos; e que o Vice-Cônsul forma uma terceira potência inimiga das duas outras.

O Vice-Cônsul é um escritor já meu conhecido de livros: Antônio Torres. O Antônio Torres panfletário. O para mim admirável Torres.

Uma grande simpatia imediatamente nos torna amigos. Parece que já nos conhecemos do Rio. Surpreende-se em saber que eu ainda não conheço o Rio: nem Rio nem São Paulo. Torres me inicia, então, em várias intimidades literárias do Rio, por exemplo. Era extraordinário: conseguira saber escrever sem saber ler. Um ignorantão. Aliás a ignorância de coisas literárias profundas, no Rio, nos meios literários, diz-me Torres que é assombrosa. "Conversa como esta nossa é quase impossível no Rio – diz-me ele – só com um ou outro Francisco Sá ou um ou outro Gilberto Amado". Ninguém sabe ao certo quem foi Swift – só que teria sido um dos vagos ingleses que influíram sobre a formação de Machado de Assis e de Rui. Raríssima a pessoa que tenha lido Samuel Butler. Ou Boswell. Ou mesmo William Morris. O que se conhece é um pouco de literatura francesa, uns tantos versos de autores franceses, outros de italianos, duas ou três páginas de Oscar Wilde. Ignora-se quase completamente este mundo imenso que é a literatura inglesa mais profunda. "Você, menino, no Rio, será um escândalo. Você é um escândalo. Onde é que eu esperava encontrar em Londres um brasileirinho de 20 anos que sabe literatura inglesa de verdade, como já descobri que V. sabe, e com quem se pode conversar também sobre Maurras, sobre Mistral, sobre Daudet, sobre a atual revisão da história francesa? No Rio tudo isso é desconhecido".

É claro que isso me dá a impressão de ser eu vastamente superior, em conhecimentos literários, aos intelectuais do Brasil. Mas na verdade o Torres talvez exagere. Há no Brasil gente como o Monteiro Lobato, o Gustavo Barroso, o Ronald de Carvalho, que conhecem o seu bocado de literatura inglesa.

Descubro que o entusiasmo de Torres por Dr. Johnson é imenso. Vamos a Fleet Street em homenagem à memória de *Ursa Maior*. Depois Torres me leva a jantar num restaurante espanhol de Dean Street: *olla podrida*, à mais castiça moda espanhola. Nada de culinária inglesa, que lhe parece o oposto da literatura. Também aqui me parece que ele se excede. Pois há nada que sobrepuje em gosto uma costeleta de carneiro à inglesa?

LONDRES, 1922

Ulisses me manda do Recife as palavras que Armstrong lhe escreveu a respeito da minha vinda para a Europa: "*We hate to see Gilberto leave. He is a wonder and I believe he will do something worth-while*". "*A wonder*", "*a genius*". "*A wonder*", santo Deus! Será que não desapontarei o velho A. J. A.? Quanto mais me aproximo da chamada "vida prática", mais me convenço de que o meu destino é fracassar, depois de ter sido, para muitas, uma promessa. A promessa até de um gênio. Repito que o próprio A. J. A. acha que fora da língua inglesa e da arte de escritor praticada nessa língua não há salvação para mim. Mas isto não farei. Voltarei ao Brasil mesmo para o pior fracasso intelectual ou artístico.

LONDRES, 1922

Em Londres, recordo-me de impressões e observações da vida inglesa que aqui acumulou O. L. quando substituiu Sousa Correia na chefia de nossa legação. Sousa Correia foi talvez o diplomata brasileiro que maior prestígio alcançou na Corte de S. M. Britânica. Mais do que Penedo. Curioso que ainda ninguém tenha lhe dedicado um livro. Ou evocado sua ação como diplomata na Inglaterra. Só as suas fotografias na companhia de algumas das maiores figuras da sociedade inglesa de sua época, membros da família real e da velha nobreza – às vezes ele sentado e essas nobres figuras, de pé – dariam uma significação extraordinária a um ensaio que se intitulasse, com algum sabor arcaico, "De como um brasileiro chamado Correia conquistou a Corte Inglesa e nela serviu ao Brasil".

Contou-me O. L. que, tendo falecido S. C., ele assumiu a chefia da Legação brasileira em Londres. Uma vez estavam reunidos em torno dele, encarregado de negócios, vários brasileiros, a conversarem muito brasileiramente de assuntos diversos. Além deles, na sala, conservava-se apenas o antigo *valet* de S. C., inglês majestosamente inglês no cumprimento de suas funções. Foi quando alguém se referiu em português ao austero valet: "Esse filho da puta". Sempre majestoso, grave, vitoriano, o modesto mas austero funcionário britânico limitou-se a dizer ao indiscreto: "*I understand Portuguese, Sir*". Houve um silêncio significativo. Um *gentleman* inglês estava entre os descuidados brasileiros sob a forma humilde de um simples *valet*.

Outra observação de O. L. em Londres, quando conviveu com a sociedade inglesa: o extremo cuidado dos homens em lavarem as mãos antes de se dirigirem aos mictórios e não apenas depois de virem dos mictórios. Concluiu O. L. que para os ingleses de qualidade aquela ablução tinha alguma coisa não só de profilático como de litúrgico: profilaxia e liturgia de mãos prestes a manipular algo de muito delicado e de quase sagrado.

LONDRES, 1922

Tenho me regalado da pintura inglesa. Encontro na arte inglesa de paisagem e de retrato um sabor que se assemelha ao da literatura inglesa. Talvez o traço psicológico. O que não quer dizer que compare a pintura dos ingleses à dos italianos, à dos espanhóis, à dos franceses.

É interessante observar-se, a este propósito, o muito que a pintura, a arquitetura, a arte na Inglaterra devem à literatura. Seus grandes críticos têm sido grandes escritores como Ruskin, Morris, Pater, Thackeray. Há páginas de Thackeray sobre pintura inglesa que se tornaram decisivas como orientação para jovens pintores. E o próprio Turner talvez tivesse se exasperado e abandonado seu impressionismo experimental se tivesse seguido apenas a opinião dos demais pintores e dos críticos apenas técnicos de pintura. Valeu-lhe a compreensão dos outros: dos críticos de arte – grandes escritores.

Pode-se generalizar: a literatura é vital como literatura e vital pelo que comunica de humano às outras artes.

Talvez o mesmo que da pintura deve dizer-se do teatro inglês – do drama como aqui se diz: é outra arte que entre os ingleses tem dependido vitalmente da crítica, da interpretação e da compreensão de grandes escritores, vários deles, aliás, autores eles próprios de dramas e comédias que são ao mesmo tempo ótimo teatro e alta literatura. Agora mesmo: Barrie, Shaw, Galsworth, além do teatro irlandês em língua inglesa. Ótimo teatro e alta literatura, eis a situação do "drama" na Inglaterra.

Parece que à música e à culinária tem faltado, entre os ingleses, o amparo, a compreensão, o estímulo, o sal, a participação dos grandes escritores. Na França, a participação dos grandes escritores na arte culinária é ostensiva. Na Alemanha, música e literatura têm caminhado magnificamente juntas.

LONDRES, 1922

Será que a arte sexual, no Ocidente, é especialmente francesa? Não será tão inglesa quanto francesa em certos pontos? A mulher anglo-saxônia não será uma sensual? Da minha experiência nos Estados Unidos, lembro-me de louríssimas anglo-americanas sôfregas de sugarem de um adolescente moreno o que uma delas me disse ser "a seiva dos trópicos". Parece-me uma tendência – a tendência para sucção – ainda mais de inglesas que de francesas. E não por comercialismo, como às vezes é, em Paris, mas por pura preferência por essa especialidade de contacto ou de gozo sexual, tão repelida no Brasil, segundo me informam. Pois nunca freqüentei no Brasil casas de mulheres do mesmo modo que nunca tive no colégio relações sexuais com outros meninos ou rapazes. Dizem-me que no Brasil a felação é prática repelida pelas próprias prostitutas brasileiras, quando jovens; e por elas deixada só às "francesas" e às "polacas" velhas e demasiadamente gastas pelo tempo e pelo uso e abuso dos homens.

OXFORD, 1922

Dizem que o inglês nunca fala com ninguém a não ser que o estranho lhe tenha sido formalmente apresentado. Creio que esse rito só vigora entre ingleses. Com estrangeiros, o inglês fala, sem o estrangeiro lhe ter sido apresentado. Pelo menos é o que vem acontecendo comigo.

Ainda ontem, aqui no hotel, à lareira, estávamos um casal inglês – pareceu-me de província – e eu. A certa altura a senhora em voz muito melíflua me perguntou: é persa?

Respondi um tanto surpreendido que não: que era brasileiro. Ela disse um "ah!" vago de quem desconhecia o que fosse o Brasil. Mas voltou à Pérsia com entusiasmo: "Já estivemos na Pérsia. É um lindo país. Uma gente esplêndida!"

Senti que o elogio aos persas me alcançava, pois antes de dirigir-me a palavra ela e o marido haviam decidido britanicamente, por unanimidade parlamentar, que eu era persa.

Mas seguiu-se elogio mais particular ou pessoal, embora ainda dentro do geral: como persa. A inglesa apontou para minhas mãos e disse: "Mãos finas, as suas. Todos os aristocratas persas têm mãos assim".

E deslembrando-se de que eu dissera não ser persa: "No seu país os homens são tão belos quanto as mulheres". E autocrítica: "Na Inglaterra nem sempre isto se verifica". Olhei o marido: inglês simpático, porém feioso. Mãos horríveis. Ela, também, apenas de um feio simpático.

OXFORD, 1922

Dizem-me que nesta velha casa onde estou em Oxford – a casa de Mrs. Coxhill: residência que me foi designada pela Universidade, que em Oxford é soberana – morou John Wesley. Que é assim casa histórica. Aqui é que ele, um irmão e mais dez rapazes, todos estudantes da Universidade, teriam organizado o clube de que resultaria o Metodismo. Não que eles pretendessem criar uma seita à parte da Igreja Anglicana. De modo algum. O que eles pretenderam, dentro de estilos ingleses, foi tentar – suponho eu – dentro da Igreja Anglocatólica uma espécie de reforma como a dos franciscanos dentro da Igreja Católica de Roma. Menos sábia, porém, que a Igreja de Roma, a Anglicana não soube absorver a energia nova e moça representada pelo "franciscanismo" de Wesley e de seus companheiros, que sem serem ortodoxos nem pretenderem ser clérigos, mas só por fervor liricamente evangélico, deram para pregar o Cristo e o Cristianismo nas ruas e aos pobres – fora das convenções anglicanas. Pelo quê a Igreja Anglicana os expulsou. Daí o metodismo, depois tão forte nos países de língua inglesa onde é hoje uma espécie de caricatura de franciscanismo. Um franciscanismo a que faltasse, além de sentido poético, o seu natural ambiente: o de uma igreja necessitada de reforma não teológica mas social, moral, de espírito, dentro dela própria. E não fora dos seus muros e dos seus dogmas e dos seus ritos.

OXFORD, 1922

Impossível a um descendente de iberos, como eu sou (de portugueses e espanhóis), permanecer algum tempo em Oxford sem recordar que aqui se destacou como mestre o pensador espanhol Luís Vives. Assunto que mais de uma vez tenho versado com o espanhol que hoje representa a cultura ibérica neste centro anglo-saxônio de saber e que é Mestre Francisco de Arteaga.

Foi em 1523 – no outono desse velho ano: precisamente num outono como este, de 1922, que venho passando em Oxford – que Vives aqui inaugurou dois cursos memoráveis: um de Humanidades, outro de Jurisprudência. Ou, antes, os dois de Humanidades, pois para Vives, Jurisprudência era Filosofia do Direito. Terminado o curso, recebeu Vives solenemente o título de Doutor: *Doctor Civilis Legis*.

É tradição que vieram ouvir as lições proferidas por Vives em Oxford, o Rei, a Rainha e grandes da Corte. Tornou-se seu amigo o Cardeal Wolsey. Também se sabe que o colégio universitário a que o humanista espanhol ficou agregado (*fellow*) foi o de Corpus Christi, que eu tanto tenho freqüentado neste meu outono na velha universidade.

Pergunta-me o velho Arteaga por que não fico em Oxford; "poderia tornar-se novo Vives", diz ele, para excitar em mim vaidade que sabe ser tão dos adolescentes. Mas já não sou um adolescente que se julgue dono do mundo. Já venho sentindo a força dos limites, das fronteiras, das origens. Se nasci brasileiro, e dentro do Brasil, em Pernambuco, não será dentro das fronteiras do Brasil e dos limites de Pernambuco, e seguindo as imposições de minhas origens, que devo viver? Este é o meu ideal para um indivíduo de minha formação não só intelectual como, até certo ponto, pessoal. Minhas origens, minha família, minha Mãe, meu Pai, minha cidade, minha terra, me reclamam pelo que há, em mim, de outras raízes, que, não sendo as intelectuais, parecem ser raízes ainda mais fortes. O que me fez querer reintegrar-me no Brasil não é um senso puritano de dever mas uma necessidade de ser, ou desejar ser, autêntico, na minha condição de homem; e temo que, fora do Brasil, eu me sentisse postiço ou artificial, mesmo que o triunfo me consagrasse como consagrou a Conrad, na Literatura, ou a Westermarck, na Sociologia: ambos, hoje, ingleses para todos – ou quase todos – os efeitos.

Vives, quando esteve em Oxford, era de uma Espanha tão forte quanto a Inglaterra da mesma época. E a língua em que aqui proferiu suas lições memoráveis foi a latina: comum à Espanha e à Inglaterra cultas ou universitárias daqueles dias. Não precisou de renunciar nem à Espanha nem à língua, se não espanhola, latina, para tornar-se mestre em Oxford e ser por Oxford consagrado doutor com toda a pompa dos ritos oxonianos, quando consagra doutores.

OXFORD, 1922

Ninguém mais supersticioso que o inglês. Inclusive o inglês superior, culto, lúcido. Noutros países os requintados têm todos pena dos supersticiosos. Decerto imaginam que as superstições empobrecem e azedam. Mas o que sucede é o contrário. As superstições enriquecem a vida. Para o indivíduo limpo de superstição – como o francês absolutamente lógico e desdenhoso do inglês contraditório – um gato preto é um gato como outro qualquer. Um bicho que ronrona. Que se espreguiça. Que faz pipi. Que se arrepia a um pingo d'água. Terá, quando muito, uma sugestão literária. Para o supersticioso o gato preto é muito mais que um gato mourisco ou um gato alaranjado; muito mais que um simples gato; muito mais, ainda, que uma sugestão literária ou estética. De modo que a superstição, alongando misticamente o sentido de certas coisas e de certos bichos e de certas experiências, faz do mundo do supersticioso um mundo maior que o da pessoa de espírito "livre". Maior e mais seu. Para o indivíduo livre o mundo deve ter um ar de hotel ou pensão, por onde ele passa como hóspede. As coisas e os bichos não lhe pertencem. São simplesmente bichos e coisas. Puras realidades físicas e zoológicas. Sua vida é uma coisa à parte. Para a pessoa supersticiosa, não. Bichos e coisas que lhe rodeiam, fatos que sucedem, histórias que aconteceram, tudo tem uma ligação com a sua vida; e o mundo, um ar e um gosto de casa própria; de casa com intimidades ou particularidades impossíveis de se tornarem coletivas.

OXFORD, 1922

Que bela hipocrisia a destes belos adolescentes de Oxford que me sussurram a respeito de certos bustos de velhos reis aqui na universidade, já muito castigados pelo tempo: "*The syphilitic gallery of kings!*". Eles não ousam, na sua *pruderie* igual, neste ponto, à de meninas de colégios de freiras, dizer "*sífilis*" em voz alta. Seria antiinglês, antibritânico, e não apenas antivitoriano. Entretanto, por trás desses excessos de pudor verbal, admito que elegante (em contraste com o excesso contrário que se nota entre os moços, os estudantes, os adolescentes mais requintados dos países latinos), há, em Oxford, um bocado de imitação de Baudelaire nos seus requintes de exótico no amar. Ou no sexo.

OXFORD, 1922

É na Inglaterra que venho compreendendo o mistério de George Santayana. Sua incapacidade de fixar-se nos Estados Unidos ou de ingressar de todo na civilização ianque, por um lado; ou de "regressar" à Espanha, por outro. A. G. conheceu-o em Harvard e sentiu nele o drama da solidão: até em Harvard ele era uma alma perdida que não encontrava almas afins.

Não me admiro de Santayana nos Estados Unidos ter se tornado o que se tornou. De verdade, nos Estados Unidos, o homem de muita alma quase não encontra almas muito almas em torno de si. Quase toda alma muito alma parece nos Estados Unidos sentir-se alma-do-outro-mundo, perdida numa civilização que, além de exaltar demais a saúde dos corpos, vem se esmerando em inventar máquinas capazes de substituir o próprio pensar e o próprio sentir dos homens; e de poupar-lhes o próprio esforço de abstração e a própria volúpia dos êxtases. As grandes aventuras das grandes almas: de Santa Teresa e Newman.

Enquanto na Espanha parece dominar, quase como na Índia, o excesso contrário: vários homens que se contentam em servir apenas de pretexto à existência de almas puramente almas. Puramente contemplativas, introspectivas, retrospectivas. Almas também de outros mundos e não apenas deste – atual, vivo, corrente.

A Inglaterra talvez seja em seus melhores ambientes – como o de Oxford – o lugar do mundo onde melhor ocorra hoje o equilíbrio entre as duas tendências: a especulativa e a ativa. Onde as grandes almas melhor se encontram com os corpos sadios e belos: Newman, Pater, Browning, Rupert Brooke. Aliás, a reanglicização dos Estados Unidos, neste particular, é um fato. A reação ao "americanismo", empenhado em exaltar principalmente valores físicos (excesso que se deve lastimar no próprio Whitman), começa a ser uma realidade; e críticos pioneiros como Spingarn, Van Wyck Brooks, Mumford e como os poetas de vanguarda – Amy Lowell e Ezra Pound, entre eles – é para o que estão concorrendo revolucionariamente: para uma civilização anglo-americana que seja também uma civilização de grandes almas, que foi, aliás, a civilização com que sonhou Emerson. Civilização que assimile a grande força espiritual representada pelos negros: nos Estados Unidos tão à parte da nação como nação por uma pura questão de "raça", a dos "brancos" com relação à dos "negros".

OXFORD, 1922

Há historiadores – não é o caso de Zimmern, cujo curso muito *à la* Oxford, meio de História, meio de Direito Público, sobre a escravidão na Grécia, segui com o maior proveito na Universidade de Columbia – que, na verdade, são simples estudiosos dos fatos chamados históricos. Ignoram as relações entre esses fatos; o principal. Mas assim simplistas, se julgam íntimos, ou senhores, de uma época. Isto só por terem reunido a respeito dessa época os fatos mortos como quem juntasse gravetos secos; e posto todos eles de pé e em fileira, dando a tudo isso alguma hierarquia e certos coloridos de pitorescos.

É uma história, a organizada por esse processo, evidentemente superior à que se contenta com as datas e os nomes de reis e de generais. Mas o seu ar de suficiência, pelo fato de dominar fatos mortos, chega a ser comovente. Zimmern, tão de Oxford, é diferente. E foi quem mais me iniciou no mistério oxoniano.

OXFORD, 1922

Palavras de Blake que se tornam mais claras para mim à proporção que me aventuro mais a exageros boêmios no estilo dos de Oxford: "*the path of excess leads to the palace of wisdom*". Pelo *path of excess* no vinho do Porto (aqui não se diz *Port Wine* mas simplesmente *Port*, note-se bem) *dons* e estudantes ainda adolescentes de Oxford, cada grupo na sua esfera, chegam a *palaces of wisdom* a que de outra maneira talvez não chegassem. Continuo sob a impressão de que nos *parties* de vinho do Porto aqui em Oxford, que mais de uma vez tenho visto terminarem em danças de rapazes uns com os outros, há alguma coisa de grego, de helênico, de sublimação de amizade em amor: em amor platônico cuja lembrança, depois de passados os *Oxford days*, se dissolve em pura amizade. Esses ingleses têm da amizade um sentido que nos falta, aos brasileiros: talvez falte também a outros latinos. Aqui em Oxford compreende-se que a amizade seja entre os anglo-saxões o objeto de culto que é. Alguma coisa de superior aos partidos, às idéias, às atitudes que no decorrer da vida venham a separar indivíduos em adversários. Mas adversários sempre amigos.

OXFORD, 1922

Quanto mais conheço Esme Howard Junior, mais admiro nele, na sua mocidade limpa, nobre, quase direi luminosa, o que a Inglaterra aristocrática pode produzir de quase perfeito nesse gênero. Sente-se que nele tudo é autêntico, honesto; que entretanto, amanhã, na vida pública, essa sua mocidade de hoje nunca desaparecerá, para que vença um puro velhaco.

Tenho freqüentado a *Oxford Union* – a velha *Union* onde se têm preparado para a vida pública moços iguais a Esme no caráter limpo, na nobreza de sangue e sobretudo na de alma, que aqui existe, como existe o aristocrata desde jovem cínico, além de libertino e banal.

OXFORD, 1922

Escarrando sangue. Ou muito me engano ou estou já atingido por alguma terrível doença que não perdoa a um filho do trópico tão longa permanência em terras frias. Frias e nevoentas. O que devo fazer é quanto antes deixar estas névoas, estas brumas, estas luas de Londres; e voltar ao sol do Brasil. Talvez demorar em Portugal. Tenho cartas para o Conde de Sabugosa, para Fidelino, para João Lúcio de Azevedo, para Antero de Figueiredo, para o secretário da Universidade de Coimbra. Passarei por Espanha. Também de novo pela França. Howard (Junior) diz que eu me sentirei espanhol na Espanha. Que o que sou é espanhol. Seu pai é embaixador em Madri.

É pena, isso de escarrar sangue. Justamente agora eu me sentia tão de Oxford como se isto fosse o meu ambiente ideal. Tudo mais, depois de Oxford, me parecerá mesquinho. Aqui, encontrei o prolongamento daquele estímulo e daquela compreensão que, menino, só encontrei num inglês, Mr. Williams. Ou nele mais do que em ninguém. Quando outros não hesitavam em considerar-me menino sem nenhuma aptidão para artes ou letras de qualquer espécie, ele arregalava diante dos meus desenhos uns olhos que até hoje me parecem mais de anjo que de anglo para dizer a meu Pai: "São soluções, as que estes desenhos apresentam, que surpreendem". Eu então não lia nem escrevia: não queria aprender nem a escrever nem a ler. Mas desenhava tanto que enchia cadernos e cadernos com minhas garatujas. Só um inglês deu verdadeiramente valor a essas garatujas. Agora, entre estes ingleses de Oxford, eu me sinto valorizado como em nenhum outro lugar. Como por nenhuma outra gente.

OXFORD, 1922

Carlyle, filosofando sobre modas de roupa, apontou para a *architectural idea* que lhe pareceu animálas. O alfaiate seria um plagiário de arquiteto. Gerald Heard, em estudo mais recente, dá ainda maior expressão ao plágio: os alfaiates seriam simples seguidores dos arquitetos. Plagiários do tipo mais passivo.

Não me parece que a matéria seja tão simples como pareceu a Carlyle e parece a Heard. Alfaiates, pintores, escultores, arquitetos, músicos, escritores, pensadores, sem que se dê a sistemática imitação de um pelos outros – dos arquitetos pelos demais, por exemplo – tendem a exprimir de modo semelhante a sensibilidade, o pensamento, o sentido da vida de uma região e de uma época. De um espaço e de um tempo em certo momento particularmente criador, expressivo, afirmativo.

OXFORD, 1922

Torres me escreve de Londres que vem visitar-me em Oxford. Não contava com esta resolução de Torres. Acovardo-me. Não sei como resolver o problema de receber num meio como Oxford um brasileiro como Torres, que, além de mulato, é feio, feíssimo, com uma gaforinha horrível. Não: eu não tenho preconceito de raça. Mas em Oxford há toda espécie de preconceitos: não só de raça como de aparência física. Não que toda a gente aqui seja bela e eugênica. Mas os feios são uns feios com outras virtudes ou graças inglesas de aparência e de comportamento que faltam aos brasileiros quando são, como Torres é, cacogênicos.

A verdade é que estou atrapalhado. Mesmo assim vou começar a preparar o espírito da velha Coxhill. Vou dizer-lhe que um amigo do Brasil virá visitar-me. Vou dizer-lhe que é um homem de gênio – "*a genius, Mrs. Coxhill; but very dark and terribily ugly*". Estou acovardado. É uma indignidade este meu receio de ofender ingleses com a presença de um brasileiro do valor de Torres. Mas é o que ocorre. E se eu não confessar estas fraquezas a este meu diário, para que diabo serve este meu diário?

OXFORD, 1922

Cortejado não só por lindas inglesinhas como por mais de um louro inglesinho, desde que estou na Inglaterra. Sinto-me um pouco um Romeu moreno entre louras Julietas de toda espécie: inclusive Julieta que preciso de conservar platônico no sentido de todo não-carnal de platonismo.

Em Oxford não são de todo raras as danças de rapazes com rapazes: danças animadas por muito vinho do Porto que para os ingleses é o vinho dos vinhos. São danças que às vezes terminam em beijos e abraços. A verdade, porém, é que tais explosões talvez não sejam tão freqüentes, aqui, como na Alemanha de após-guerra. Aí, ao mito da "raça de senhores", corresponde muito masoquismo sexual da parte de alemães jovens, dos mais senhoris que parecem deliciar-se em ser machucados por morenos ou por exóticos. Em Oxford, o que se encontra é, antes, a tendência para intensas amizades de rapazes com rapazes semelhantes às que existiam – suponho eu – entre os gregos platônicos. Podem ter às vezes alguma coisa de homossexual. Mas, quase sempre – é o que me parece –, um homossexualismo transitório. E não só transitório: platônico. Sem concretizações como as que tornaram famoso no Recife o aliás culto e inteligentíssimo Cônsul de S. M. B., Mr. D.

Entre os ingleses o poder do caráter é alguma coisa de férreo, capaz de conterem um homem demônios que se soltam mais facilmente do que entre eles, entre indivíduos de outros tipos de formação moral. Pode haver a falada hipocrisia inglesa; porém muito maior realidade é o caráter inglês.

OXFORD, 1922

Um meio que não falha para eu saber, logo cedo, se vou enfrentar de bom, ou de mau humor, um novo dia, é a maneira por que me recebem as várias gravatas da minha mala-armário ou do meu guarda-roupa. Curioso que às vezes elas pareçam sorrir para o dono, cada qual mais gentil; e outras vezes pareçam todas aborrecidas com ele, hostis, até. Na escolha matinal da gravata há um problema que tenho às vezes a impressão de ser, não apenas um problema estético – a clássica combinação de gravata com o fato ou a camisa do dia – mas sobretudo um problema psicológico: um sutil problema psicológico na solução do qual as gravatas nem sempre parecem colaborar. Às vezes são elas próprias que se fazem de inimigas do homem com quem deviam colaborar. Recusam-se a harmonizar-se com ele e com o seu programa do dia como se tivessem vida própria e vontade independente. Há alguma coisa de diabólico nas gravatas. De diabólico e de feminino.

Oxford, 1922

Longas conversas com L., com K. e com o jovem E. H. sobre literatura inglesa. Interessante que nem Byron nem Oscar Wilde tenham dentro da Inglaterra o prestígio literário que os cerca fora daqui: na Europa e na América do Sul. São considerados mais ou menos postiços; inautênticos; espécie de imitação de ouro de lei – isto na literatura. Em filosofia social sucede quase o mesmo com Herbert Spencer. O nome que aqui em Oxford quase ninguém pronuncia, ainda como desdém. Acovardado – confesso aqui a você, muito em segredo, meu diário amigo – não tenho dito a ninguém do meu entusiasmo pelo velho Spencer. Entusiasmo que me fez escrever a respeito dele, aos 15 anos, todo um ensaio cheio de admiração.

Oxford, 1922

Depois de um bom passeio para os lados de Magdalen – que em Oxford se pronuncia Modelen ou qualquer coisa assim – três rapazes da universidade e eu conversamos. E a conversa cai em assuntos sexuais da maneira oxoniana: quase sem palavrões. Quem foi rei há de ser sempre majestade, diz o nosso ditado; e em Oxford os pudores da Rainha Vitória ainda impedem os rapazes, mesmo quando sós, de resvalarem em linguagem puramente canalha, como seria o caso na França ou no Brasil.

Sei que Oscar Wilde não é lido em Oxford como sei que é Walter Pater. Dizem-me que apenas um tanto. Nenhum entusiasta de Wilde no grupo. Um deles porém me diz que há em Oxford quem pratique o amor socrático. Não é de todo desprimoroso entre aristocratas, embora o seja nas classes média e proletária.

Recordo-me então do fato de que nos meus dias de menino e de colegial nunca tive uma experiência homossexual. Fui quase um anjo. Seria um anjo se não fosse a masturbação a sós e recíproca – raramente praticada.

Apenas no sítio dos Ávila – os três ou quatro filhos do médico Dr. Ávila, meus colegas de colégio – fui iniciado por eles numa espécie de coito danado com uma tranqüila vaca de propriedade –

com outras e com alguns bezerros – daquela família. Era uma vaca quase mulher. Parecia que sabia do que se tratava, e no meu caso me deu a impressão de deliciar-se em dar prazer a um inocente.

OXFORD, 1922

Venho encontrando em Oxford – repito – *meu* ambiente como em nenhum lugar já meu conhecido. E certo que Paris, as cidades francesas, alemãs e belgas que acabo de descobrir e numa das quais deixei a mais lírica das namoradas (a linda belgazinha de quem acabo de receber uma delícia de carta) me deram a impressão de lugares mais que necessários, essenciais, para me curarem do que há anos sinto haver de incompleto em minha condição de americano. Em Oxford sinto que, além dessa cura, recebo "de quebra", como se diz em linguagem popular brasileira, uma alegria de espírito que torna minha vida aqui uma constante e festiva aventura de sensibilidade e não apenas de busca de cultura: aquela cultura que só se torna parte de um indivíduo quando ele e certos ambientes se defrontam como partes de um todo a ser aos poucos ou de súbito completado. Em algumas semanas já me sinto, entre oxonianos, no meio de amigos que me parecem conhecidos velhos. Velhos amigos.

Fiz camaradagem com Esme Howard Junior, que é filho do embaixador da Grã-Bretanha em Madri, Lord Howard. Com George Kolkorst. Com um De Salles, de velha gente nobre da Suíça. Com *Rhodes scholars* dos Estados Unidos, um dos quais, gênio matemático, me descobriu entre as residências "permitidas" pela universidade – aqui senhora de tudo – a casa da boa Mrs. Coxhill. Mrs. Coxhill me acolheu quase maternalmente. Tem uma vaga idéia da América do Sul. Acredita-me príncipe persa com alguma coisa de islâmico que a sua austeridade vitoriana precisa de vigiar. É uma velha casa a sua, onde diz a tradição ter morado um dos Wesley, já não me lembro qual; e antes, suponho, de ter se desgarrado em "dissidente". Ou então, a casa já foi há mais de século restaurada ao seu velho espírito anglicano. Ambiente perfeitamente inglês e perfeitamente anglicano. Um chá que é um rito religioso. "Pode convidar seus amigos", diz-me Mrs. Coxhill. E insinua que seus *cakes* não são considerados de todo maus pelo paladar.

Em torno de chá e *parties* de vinho do Porto se faz grande parte da cultura oxoniana. Outra parte, nas aulas, na Bodleian, no Ashmolean. Ainda outra, é evidente, nos jogos. Também na velha *Oxford Union*, a que fui já admitido como sócio-hóspede. São famosos os seus debates, nos quais através de gerações vem se revelando muito talento parlamentar, muita vocação inglesa de homem público. Aliás, em Oxford, o indivíduo de verbo fácil, fluente, não dá impressão nem de profundo de inteligência nem de sutil na cultura. Daí ser muito característico dos bons oxonianos um inglês elegantemente gaguejado: a negação da perfeita fluência oratória dos latinos.

OXFORD, 1922

Mrs. C. também pensa que eu sou persa e desconfia que haja no pobre de mim um príncipe encantado. Talvez por isso se esmera nos chás que prepara para meus *five o'clock* com uns doces quase de avó que caprichasse em agradar neto. Grande Inglaterra, tão mal julgada fora das suas fronteiras! Mrs. C. é mais que inglesa. É inglesa como ela só. Anglicana. Recorda-me Mr. W. nas atenções que tem por mim.

OXFORD, 1922

Anoto nomes de jovens oxonianos com os quais venho convivendo nestes profundos dias de outono que escolhi para demorar em Oxford: dias que parecem dar à velha universidade, à sua paisagem, ao seu conjunto de edifícios antigos (aos quais se juntam alguns lamentáveis exemplos de mau gosto vitoriano em arquitetura), ao seu ambiente, o melhor e mais característico esplendor: aquele que vem da combinação íntima da tradição com a modernidade. "No verão e na primavera – já me dissera em Lake Success, nos Estados Unidos, velho oxoniano que ali conheci a caminho do Canadá – Oxford é mais para ser visitada que para ser vivida". Recomendou-me que a vivesse no outono e no inverno: ao seu ver, a parte do ano em que Oxford é mais Oxford. Perguntei-lhe: e as célebres palavras de Browning sobre o mês de abril na Inglaterra? Ele me disse: "Estão certas para a Inglaterra, mas não para Oxford".

Anotando nomes daqueles com quem mais venho convivendo neste centro ainda esplendidamente vivo de saber de onde têm saído tantos grandes líderes da vida pública e das letras inglesas (e também da Europa e dos países asiáticos) penso: daqui a vinte ou trinta anos alguns desses novos talvez sejam gloriosos. Anoto o de E. G. Howard. O de M. Le V. Struth. O de G. A. Kolkorst. O de Esme Howard Junior. O de R. Parga. O de De Salles. O de Leonard Sleigh. O de Beverly Smith. O de D. Lester. O de J. E. Baker. O de G. A. Feather. O de Foster Brown. Uns de Christ Church, outros de Queen's, outros de St. John, um de Jesus, outro de Wadham, ainda outro de Exeter, e ainda Snow, de Merton. Um de Christ Church, onde tenho jantado. Estes são nomes dos *colleges* que constituem, juntamente com All Souls, Magdalen, o conjunto universitário que é Oxford, com sua unidade na diversidade à boa maneira inglesa. Outra amizade de Oxford: a de Juan Aznar, jovem espanhol de Madri muito da casa do velho Arteaga. Beverly Smith (de Christ Church) é americano. Carter (de Wadham), também.

Kolkorst me recomenda os seguintes livros sobre o ambiente de Oxford: *Sinister street*, de Compton Mackenzie, *The city in the foreground*, de Hopkins, outro, de Beverly Nichols. Já comecei a ler *Sinister street*. Kolkorst se admira do meu conhecimento de Pater e de Newman. Curioso: aqui quase não se fala de Oscar Wilde. É considerado vulgar. Também Chesterton é considerado subliterato, popularesco. Uma injustiça, a meu ver.

OXFORD, 1922

Esme Howard (Junior) e Kolkorst me convidam a participar de uma reunião do *Oxford Spanish Club*. Reunião muito inglesa. Quase nada espanhola. Ninguém fala fluentemente nem espanhol nem inglês. O ortodoxo aqui é gaguejar. Um especialismo, esnobismo aristocrático. Estou portanto no meu elemento: sou mais gago que fluente. Assunto de reunião: o donjuanismo ibérico.

Kolkorst me pergunta o que eu sei a respeito do donjuanismo na literatura em língua portuguesa. Sucede que eu conheço tão pouco do assunto que só me lembro da *Morte de Dom João*, do velho Junqueiro. E gaguejo umas coisas vagas sobre Junqueiro: sobre sua concepção do donjuanismo. O português – sugiro em inglês esnobemente gaguejado – talvez seja demasiadamente lírico para ser sensível ao que há de brutal, de cínico, de trágico no donjuanismo desenvolvido pelos castelhanos.

Esme Howard Junior é o que pode haver de mais puro como mocidade inglesa. Chega a ser angélico este aristocrata ainda quase menino. Não me parece que o tema "donjuanismo" o empolgue. Será um esposo monogâmico do tipo ideal.

OXFORD, 1922

Devo recordar jantares em *colleges*. O primeiro de que participei foi em Christ Church. Vasto hall: parece uma catedral. Dentro dessa catedral não sei quantos rapazes, todos nas suas becas. É do ritual a beca para o jantar e não apenas para as aulas. Os mestres também e os *dons* andam de toga. Dão aula de toga. Vão para as aulas, vários deles, de toga, rodando de bicicletas: combinação muito inglesa de tradição e modernidade. As becas voando. Alguns são velhos de barbas egrégias que voam também, ao rodar das suas ágeis bicicletas. Bicicletas moças guiadas por velhos ilustres. O velho pode ser um Gilbert Murray. Pode ser um Zimmern.

Encanta em Oxford a variedade de passeios que aqui pode a pessoa fazer de bicicleta. De bicicleta ou a pé.

Hoje vi o Príncipe. O Príncipe de Gales. Veio visitar o seu *college* que é o Magdalen que aqui se pronuncia Modelen. Ai de quem não se inteirar desses e de outros mistérios da pronúncia oxoniana.

Ainda sobre o jantar oxoniano, todos de beca: bebe-se cerveja de um canjirão comum de prata. Canjirão belíssimo de prata. É um símbolo de fraternidade entre os membros do *college*. Pode não ser perfeitamente higiênico. Mas é deliciosamente platônico e deliciosamente cristão.

LONDRES, 1922

O barbeiro italiano aonde fui ontem cortar o cabelo pensou que eu era italiano. Ou espanhol?

Brasileiro! Tinha parentes em São Paulo. Vendeu-me umas camisas-de-vênus que me disse serem a última palavra na matéria. Aconselhou-me a ser prudente. Mesmo na Inglaterra: nada de imprudências. Que eu não me enganasse com a aparência angélica de certas *girls*.

OXFORD, 1922

Nem em Oxford, nem na Sorbonne, nem em Columbia, o Direito ou a Jurisprudência tem o primado que alcançou em Bolonha e em Minister's e que se estendeu a Coimbra e comunicou-se de tal modo ao Brasil que quando entre nós se fundaram escolas superiores foram só as de Direito as estabelecidas ao lado das Médicas. Aqui o primado é do Humanismo e o grau mais alto que se obtém é, depois do de Bacharel, o de Mestre em Artes; e não o de Doutor em Jurisprudência, como em Bolonha e nos seus satélites; ou sequer o de Doutor em Filosofia, como nas universidades alemãs mais novas e nas norte-americanas que as vêm imitando passivamente. Do grau de Mestre que Oxford e Cambridge concedem são equivalentes esses graus alemães (e satélites) de Doutor em Filosofia, e o francês – o mais alto concedido na Sorbonne – de Doutor em Letras.

O Professor Francisco de Arteaga conversando a esse respeito comigo (ele estimaria que eu ficasse em Oxford como seu assistente), diz-me que meu grau de Mestre em Artes da Universidade de Columbia seria aqui confirmado mediante exame acrescentado de alguns cursos oxonianos. E como é um erudito de fato, esteve me recordando que Oxford e a Sorbonne ficavam ao lado do Humanismo na batalha que se travou na Europa da Renascença entre Jurisprudência e Humanismo. Chegou a haver então, da parte da mocidade mais intelectual da Europa universitária, aversão aos estudos jurídicos, tidos por inferiores, mas que se refugiaram, como em redutos, em Bolonha e nas escolas suas satélites e aí se conservaram como rivais dos humanísticos. Entretanto, na Itália, o próprio Petrarca foi campeão do Humanismo contra a Jurisprudência, considerada, por ele e por outros, inferior ao Humanismo por seu formalismo incapaz de acompanhar as correntes idealistas de pensamentos e pelo seu linguajar "bárbaro e anticlássico". Também pelo seu caráter de ciência, apenas casuística, sem altura ou profundidade filosófica. Pedestre, portanto.

Na Espanha explica-me o Professor de Arteaga que a influência de Bolonha, pró-Jurisprudência e contra o Humanismo, foi nefasta. Inclusive por ter feito submergir tradições ibéricas de Justiça sob uma latinidade que estava longe de representar o melhor do gênio greco-latino, cristalizado não no formalismo jurídico mas no humanismo. Daí Vives, o grande pensador espanhol, ter insistido em renovar, sob a Renascença, o ensaio, na Espanha, tornando o estudo de Direito um estudo filosófico e, por conseguinte, concedendo o primado, no sistema universitário, ao Humanismo, como sucedia na Inglaterra e na França. Dentro do Humanismo, o estudo do Direito as tornaria o que para ele e outros espanhóis deveria chamar-se "Ciência da Justiça".

É interessante observar-se na Inglaterra que grande parte dos estudos que, nos países latinos, são incluídos entre os de Direito ou de Jurisprudência, aqui dentro do primado da tradição humanística sobre a jurídica nas universidades, são cultivados como estudos de Ciência Política aos quais se juntam hoje os de Antropologia e Economia, não só Política como Social, embora não os de Sociologia assim denominada. A Sociologia é aqui estudada como Antropologia ou Psicologia, por um lado, e, por outro, como Filosofia. Nunca como Sociologia. Não tem *status*. É nome que soa como barbaridade se não crua, um tanto cômica aos ouvidos dos humanistas de Oxford, que tampouco se lembrariam de conceder ao que seja matéria apenas tecnicamente jurídica dignidade igual à que aqui se concede quase religiosamente aos estudos humanísticos. Entretanto, o estudo e o ensino do direito podem ser, para os ingleses, humanísticos ao mesmo tempo que técnicos.

OXFORD, 1922

Venho lendo Romain Rolland e estou entusiasmado: nada tem de superficial. É obra que, sem ser das elegantemente francesas, está dentro da melhor tradição francesa de literatura analítica: a de Montaigne, Pascal, Stendhal.

Admirável seu conceito em *L'adolescent* de que os que rigidamente seguem a moral burguesa "sem grandeza e sem beleza" (moral burguesa que, assim rigidamente seguida, é ainda mais repugnante em Protestantes que em Católicos) fazem os vícios parecer mais humanos que as virtudes. Isto se concilia com o que venho observando eu próprio e também com o que se vê da vida através de grandes observadores ingleses da natureza humana como Chaucer, Defoe, Swift, Fielding (quem os conhece no Brasil?), Samuel Butler. O próprio Dr. Johnson, retratado por Boswell.

Tenho em Oxford e em Paris a impressão de me encontrar entre as raízes da literatura de análise a que deve o melhor da minha formação. Mas não devo esquecer-me dos místicos espanhóis e dos escritores portugueses. Dos portugueses nada se sabe aqui em Oxford. Mas os místicos espanhóis são valorizadíssimos pela gente inglesa de Oxford, e vejo que entre ela só dá grande relevo a la Cruz. Romain Rolland é muito lido pelos oxonianos, isto é, pelos estudantes; e compreende-se que seja assim, pois ele se preocupa com os problemas e as inquietações da adolescência, e nesta Oxford de Walter Pater, a adolescência é o centro das maiores inquietações e preocupações até dos velhos *dons*.

OXFORD, 1922

Falo no *Oxford Spanish Club*. Muito aplaudido, entre goles de *Port*. Um grupo extremamente simpático, o dos hispanófilos de Oxford.

Vejo-me, nesse clube, entre dois dos meus maiores amores: o amor à Inglaterra e o amor à Espanha. O seu presidente já disse que é Esme Howard Junior, de quem, desde Paris, me sinto amigo. Numerosos os hispanófilos de Oxford. Conversamos sobre autores espanhóis. Vives é aqui muito estimado. Decerto um dos motivos dessa estima é ter estado ele em Oxford, onde lhe foi dado um título de doutor *honoris causa*. Está aqui muito em voga la Cruz. Mais que Santa Teresa. O teatro espanhol é apreciado como o maior rival (o grego estando fora de competição) do inglês.

A literatura em língua portuguesa é quase ignorada pelos hispanófilos de Oxford. É como se Portugal e o Brasil não tivessem escritores. Lembrei-me a propósito daquele personagem de Eça, n'*Os Maias*, que pergunta a um recém-chegado da Inglaterra se entre os ingleses havia literatura. Outra não é a atitude da maioria dos ingleses para com a literatura portuguesa: ignoram que existe. É verdade que há traduções de Camões. Mas não é autor que se compare a qualquer dos espanhóis aqui lidos, estudados, admirados. O inglês admira a Espanha. Respeita-lhe a literatura, a arte, a poesia, a música, a dança. Portugal é para eles uma gente simpaticamente pitoresca. Ou pouco mais que isso.

OXFORD, 1922

Andando pelas ruas de Oxford cuido às vezes que vou defrontar-me, ao dobrar a esquina, com um Newman ainda jovem e ainda anglicano. Ou com Walter Pater já professor, os bigodes caídos nos cantos da boca; muito inglês e, ao mesmo tempo, muito helênico; e a caminhar todo concentrado, como era do seu hábito, na depuração mental de defeitos de alguma frase que deveria ser nova conquista do estilista num idioma inglês helenicamente perfeito – o seu como expressão, como forma, como música. Creio que de Pater – de seu estilo – se pode paradoxalmente dizer que, obra-prima como é, se apresenta um tanto prejudicado pelo próprio excesso de suas qualidades: o apuro na perfeição. O que não quer dizer que se extreme nos extremos bizantinos de Mallarmé.

Noto, voltando-me para o meu íntimo, que eu também, dentro dos meus limites, às vezes ando ou caminho, dominado pelo mesmo afã: o de depurar de defeitos frases que mentalmente construo antes de escrevê-las. Fato de interesse psicológico? Ou sociológico? Além, é claro, do estético, que, no caso, não sei se seria o maior. Creio que sim. Mas tenho dúvidas.

Observo que as palavras que, nesse processo, me vêm de minha memória verbal, musical, visual, olfativa, brasileira, procedem principalmente de duas fontes: palavras associadas à minha Mãe e palavras associadas a meu Pai. As primeiras são as mais instintivas, espontâneas, intuitivas, românticas, sensuais; as que procedem de recordações da fala de meu Pai são as mais abstratas, lógicas, eruditas, assexuais. Algumas livrescas. No que começa a ser em mim, não sei se um estilo, se apenas um modo pessoal de escrever, a tendência é para uma combinação das duas influências. Uso palavras que denominarei intuitivas sem repelir as lógicas. As cotidianas sem repudiar as raras. As populares sem deformar as eruditas. As sensíveis sem repelir de todo as abstratas.

OXFORD, 1922

Converso com Kolkorst sobre Santo Agostinho. Oxford é lugar ideal para conversar-se sobre o pensador que até hoje melhor tratou dos problemas de relações do Homem com o Tempo. Aqui Homem e Tempo se defrontam há séculos de um modo particularmente dramático: analítico, pungente, sem deixar de ser lírico, amoroso. Há aqui um ambiente agostiniano, misto de sensual e de místico, ao mesmo tempo que um como repúdio ao tomismo mais rigidamente lógico ou racional, intolerante de intuições e de contradições. Em Santo Agostinho o gênio consiste numa conciliação rara entre inteligência analítica e intuição criadora. Platônica mais que aristotélica.

OXFORD, 1922

Carta de Henry L. Mencken. Outra – longa, minuciosa, autobiográfica, quase confidencial, um documento para a história de todo um interessantíssimo período, recente e já histórico, na vida da literatura entre os povos de língua inglesa – de Carl Van Doren. Cartas preciosas.

Fiz boa amizade com Carl Van Doren na Universidade de Columbia. É um historiador literário, um crítico da literatura, um intérprete de escritores que é, ele próprio, escritor. Escreve num inglês atraente. É didático sem ser pedante. Como didata, não creio que caia nas iras de H. L. M. contra os PhD. atuais das universidades dos Estados Unidos. Ele informa na carta que passou por Oxford. Isto em parte explica seu modo nada cretinamente PhD. de ser erudito.

Oxford, 1922

Indo ver em Londres, a semana passada, o Parlamento, achei naquela sua torre, que conheço desde pequeno – de umas pinturas de caixas de chá (não estou disfarçadamente a querer gabar-me do uso de chá em pequeno) –, um ar de cansaço: talvez o cansaço de ser torre simbólica de uma instituição já arcaica. Cansaço do parlamentarismo que ela simboliza.

A verdade, porém, é que o sistema parlamentar inglês, ao contrário do francês – em franca dissolução: que o diga Georges Sorel – é tão inglês; tão pouco sistema e até, paradoxalmente, tão pouco parlamentar, que pode perfeitamente renovar-se, sem deixar de ser a bela tradição que é. O cansaço da torre deve ser do que há de apenas convencional em sua simbologia, numa terra onde os ritos são conservados, não como se a vida fosse um constante carnaval, mas cheia de significados vivos: como os ritos nas duas ou três Igrejas Católicas, a de Roma, a Anglicana, a Ortodoxa Grega. Os símbolos devem cansar-se das convenções que tendem a banalizá-los em sinais fúnebres de instituições paradas no tempo, como se fossem perfeitas; e para as instituições o sentimento de perfeição é a morte. O que não é o caso de instituição nenhuma das grandes, fecundas, criadoras através dos séculos e dos seus ritos sempre sobreviventes. Nem no parlamentarismo inglês nem no presidencialismo americano nem nas três Igrejas Católicas: a de Roma, a Anglicana, a Ortodoxa Grega. Talvez seja certo das Protestantes por lhes faltarem símbolos e ritos e lhes sobrarem razões e lógica: valores tão perecíveis no tempo e tão flutuantes no espaço. Pascal, o católico e matemático? Este não foi racional mas supra-racional. Como Santo Agostinho.

Oxford, 1922

A ninguém pode escapar o parentesco entre os modernos *sky-scrapers* e as modernas roupas de homem e de mulher, quase sem curvas e quase sem enfeites. Outra vez a relação do trajo com a arquitetura. A moderna *flapper* nova-iorquina – alta, esguia, mais rapaz do que moça – corresponde, em sua figura e em seu trajo, ao tipo esguio, seco, masculinóide, de arquitetura que o *sky-scraper* está depurando de todas as curvas rococós e até barrocas e, pelo seu excesso de retas um tanto antifemininas, das arquiteturas predominantemente femininas de antes da Guerra. A moderna *flapper* é grecóide: há nela alguma coisa dos adolescentes, dos santos, dos finos e delgados fidalgos ibéricos das pinturas de El Greco. É ela o que pode haver de mais anti-Rubens. *Flapper* e *sky-scraper* exprimem um mesmo momento social. Resta saber se em música está havendo expressão deste mesmo momento: talvez em Stravinski. Em literatura, sua expressão mais nítida me parece que é o estilo enxuto – enxuto mas não ósseo – dos Gide, em francês, e dos Joyce – o de *The portrait* –, em inglês. Em espanhol, o de Pío Baroja.

No Brasil, estamos ainda sob o domínio de uma retórica rococó em arquitetura, em literatura, em escultura. Mas não tanto em pintura ou em música, nas quais, segundo pude me informar em Paris, conversando com Tarsila do Amaral e com Vicente – e vendo trabalhos de Vicente – há audácias novas.

PARIS, 1922

De novo em Paris. Volto ao Museu Rodin, de novo no meu já querido *Quartier*.

A escultura de Rodin me empolga de um modo que me faz vibrar de uma emoção de deliciosa surpresa, semelhante à que nos é comunicada pela pintura de El Greco. Não que haja semelhança entre os dois; entre suas formas de expressão. Mas porque um e outro dão às suas criações alguma coisa de tão diferente de quanto é, no caso de Rodin, escultura, no caso de El Greco, pintura clássica, que é como se tivessem inventado umas novas artes de pintor e de escultor.

As esculturas de Rodin caminham; movem-se; vibram de vida. Parece que nunca se conseguiram efeitos iguais nessa difícil arte. Nem entre os gregos nem entre os italianos. Sem nos esquecermos dos orientais. Em todas essas artes clássicas a tendência era para fixar momentos que poderíamos considerar pictóricos ou estatuescos. El Greco foi além desses momentos, Rodin chega a ser antiestatuesco, tal a vibração de vida de suas criações.

Há de El Greco cristos, santos e fidalgos que parecem destacar-se das telas como se fossem mais do que representações pictóricas desses seres.

Em El Greco, as expressões neogregas têm um toque poeticamente místico; em Rodin, há reminiscências greco-pagãs, acrescentadas de uma nova e genial atitude: além da grega e além da pagã. Poeticamente carnal. Liricamente erótica.

PARIS, 1922

Contemplei durante posso dizer que todo um dia Notre-Dame. Admirei-a no seu conjunto. Atentei nas suas *chimères*, cada uma das quais é uma afirmação da arte da escultura ligada à da arquitetura. Sem a arquitetura – o conjunto – essas esculturas não teriam vez. Seriam coisas perdidas no espaço e desgarradas no próprio tempo. Ligadas ao conjunto arquitetônico, dão a esse conjunto uma riqueza de expressão que lhe faltaria se fosse só arquitetura. Isso a gente antiga e a da Idade Média souberam realizar de modo magnífico: juntar a escultura à arquitetura. À arquitetura moderna falta a conjugação desses aparentes contrários.

Admiro Notre-Dame, embora, é claro, ela me diga muito menos do que diz Chartres, onde já estive três vezes. Muito menos. E muito menos também do que me diz a Sainte-Chapelle. Estou apaixonado pela Sainte-Chapelle como se me animasse por ela um amor que fosse a um tempo carnal e místico. Não sei estar em Paris sem me sentir atraído pela presença da Sainte-Chapelle como se fosse – Deus me perdoe! – a presença de uma mulher mais do que amada. Encontro uma alegria que não sei definir em revê-la. Em me reaproximar dela. Em vê-la de frente. Em contemplá-la de perfil. Em penetrá-la. Em me deliciar com a luz que seus vitrais tornam uma luz única: talvez a de um pequeno pedaço de paraíso de que se tivesse perdido tudo o mais; e só restasse este desgarrado sobejo.

Vivo em Paris a rever duas para mim maravilhas de arte: a Sainte-Chapelle e o chamado Museu Rodin. Museu coisa nenhuma. Material de museu é grande parte da arquitetura que nesta sob alguns vários aspectos, banal, banalíssima, Paris, passa por grandiosamente moderna. Não as esculturas de Rodin esplêndidas de vida. De vida e de imortalidade. Contemporâneas do futuro.

PARIS, 1922

Umas notas sobre o problema do estilo; o estilo de escritores. Em Paris, como em Oxford, é quase tão natural pensar a gente em escritores como em Florença deve se pensar em escultores ou em Berlim é pensar em compositores. Porque em Paris – sobretudo na minha, que é a da *rive gauche* – o escritor passa de uma rua a outra como se caminhasse por uma história viva, didática, da literatura francesa. Sucedem-se os nomes de escritores não só em ruas como em hotéis. Meu próprio hotel – hotel-residência – é o Corneille.

É interessante pensar-se no estilista que cada nome de escritor sugere. Não que todo escritor francês tenha sido grande pelo estilo pessoal mas porque dificilmente se pensa na prosa francesa sem se pensar num estilo como que coletivo, quase impessoal, de prosa francesa, dentro do qual vêm se afirmando, com desigual vigor, é claro, diferentes estilos literários. Rabelais foi um deles: um tanto transbordante de energia para ser tipicamente ou castiçamente francês como foi o de Bossuet, de uma eloqüência medida como só se concebe sendo o orador um mestre francês da prosa. Pascal e Montaigne – estes foram grandes escritores de prosa e cada um deles um estilo dentro do estilo total francês.

Dentre os modernos – no sentido lato da palavra moderno – Alphonse Daudet foi estilista; estilistas foram os Goncourt; foi Remy de Gourmont; foi Barbey d'Aurevilly; foi Huysmans; foi Chateaubriand; foi Vigny; foi Musset; foi Renan. Foi Rimbaud.

Até chegarmos aos superestilistas ou perfeccionistas do tipo que culminou em Mallarmé. Como não admirá-lo? Mas como não se sentir nele uma letra que, por vezes, reduz a vida a uma insignificância? Um verbo a que falta a vibração da carne? – ou como nos mais que modernos Péguy e Psichari – a vibração da alma?

PARIS, 1922

O efebo – tão valorizado pela civilização eminentemente estética dos gregos – é decerto a expressão mais efêmera, mais transitória, menos duradoura de beleza humana.

Cedo se desfaz. É extremamente breve o seu esplendor. Cedo o efebo deixa de ser efebicamente belo para ser uma caricatura de si mesmo. Uma triste e até grotesca caricatura de si mesmo.

Também é efêmera a beleza da mulher. Menos que a do efebo, porém efêmera. Acabo de conhecer a Sorel, de quem os reclames dizem que é uma beleza contra a qual o tempo nada tem conseguido. Exagero dos reclames. Suas formas já não se mostram belas como nos dias de seu esplendor como mulher bonita.

Afinal, a beleza humana mais duradoura é a viril: a do homem com alguma coisa de "feio e forte" no seu modo de ser expressão de beleza humana. Mais belo do que na mocidade é o já quase agora velho G. B. Shaw. Virilmente belos se conservam, já idosos, os Barrymore. Também o General Foch, que conheci na Universidade de Columbia. Também Tagore. Também o Príncipe de Mônaco. Também Yeats. Mas não Cecile Sorel. Nem mesmo Ethel Barrymore. Nem Mrs. Asquith. Nem Mme. Curie. O tempo tende a devastar mais as mulheres que os homens.

PARIS, 1922

Pronto o meu retrato por Vicente. Vicente do Rego Monteiro, que às vezes se assina "de Rego". Foujitiano, é certo. Sinto-me nele quase um japonês de *smoking* (como se diz no Brasil) inglês. Um traço fino, agudo. Um certo alongamento grecóide da figura. Não creio que haja hoje no Brasil um pintor mais genuinamente moderno, sem deixar de ser brasileiro (que o digam os seus desenhos não muito autênticos sobre temas amazônicos). Já tenho mentalmente escrito o artigo que sobre ele enviarei para a *Revista do Brasil*, de Lobato, que vem insistindo comigo para colaboração, desde que lhe enviei um comentário ao livro mais recente de Oliveira Lima. O título do artigo sobre Vicente será: "Notas a lápis sobre um pintor independente".

Fomos juntos à Alemanha. Em Munique conhecemos o Navarro da Costa, que é cônsul do Brasil em Munique. Bom impressionista. Desdenhado, porém, por Vicente, quase como se fosse um *pompier*. A luta entre as gerações. O preconceito de idade que não é menor do que o de raça ou o de classe. Divide asperamente homens quando, no caso dos indivíduos superiores, isso de geração, de idade, de tempo cronológico, é secundário. Coisa desprezível. El Greco seria hoje um moderno. Um grande moderno. Rodin dificilmente será superado em sua modernidade pelos expressionistas em escultura. Os arrojos modernistas são saudáveis como arrojos, porém maior do que eles é o poder criador dos gênios que se exprimem um tanto à revelia de tempos cronológicos; e desatento a modas e a vogas.

PARIS, 1922

Vou com freqüência à *La Rotonde*. Talvez seja hoje o grande café de Paris. Aqui o café é viva instituição complexa. É gregário, é lúdico, é recreativo, é literário, é artístico, é político. Cada café tem seus grupos certos. Seus grupos específicos. *La Rotonde* é o que atrai um público mais amplo, múltiplo mesmo.

Foi o café parisiense de predileção de Lenine. Ainda agora há turistas que visitam *La Rotonde* para ver o recanto parisiense mais associado ao nome do famoso revolucionário russo.

Acompanho, às vezes, o pintor Vicente do Rego Monteiro à *La Rotonde*. Outras vezes é aí que me venho encontrando com meus amigos de Oxford, alguns dos quais levei ao atelier de Vicente.

Vicente não freqüenta *La Rotonde* somente como pintor. Também como admirável perito em passos de danças modernas. Um profissional nessa especialidade que se faz pagar por seus serviços. Esses serviços são às vezes disputados por lindas americanazinhas.

Outro dia fui à *La Rotonde* com os dois irmãos: Vicente e Joaquim. A nossa mesa veio ter um sueco de aspecto marcial, a quem Joaquim me apresentou em francês. Em português me explicou que é um mestre de esgrima, com a fama de ser nobre e, ao mesmo tempo, homossexual. Nesse caráter, está perseguindo Joaquim.

PARIS, 1922

A Paris que me seduz é a menos grandiosa e menos ostensiva. Não simplificarei o assunto dizendo que é a Paris da *rive gauche*: a simplificação seria arbitrária como todas as simplificações. O que Paris tem de intimamente grande, de profundo, de concentrado, em contraste com o que nele é apenas grandioso, imperial, napoleônico e superburguês; não se limita a bairros nem se deixa classificar por critério apenas geográfico. Está um pouco por toda a cidade: nuns lugares mais do que nos outros. Nas suas praças napoleônicas e não apenas ao pé de Notre-Dame e do Odeon. Afinal os Napoleões, por mais exóticos em alguns dos seus modos – exóticos do ponto de vista legitimamente ou castiçamente francês –, foram também, noutros dos seus traços, heróis ultrafranceses cujas glórias a França e Paris vêm com o tempo assimilando e polindo em autênticas glórias francesas.

CHARTRES, 1922

Chartres – que já visitei várias vezes – quase me persuade a ser católico-romano: católico-romano de corpo inteiro e de alma inteira. Encontro na velha catedral um repouso – para o espírito? para o corpo? para os dois? – que deve ser ainda maior quando o indivíduo se torna todo, ou de todo, da Igreja. Não é o meu caso: sou ainda meio da Igreja, meio do mundo. Talvez me conserve para sempre este híbrido: meio da Igreja e meio do mundo.

Um cônego já trêmulo, de tão velhinho, e parecido com o Leão XIII das estampas coloridas, parece notar no meu entusiasmo pela sua catedral alguma coisa em que deve ter surpreendido, com sua argúcia de francês e a sua sabedoria de padre velho, curiosidade diferente da dos turistas comuns. Para minha surpresa, convidou-me ontem a entrar em sua casa, bem ao pé da catedral. Ambiente ao mesmo tempo muito francês e muito clerical. Um severo crucifixo no meio de livros: muitos livros.

Tantas perguntas me faz que é como se eu tivesse vindo a Chartres não para ver a catedral, como qualquer turista, mas para dar-me ao luxo de confessar-me com um cônego – um velho cônego – de Chartres – diferente dos padres simplesmente padres. Um cônego impregnado de sabedoria, de tradição, da glória da espiritualidade, do espírito da *sua* catedral. Longa é a nossa conversa. A *bonne* nos traz vinho e biscoitos. O velhinho com aspecto de Leão XIII parece ao mesmo tempo o maior dos servos e o maior dos donos da catedral. Quase toda a sua vida deu-a a Chartres. Em compensação Chartres enriqueceu-lhe a vida, o espírito, a sensibilidade. Deu-se ele à catedral *francesa* de Chartres e não apenas à Igreja Católica de Roma. E uma Igreja, a Católica, que os padres franceses parecem amar com o mais lúcido dos amores, amando-a também pelo que Roma há séculos acrescenta de grande e de nobre a uma paisagem – a francesa – cujos homens têm sabido valorizar de modo supremo essas importações romanas. A paisagem francesa não seria o primor que é, de combinação de arte com natureza, se lhe faltassem catedrais como a de Chartres. Nem a paisagem nem o catolicismo que na França junta à espiritualidade o espírito: o espírito francês no seu sentido mais nobre.

PARIS, 1922

Saio de Paris sob a grande impressão do movimento Maurras-Daudet, menos no sentido de restaurar-se a monarquia na França que no de descentralizar-se a vida, ou a cultura, francesa, além de libertar-se a administração das províncias ou das regiões do jugo parisiense. Importa essa descentralização numa nova dignidade para a vida provinciana, hoje degradada pelo excessivo culto de Paris. Barrès já o mostrara em páginas que fixam bem o drama do desenraizado. E Mistral foi, todo ele, pela sua vida e pela sua obra, a exaltação precisamente disto: da identificação do homem com suas raízes regionais. Muitas vezes, na Universidade de Columbia, este assunto foi dos que discutimos com mais fervor em torno das lições – ótimas lições – de Haynes, sobre a vida e a cultura européias no século XIX; sobre o Direito Público ou Constitucional que emergiu da Revolução Industrial nos países mais afetados por essa revolução, talvez maior que a Francesa – Marx que o diga! – pela influência que teria sobre as relações entre os homens e suas terras ou suas províncias.

PARIS, 1922

Hoje à tarde quando voltei ao Regina ouvi falar português. Quem o falava era um senhor alourado, forte de corpo, simpaticão, para uma senhora imensamente gorda: espécie de Oliveira Lima de saia! Indaguei da portaria.

Informaram-me serem os condes de Frontin. O nosso Paulo de Frontin e a senhora. Que brasileira imensa!

É um hotel simpático, o Regina. Não, não é hotel para quem quer, como eu quero, integrar-me na vida de outra Paris: o eterno, talvez. Este – o Regina – talvez seja o apenas da moda e das modas. Vou mudar-me quanto antes para algum hotelzinho da *rive gauche*, dos que me recomenda R. Falta de banho? Mas há os banhos públicos. Em compensação, numa mansarda – que boa palavra: mansarda! – da *rive gauche* eu estarei verdadeiramente na velha Paris. Velho e sempre renovado por ser a Paris das escolas, da Universidade, dos institutos, dos estudantes, das livrarias, dos boêmios, dos artistas.

Hoje devo ir ver com um amigo o Museu Rodin. Se é que ao nome de um escultor da vitalidade de Rodin – já conheço várias de suas esculturas nos originais – se deve associar o nome um tanto fúnebre de museu.

PARIS, 1922

Escrevo depois de uma conversa de café com Regis de Beaulieu e outros maurrasistas e alguns sindicalistas *à la* Sorel. Eles se entendem. A iniciativa de compreensão crítica – tão comum entre franceses – é rara nas outras inteligências nacionais. Quase todas essas outras melancolicamente se limitam ao estudo de valores já fixos e de assuntos como que domesticados. Incapazes de reagir ao chicote do domador.

Os homens de cujo idioma deriva a nossa palavra "compreender" – os gregos – entendiam ser função da compreensão uma atitude igualmente pessoal e de iniciativa, quase um esforço como o de apanhar um menino, ou um adolescente, ligeiro passarinho, não de surpresa, o pássaro incautamente parado, mas em pleno vôo: voando. "Compreender", no seu melhor sentido, seria apanhar a inteligência os assuntos vivos, em movimento, em pleno vôo, agrestes, rebeldes, não querendo de modo algum perder a liberdade; e não isso de um *scholar* tratar de quanto assunto, já domesticado por outros e a espapaçar-se de maduro, exista por este mundo de meu Deus.

Exemplos de iniciativa de compreensão, em inteligências brasileiras: José Bonifácio, Teixeira de Freitas, José de Alencar, Machado, Nabuco, Euclides. Rui Barbosa, não. Nem Tobias Barreto. Esses foram exímios no trato de assuntos já parados e não surpreendidos em pleno vôo, isto é, ainda agrestes, selvagens, virgens de domadores ou de tratadores. Trataram de pássaros já engaiolados. Não apanharam pássaros voando.

PARIS, 1922

Tenho vivido em Paris mais pelos cafés e pelos ateliês de artistas amigos, do que na Sorbonne, ouvindo conferências de seus pedagogos, nenhum dos quais – dos agora em atividade – me parece ser voz merecedora de ser ouvida atentamente. Mestre Fortunato? Mestre Fortunato dizem as más-línguas que é mestre da Sorbonne para uso externo: na América do Sul, *là bas*, como aqui se diz com um desdém que não chega a ser malicioso. É um desdém simplesmente geográfico, o desdém da gente de um mundo já intelectualmente formado por outros ainda nos seus começos intelectuais.

Um ateliê que muito freqüento é o dos irmãos Rego Monteiro, dos quais já muito tenho falado. Explica-se: são brasileiros, como eu, do Recife. Mas brasileiros que preferem Paris a Caxangá, desde que não podem viver como os irmãos Peretti ou os irmãos Aquino Fonseca ou as irmãs Seixas ou os irmãos Cardoso Ayres – os irmãos de Emílio, o suicida – metade do ano no Recife e a outra metade em Paris. Os Rego Monteiros vivem aqui boemiamente. Não são, como esses outros, burgueses ricos. Eles próprios cozinham o seu macarrão. Às vezes lhes falta macarrão para cozinhar. E o seu ateliê-residência é numa mansarda, como nos romances em que artistas românticos aparecem entre os personagens. Ambos pintam em Paris servindo-se de memórias brasileiras de formas e de cores. Mas dentro dos modernos – dos moderníssimos, dos atualíssimos – estilos parisienses de pintura. Parisienses ou cosmopolitas. São estilos de diversas origens que vêm, entretanto, adquirir categorias de "estilos modernos" em Paris: o caso do estilo do japonês Foujita que agora está muito em voga e no qual muito se inspira atualmente Vicente do Rego Monteiro. Vicente levou dias pintando um retrato meu de corpo inteiro: um retrato em tela de seda e com alguma coisa de oriental. Como já disse, japonês sem perspectiva. Foujitiano. Foujitianas no estilo são também algumas de suas, aliás esplêndidas, pinturas de índias nuas da Amazônia brasileira. Na verdade, japoneses. Vicente precisa de se libertar desse japonesismo e se integrar no Nordeste do Brasil, onde estão suas raízes.

Conheci Foujita um desses dias. Estava com uma das suas lindas amantes francesas. É célebre pelos seus quadros, pelas suas mulheres e pelos seus gatos. Deu-me a impressão de um tanto adamado. Mas pode ser que me engane.

Por intermédio de Vicente e Joaquim tenho conhecido outros artistas franceses e estrangeiros. Pintores, escritores, arquitetos. Inclusive uma pintora brasileira que é também uma bonita paulista e um escultor, também de São Paulo. Ambos artistas de fato. Seus trabalhos são de criadores que hão de renovar as artes do nosso país. Ela se chama Tarsila. O escultor, Brecheret. Temos conversado muito. Há muitas afinidades a nos prenderem. Aqui está também o muito inteligente Oswald de Andrade.

PARIS, 1922

Conversando com o Duncan, irmão de Isadora Duncan, que mora em Paris e aqui anda pelas ruas de túnica de grego e sandálias, cabelo de mulher e barba de evangelista, tenho a impressão de conversar com um Whitman falsificado. Postiço. E com uma má caricatura da grande Isadora.

O que lamento é não estarem em Paris Joyce e Ezra Pound. Estes, sim, eu desejaria conhecer de perto. Mas sem me apresentar como um matuto entusiasta. Dizem-me que Joyce é quase cego. Pound, um menckeniano em seus ímpetos de oposição ao estabelecido e ao aceito, mas com um sentido estético da vida que falta a Mencken. Com alguma coisa de Amy Lowell. Aliás, de Amy Lowell e Mencken juntos, fundidos ou combinados, poderia fazer-se um grande escritor moderno.

Tenho procurado ver e conhecer Paris o mais possível com os meus próprios olhos. Mas nem sempre consigo libertar-me da influência de um Huysmans ou de um George Moore ou dos Goncourt. Escritores dos quais – dentro, é claro, dos meus limites de idade e talvez de sensibilidade e mesmo de talento – me sinto às vezes fraternamente próximo, nas preferências tanto por substâncias como por formas parisienses de vida e de paisagem. Eles foram escritores visuais, pictóricos, plásticos, juntando ao gosto da cor o da precisão, agudeza e até pureza do traço, mesmo quando este vinha a ser intensificado – como em Huysmans – para dar relevo a alguma coisa de específico na sugestão ou na evocação ou na expressão de uma paisagem ou de um ambiente. Sobretudo na expressão. Não é em vão que se desenvolve hoje um "expressionismo" na pintura, na escultura, no teatro, na literatura que intensifica a realidade aparente. Em pintura, era já o que fazia El Greco.

Huysmans conheceu de fato – até as suas missas negras – esta velha e densa cidade; e exprimiu esse seu conhecimento de modo realmente novo. Seu conhecimento de Paris não era só de suas igrejas nem apenas de suas catacumbas: também de seus cafés e de seus mercados. De sua vida magnificamente plebéia e não somente da sutilmente sofisticada. Não me parece que alguém possa hoje ver Paris, esquecido de que Huysmans nos animou a descobrir no complexo parisiense formas e cores com significado até então ignorados. Partindo do realismo dos Goncourt, excedeu-os em arriscados mergulhos na mais que realidade a que não se aventuraram nunca os dois admiráveis pioneiros modernos de "*l'histoire intime... ce roman vrai*".

Huysmans interessou-se menos em *l'histoire* que em *la sociologie*: uma espécie de sociologia da intimidade humana. Paris poderia ter dito dos seus romances e das suas crônicas de vida parisiense: "*la sociologie intime... ce roman vrai*".

Entretanto, ninguém menos cientificista do que esse místico às vezes tão profundo. Chega a parecer absurdo falar-se de "sociologia" a propósito da sua literatura. Mas o absurdo talvez seja antes aparente do que real.

1923

Lisboa, 1923

João Lúcio de Azevedo me recebe no seu 3º andar da Avenida de Berne como se estivesse não em Lisboa mas na Rússia. Os anos que passou em Belém do Pará parecem o ter iniciado no gosto excessivo pelo calor tropical. Não tolera o frio da Europa – nem sequer o de Lisboa. O frio europeu é para ele um castigo. Daí aquele capote felpudo com que me recebe como se fosse um gato arrepiado com o tempo úmido.

Não é homem de receber qualquer um com excessos de amabilidades. Seus primeiros modos, suas primeiras palavras, são os modos e as palavras de alguém que se resguarda, por trás de felpudo capote psicológico, dos intrusos que lhe venham perturbar a paz estudiosa. Aos poucos, e conforme o intruso, é que se toma o admirável João Lúcio que Oliveira Lima me dissera ser, talvez, hoje, o maior dos historiadores portugueses. Historiador atento ao cotidiano presente, tanto quanto ao passado. O fato de ter eu escrito em inglês um trabalho de síntese – ou de tentativa de síntese – traçando um como que perfil da sociedade brasileira no meado do século XIX é meio caminho para sua simpatia. Pergunta-me uma multidão de coisas sobre o ensino da história em países anglo-saxônios. Sobre a pesquisa histórica nesses países. Fala-me desencantado da política portuguesa. Diz-me que é tão amigo de Oliveira Lima quanto de Capistrano de Abreu – embora os dois não se tolerem. "É uma pena – acrescenta –, pois são os dois melhores historiadores brasileiros".

Curioso: não me parece o autodidata que realmente é. Há nele alguma coisa que em geral só se encontra nos homens de autêntica formação universitária: uma sobriedade, uma discrição, uma elegância de espírito crítico rara, raríssima em autodidata. João Lúcio é evidentemente uma exceção.

LISBOA, 1923

Grande a impressão que fez em mim o Conde de Sabugosa. Recebeu-me, ontem à tarde, em seu casarão antigo de Santo Amaro, como se eu não fosse um insignificante bacharelete mas pessoa já importante. Mostrou-me a casa, acentuando a sala de jantar guarnecida de madeiras de lei vindas há séculos do Brasil – madeiras em que se acham esculpidos abacaxis verdadeiramente heráldicos: "madeiras do *seu* Pernambuco".

É um casarão tocado de mistério. Um tanto triste mas de uma tristeza sóbria, discreta, britânica. O próprio Sabugosa, ainda que muito português, muito castiço, muito da sua terra, guarda alguma coisa de aristocrata inglês. Pálido. Mãos muito brancas, muito longas e finas. Voz baixa. Nenhuma exuberância. Nenhum exagero. Um pouco surdo.

LISBOA, 1923

Encantado com o Conde de Sabugosa. Já disse que ele me mostrou todo o seu tristonho casarão de Santo Amaro, com muita madeira de Pernambuco e, esculpidos nela, abacaxis e outras frutas pernambucanas. Um dos antepassados de Sabugosa foi capitão-general de Pernambuco na época colonial.

Mas seu fraco é a literatura. Não que deixe um só momento de ser fidalgo: é sempre um fidalgo. Mas um fidalgo que ama na literatura uma forma de expressão humana da qual ele próprio é mestre.

Comparo-o com essa velha nobreza francesa e russa que conheci na casa de Grandprey, em Versalhes, com a britânica de Oxford; todos têm alguma coisa de europeu que se junta ao francês ou ao russo ou ao britânico de cada um. Há uma nobreza européia. Ou devo dizer: houve? Pois está em rápida dissolução. Uma felicidade, a minha, a de ter ainda a conhecido na intimidade.

LISBOA, 1923

Carta de Oliveira Lima, da Alemanha. Diz ele falando também por dona Flora: "Nós o estimamos muito e desejamos de coração vê-lo feliz". E acrescenta: "Estimo esteja visitando Portugal com carinho. Pobre Portugal! Não conheço o Raul Proença de quem me fala"... "Continue a mandar-me suas impressões. As daqui são de tristeza. E é força confessar que o alemão está suportando com resignação, que não exclui a altivez, o seu fado melancólico". Não virá O. L. substituindo a antiga admiração pela Inglaterra por um novo entusiasmo pela Alemanha?

COIMBRA, 1923

Entrei em Coimbra menos pela mão de Eça que tomando por guias aqueles bons ingleses que têm sabido ver Portugal com olhos tão lúcidos. Não deixei, entretanto, de lembrar-me de Eça e de Antero; nem de ver por dentro uma "república"; nem de participar de uma castiça ceia de estudantes. Estou já iniciado em todas essas intimidades coimbrãs.

Forte impressão de alguns dos grandes de Coimbra a quem sou apresentado: Eugênio de Castro, o maior de todos. Poeta dos melhores que tem tido Portugal. Como pessoa é um tipo de português superiormente europeu. Isto sem ser postiço. Muito português.

Outros dois grandes de Coimbra, que acabo de conhecer: o jurista Paulo Mereo e o filósofo e historiador da cultura portuguesa Joaquim de Carvalho. Acolheram-me da melhor maneira. Excelente, Joaquim de Carvalho.

Completei aqui meus contactos com a moderna inteligência portuguesa. Em Lisboa, convivi tanto com a gente da *Seara Nova* como com os monarquistas do *Correio da Manhã* e do grupo do admirável Antônio Sardinha. Tornei-me colaborador do *Correio da Manhã*. Apresentou-me ao seu diretor o jovem mestre – mestre de crítica literária e de crítica de idéias, das quais se tornou já um renovador – Fidelino de Figueiredo.

LISBOA, 1923

Curiosa, a velhinha que ontem nos contou, a mim e ao Vice-Cônsul Holanda, no seu elegante português de lisboeta, ter tido um *flirt* com Joaquim Nabuco, então jovem e solteiro: na verdade, já solteirão. O *flirt* foi a bordo: numa viagem do Brasil para a Europa. Tantas perguntas indiscretas fizemos à velhinha que a certa altura ela exclamou: "Não pensem Vossas Excelências que o Nabuco era tão platônico no amor como se tem dito". Mas nem nos adiantou pormenores; nem nenhum de nós ousou ir além com as indiscrições dirigidas à agora feia velhinha que talvez tenha sido na mocidade uma linda portuguesa.

LISBOA, 1923

Curioso, mas repetiu-se hoje à tarde (estou escrevendo à noite) comigo o mesmo que me sucedeu há meses em Paris. Estava em repouso no meu quarto do Hotel da Inglaterra, olhando descuidadamente para a Avenida da Liberdade, quando, do mesmo modo que em Paris, desceu sobre mim, estonteando-me e sobressaltando-me, a tal luz violenta. Que isso se verificasse comigo nos meus dias de leitor intenso de Pascal, compreendo: influência da leitura, ao mesmo tempo mística e lúcida, do grande pensador e religioso. Mas agora? Será que devo voltar a Pascal? Em Oxford li muito la Cruz. Não me separo de Santa Teresa. A verdade é que padeço daquela fome de Deus de que têm padecido tantos espanhóis – um dos quais, Unamuno, me dizem ser freqüentador deste hotel. Gostaria de conhecer Unamuno. Gostaria de ter conhecido Ganivet. Quem hoje, em Portugal, me interessa de modo extraordinário? Creio que ninguém. Curiosa a recomendação de Oliveira Lima para que não deixasse de visitar o Guerra Junqueiro: um gênio da eloqüência, decerto. Mas a eloqüência não me atrai.

LISBOA, 1923

Tomo maior contacto do que em Paris com os "modernistas" brasileiros de São Paulo. Em Paris, estive muito com Vicente do Rego Monteiro, Tarsila do Amaral, Brecheret, todos em fase de assimilar vanguardismos europeus para os transferir ao Brasil. Aqui leio alguma literatura "modernista" já aparecida no Brasil. Precisando de conhecer o Brasil de dentro para fora. Tenho notícias de explosões "modernistas" no Rio e em São Paulo. O Graça Aranha modernista ainda não se apresenta enxuto mas muito impregnado, no seu "espírito moderno", daquele gosto pela eloqüência que – julgando pelas fotografias: não conheço nem o Rio nem São Paulo – explende no Teatro Municipal do Rio de Janeiro, no de São Paulo, no Palácio Monroe, no Monumento de Floriano. Um tanto de rococó não é mau – ao contrário! – em artes ou expressões brasileiras de cultura: somos quase por natureza e por vocação barrocos. Mas só nos pode fazer bem nos libertarmos de excessos rococós, que parecem surgir de forma troncha nos próprios "modernistas" de agora. Em alguns deles, deve-se dizer. O exemplo de Vicente é ótimo. E, segundo suponho, ainda sem equivalente em arquitetura ou em literatura, embora em música já comece a haver uma no Brasil, segundo suponho, de vanguarda.

RECIFE, 1923

Deixei o Brasil ainda menino, e venho revê-lo homem feito. Venho revê-lo com outros olhos: os de adulto. Adulto viajado pela América do Norte e pela Europa. Adulto, como se diz em inglês, sofisticado. Edifícios que aos meus olhos de menino pareciam grandiosos e dos quais eu guardei, nestes cinco anos de ausência absoluta, impressão de grandiosidade, surgem-me agora tão mesquinhos que sinto necessidade de reajustar-me não só a cada um deles como aos conjuntos de valores a que eles pertencem. O edifício da Estação Central do Recife é um deles.

Por outro lado, o rio não me desaponta. Não é nenhum riacho: é um rio másculo, viril, completo, que não se amesquinhou com o tempo. Ao contrário: sinto diante dele meu velho temor às suas águas. Temor do tempo em que, muito menino, tomava banho em Caxangá, em vasto banheiro de palha, com minha Mãe e minhas tias todas nuas; e tendo sido uma vez deixado só, por elas, e não sei bem por quê, no meio da água funda, pensei morrer afogado. Cheguei a me sentir sufocado. Desde então "o rio" se tornara para mim a mais tremenda realidade recifense: um Recife com gosto de morte.

Vejo agora o Capibaribe com olhos de homem e a impressão que me dá repito que é, ainda, a da mais tremenda realidade recifense. Também alguns dos velhos sobrados azuis, encarnados, verdes, amarelos, do Recife do meu tempo de menino, volto a contemplá-los, agora, com olhos de homem, sem que eles tenham perdido o prestígio que outrora tiveram para minha imaginação de criança de província. Continuam profundos e misteriosos. É que há neles, nos conventos, nas igrejas, no Teatro Santa Isabel, uma autenticidade que falta aos falsos monumentos como a Estação Central e o Palácio do Governo.

Abraço com a maior emoção Mãe, Pai, Irmãos. Sinto que meu Irmão Ulisses vai ser ainda mais meu amigo do que era.

RECIFE, 1923

Impressão de X: parece tão sincero que deve ser falso.

RECIFE, 1923

A história do Brasil é uma história tão cheia de padres, de frades, de filhos de padres, de netos de frades, que às vezes parece história eclesiástica disfarçada em história civil, militar, literária.

RECIFE, 1923

Um dos meus maiores desejos agora é rever o São Severino dos Ramos, o engenho da minha meninice. A casa-grande & senzala, o engenho mesmo.

São Severino dos Ramos: o engenho onde brinquei menino! Um velho engenho perto de Pau d'Alho de gente da minha Mãe, que também o conheceu menina.

Encontrei-me já com o Jorge, meu primo, da gente de São Severino. Perguntei-lhe pelo Engenho. Ele me disse que estava aquilo mesmo. São Severino – o santo – sempre muito festejado na sua capela que era também a capela da casa-grande. O Capitão – o velho Chico de Sousa Melo – morrera. Morrera Casusa. Morrera Basílio. Joca se suicidara. Mas "as meninas de São Severino" continuavam vivas e sãs: Rosalina, Calu, Maroca. Se eu já deixei de ser menino, imaginem "as meninas" que eu, ainda muito pequeno, conheci já velhotas! Mas nunca mais elas deixarão de ser "as meninas de São Severino". Morrerão "as meninas de São Severino". Rosalina fazendo alfenim para os meninos de verdade. Calu muito magra. Maroca muito gorda. As duas muito sinhás nos modos: recebendo as visitas com vinho do Porto e biscoitos ingleses dos melhores.

Lembro-me da notícia do suicídio do nosso primo Joca. Chegou à nossa casa no Recife pelo *Jornal Pequeno*. Minha Mãe e minha Tia Arminda não resistiram: caíram com histerismos. Era primo quase irmão delas. Lembraram-se, passados os histerismos e ainda em soluços, de o terem visto, no último carnaval, muito triste: ele que era a alegria em pessoa.

Eu me recordava de João de Sousa Melo – Joca – como o vira no Engenho: todo senhoril no seu fato branco a contrastar com o belo moreno de sua figura. Figura como a de tantos pernambucanos de velhas famílias com o seu toque de sangue ameríndio. Com alguma coisa de oriental, de árabe ou hindu, no porte e na aparência. João de Sousa Melo. Joca. Joca de São Severino. Quem diria que aquele homem sempre alegre era um romântico capaz de suicidar-se, parece que por amor não correspondido.

RECIFE, 1923

Encontro num armário de minha Mãe dois violinos: o dela, há muito tempo mudo (nos últimos anos ela se concentrou no piano) e o que foi do meu avô paterno, o velho Alfredo. Diz meu Pai que o velho Alfredo tocava seu violino com verdadeira arte. Imagino-o na sua casa da Rua do Alecrim ou na casa-grande do seu Engenho Trombetas, tocando, violino, nas suas tardes ou noites de maior solidão, com um candeeiro belga iluminando a sala – inclusive os jacarandás trabalhados por Spieler, seu amigo. Como seria esse meu avô? Orfão, perdeu o pai sendo ainda menino. O pai, juiz, foi assassinado. Acabou de criá-lo um tio padre. Veio a casar com duas Acioly Lins-Wanderleys: duas sinhazinhas do Engenho Mangueira. Não se deu bem com os sogros. Ressentimento contra os fidalgos? Talvez. Mas ele era de um lado parente do bravo Pedro Ivo – que grande figura de herói! – e por outro, um Alves da Silva. E os Alves da Silva, gente do Coronel Sebastião, eram gente boa. Deram o Barão de Caxangá. E era Alves da Silva o esposo – diz-me P. P., cuja esposa é também aparentada dos Alves da Silva – da célebre "formosa qual pincel em tela fina", dos versos de Maciel Monteiro.

RECIFE, 1923

O que sinto é que sou repelido pelo Brasil a que acabo de regressar homem, depois de o ter deixado menino, como se me tivesse tornado um corpo estranho ao mesmo Brasil. É incrível o número de artigos e artiguetes aparecidos nestes poucos meses contra mim; e a insistência de quase todos eles é neste ponto: a de ser eu um estranho, um exótico, um meteco, um desajustado, um estrangeirado. Sendo um estrangeiro – argumentam eles – é natural que não me sinta mais à vontade no Brasil. E se não me sinto à vontade no Brasil, se não sei admirar Rui Barbosa na sua plenitude, se não me ponho em harmonia com o progresso brasileiro nas suas expressões mais modernas, antes desejo voltar aos dias coloniais – uma mentira – se isto, se mais aquilo, por que não volto aos lugares ideais onde me encontrava, deixando o Brasil aos brasileiros que não o abandonaram nunca por tais lugares? Este parece ser o sentido dominante nos artiguetes que vêm aparecendo contra mim.

A verdade é que eu é que me sinto identificado com que o Brasil tem de mais brasileiro. Estes supostos defensores do Brasil contra um nacional que dizem degenerado ou deformado pelo muito contacto com universidades estrangeiras, me parecem excrescências. O próprio Rui Barbosa – seu ídolo, talvez por ter falecido há meses e que foi na verdade uma autêntica, uma pura glória nacional – me parece ter errado, e muito, pela sua enorme falta de identificação com o Brasil básico, essencial, popular, sem que se dê a este adjetivo – "popular" – o sentido eleitoral de demagógico que ele assume em discursos como os de Maurício de Lacerda. Em Nabuco começou a haver essa identificação de intelectual e de homem público com o elemento "popular" e, ao mesmo tempo, tradicional, do seu país. Mas a proclamação da República interrompe-lhe a carreira política. Quando reapareceu na atividade diplomática, reapareceu quase outro Nabuco: americanizado, ianquizado e até banalizado pela sua demasiada adesão a um ideal indiscriminadamente "progressista".

RECIFE, 1923

Isso de almoçar entre caixões de defunto, tochas para enterros, coisas fúnebres, é uma experiência macabra. É rotina para meu Pai. Almoça com freqüência na célebre Casa Agra, amigo fraternal que é dos Agra. Especialmente de Zeferino: grande e boa figura de brasileiro.

A esses almoços, entre dourados e pretos fúnebres, eu próprio me habituei, sendo ainda menino. Voltei ontem a participar de um deles. Desta vez, tive maior consciência de estar entre sugestões de morte: sugestões que, não faz muitos anos, chegaram a me dominar de tal modo que pensei, nos Estados Unidos, sucumbir a elas. Atualmente, não digo que esteja livre dessa morbidez. De modo algum. Às vezes acordo, no meio de noites mais sinistras que as outras, com uma tal angústia, uma tal sensação do nada, um tal pavor da morte, que só os restos de fé e a permanente confiança na teologia de Pascal me defendem dessa agonia. Dessa terrível agonia.

Almocei ontem entre os caixões de defunto da Casa Agra – a Casa Agra dos versos de Augusto dos Anjos: sempre na Rua do Imperador – tocado um tanto por essa angústia. Sem o à-vontade dos meus dias de menino. Dominando minha aversão ao ambiente por meio de um simulado humor. "Então, que tal este restaurante fúnebre?", perguntou-me um funcionário mais antigo da Casa. Respondi ao gaiato que "originalíssimo". E acrescentei: "meu conhecido velho". Poderia acrescentar que a idéia da morte, o pavor à morte, o horror à morte, eram também conhecidos velhos. Mas conhecidos velhos com os quais eu não vinha achando jeito de familiarizar-me. Nem de familiarizar-me nem de habituar-me. Continuando a evitá-los.

Como, entretanto, nós somos todos uns paradoxais, ao voltar ontem da cidade fui direto a um livro de contos de Edgar Allan Poe. E relendo uma de suas histórias mais sinistras como que sublimei o medo cru, áspero, real da morte que eu trazia do almoço na Casa Agra. Como que apliquei ao meu mal a homeopatia.

RECIFE, 1923

Ontem, minha primeira aventura com prostitutas de pensão de Santo Amaro. Fomos "às mulheres", Ulisses, meu irmão, e Edgar Ribeiro de Brito. Grandes gritos da jovenzita – já esteve no Uruguai – que me coube como se comigo tivesse experimentado extremos de gozo. Tamanho de pênis não é, que o meu é normal e não gigante. Simpatia especial por mim, foi o que ela me disse. Não chegou a dizer amor. A verdade é que gostei dela e pretendo repetir a aventura, embora o ambiente – ela, não – me repugne. Repugna-me e muito. Mas é possível gostar de uma prostituta. Aliás, segundo um sexologista alemão, há uma vocação de prostituta em toda mulher. Vocação superada ou não pela de mãe ou pela de santa.

RECIFE, 1923

P. P. me fala de um parente meu, Pedro (Wanderley) de Bom Tom (Engenho Bom Tom), que, má-língua inteligente, atraiu muitas antipatias. Dizia Pedro do Bom Tom a esse propósito: "Agora é moda ser meu inimigo".

É o que está acontecendo comigo agora no Recife: é moda falar-se mal de mim; escrever-se contra mim; inventar-se toda uma série de histórias das quais sou o vilão. Inclusive sob o aspecto de Don Juan. É do que me acusa um inimigo dos chamados gratuitos, em *A Província*. Tudo porque toda santa tarde estou acompanhando de bonde, até a casa, uma inglesinha de Apipucos: moça, aliás, pobre, filha de inglês, já morto, e mãe brasileira. É fato. Vou até a casa dela. Converso com a mãe e as irmãs. Gosto de sua companhia. Onde o pecado? Ou o crime? Ou o assalto à honra de uma donzela? Mas assim é o Recife. Dizem-me que o censor de *A Província* é o aliás simpático H. S.

RECIFE, 1923

Interessante o Mário Sette. Com ele – infelizmente como escritor é fraco – se esboça um romance se não regionalista, caracterizado pela ênfase na chamada cor local – no caso a pernambucana – com algum abuso de pitoresco. Para um romance regionalista, sem esses abusos, é que a nossa literatura de ficção deveria caminhar. Há muita coisa, por aqui, a ser aproveitada, em romance, em conto, em teatro, como expressão de vida que é especificamente nossa no que nela é drama ou apenas existência. Já é nesse sentido que se vem afirmando alguma da nossa literatura mais característica: a de Alencar, Almeida, Távora, Inglês de Sousa, Arinos. A propósito Machado. Mais recentemente a de Graça Aranha, Coelho Neto, Júlia Lopes, Monteiro Lobato. E nada desprezível me parece o *Maria Dusá* – que ainda não consegui ler.

Entretanto, falta a grande parte da nossa literatura – ou quase-literatura? – para ser regionalista, sem caipirismo, uma língua como que tropicalmente brasileira que não deixe nunca de ser portuguesa, como língua literária, para tornar-se subportuguesa, de tão oral. Os temas regionais e tropicais estão entre nós à espera de romancistas, contistas, dramaturgos, que se exprimam mais com o vigor de um Euclides da Cunha ou de um Augusto dos Anjos (embora sem a retórica cientificista em que por vezes se extremam) do que caipiramente: o excesso em que resvala o nem sempre escritor Lobato. O excesso em que resvalou o próprio Afonso Arinos, de quem há uns bons contos regionais.

Através dessa língua, se afirmaria entre nós, não só no ensaio – gênero tão nobre – como na ficção e no teatro, uma maior tendência, da parte da nossa literatura, para exprimir um sentido social e, ao mesmo tempo, humano, do drama que vem sendo vivido pelo Brasil de modo regionalmente diverso, embora sempre, em essência, brasileiro.

RECIFE, 1923

Dizendo um desses dias a meu novo e já querido amigo José Lins do Rego (ele se assinava "Lins do Rego" mas por sugestão minha mudou esse nome de panfletário *à la* Camilo para José Lins do Rego) que eu saboreava bons elogios como um menino saboreia bombons, ele gostou muito da frase. Isso a propósito de uns elogios que ele próprio me fez, que muito me deliciaram. Notou em mim a tendência para seguir as sugestões de um como "paladar" que de fisiológico se sutilizasse na discriminação de valores literários, artísticos e estéticos, como se tal "paladar" fosse, no assunto, uma espécie de árbitro supremo; e como se para esse árbitro as palavras existissem como se fossem coisas animadas de sabores e até odores e não apenas de formas e de cores. Saboreio com efeito certas palavras e de algumas pareço sentir uns como odores que correspondessem aos seus diversos sabores. Talvez sensualismo verbal da pior espécie: exagero, até, do que o severo Maurras sente em românticos como Chateaubriand para quem as palavras eram como se fossem carne. Mas, não é certo que a filosofia grega, continuada pela cristã, identificava – e identifica – verbo como carne? Admite o verbo feito carne até para explicar, na teologia evangélica, o mistério da encarnação de Deus em Cristo.

RECIFE, 1923

Estou em plena fase de *enchantement du desenchantement* de que falava Renan. Daí meu artigo que o *Stratford Monthly* publicou sobre Augusto dos Anjos. Augusto foi um desencantado que não conheceu o encanto do desencanto, tornando-se por isso um amargo poeta, às vezes intolerável pelo cientificismo. Mas poeta nos seus melhores momentos isto ele é ou foi como poucos o são ou têm sido na língua portuguesa.

Venho relendo poetas em francês do meu agrado: Baudelaire, Rimbaud, Laforgue, Verlaine. Eles correspondem (como em prosa poética corresponde Pierre Loti) ao meu *mood* atual. Eles e os místicos espanhóis: agora ando mergulhado em Diogo de Estella, depois de muito ter lido, ainda em N.Y., Ramon Lulio. E para não desprezar de todo os modernos venho lendo, além de Proust, o também francês Gide, que às vezes me dá a impressão de escrever em francês o que deveria ter sido escrito mais por um suíço do que por um francês. Talvez por ser protestante. Relendo Joyce e Yeats. Não vou muito com G. B. S. nem com Anatole – este tão lido no Brasil.

Enquanto isto, é bom estar a gente de longe dos roncos daqueles "modernistas" daquém e dalém-mar mas que já não parecem ter o que dar a ninguém – nem mesmo aos adolescentes mais adolescentes. A não ser ruído. Escândalo. Sensação. Entretanto temos que estar atentos ao que nos prometem os bons modernos do Rio e de São Paulo, que, não fazendo do "modernismo" seita, começam a escrever a língua portuguesa e a tratar de assuntos – inclusive os velhos ou de sempre – com uma nova atitude ou lhes dando um novo sabor: Bandeira, Ribeiro Couto, Drummond, Emílio Moura, Prudente, Sérgio, Oswald de Andrade. Mário de Andrade, Andrade Murici, Grieco. Alguns eu conhecia desde a Europa. Noutros venho sendo iniciado por José Lins. Com eles, a língua portuguesa talvez se liberte daquele artificialismo castiço que faz de certos puristas umas caricaturas de si próprios. Há o perigo aposto: o do artificialismo dos antipuristas por "modernismo" sectário. Um modernismo tão postiço que suas vozes me soam sempre carnavalescas. Não consigo me entusiasmar por certas andradices de Mário. Prefiro as andradices "modernistas" do outro Andrade, embora "Noturno de Belo Horizonte" – de Mário – me pareça um belo poema numa nova língua portuguesa.

Quanto a Graça, me parece um fim de vida literária tristíssimo, o seu. Entretanto, seu *Canaã* é livro que suporta leitura crítica. Reli-o um desses dias e fui até o fim, interessado se não no "romance", no escritor: na sua frase e nas suas idéias.

RECIFE, 1923

Mencken me pede colaboração para sua nova revista *The American Mercury*. Convite importante, este. E vindo de quem: do exigente, do discriminador, do supercrítico H. L. M.! Parece que, como diz o caboclo, tenho farinha no saco. É que, convidado por Mencken para aparecer numa revista de primeira linha, como vai ser a sua, estarei em situação de revelar-me a um público superior. O diabo, porém, é que me sinto sem ânimo para abordar assunto que se harmonize com o programa de *The American Mercury*. Atravesso uma crise um tanto mística. Minha veneta é agora a menos menckeniana que se possa imaginar. Não sei em que vai dar esta crise. Não tenho idéia.

A verdade é que quem está mais alvoroçado com o convite que acabo de receber de H. L. M. é meu irmão. É Ulisses. Acha qualquer coisa de fantástico. Como que começa a sentir no irmão alguma coisa de que ele não suspeitava. A opinião de Armstrong a meu respeito talvez fosse para ele, Ulisses, exagerada. Agora, sabendo quem é Mencken, como ele sabe, começa a me julgar um gênio desgarrado ao Recife.

RECIFE, 1923

Meu Tio A. me dá o nome e o endereço de uma mulata, segundo ele "monumental", conhecida de um amigo seu: M. J.; à Travessa do Forte. Acrescenta: para os lados de Cinco Pontas. Trecho para mim misterioso, nos meus dias de menino, quando vinha tomar o trem chamado de São Francisco na Estação de Cinco Pontas. Agora venho bater à casa da mulata à Travessa do Forte como um tenente em país conquistado pelo seu Exército: o Exército da minha geração.

Grande mulata. Na verdade, um monumento no gênero. Sem exagero nenhum: escultural, monumental. Mas também hospitalar. Clínica. Terapêutica.

Sinto-me um tanto traidor dos amigos que deixei em Oxford: tão angélicos embora tão sutis em seus conhecimentos do mundo e de mulheres finas a ponto de um deles ter dito a um médico, em Paris, que pertencia a um grupo, o dos estudantes de Oxford, de neuróticos-eróticos. Essa mulata da Travessa do Forte é como se fosse clínica, repousante, hospitalar para neuróticos-eróticos. Imagino L. – se viesse de Oxford ao Recife – nos braços dessa recifense de cor aliviado de suas aflições anglo-angélicas.

Francisca de Mello Freyre e Alfredo Freyre,
pais de Gilberto Freyre.

Gilberto Freyre
aos 14 anos de idade.

Gilberto Freyre aos 6 anos de idade.

Colégio Americano Gilreath.
Recife, Pernambuco, Brasil, 1915.

Trabalho de História de Gilberto Freyre para o Colégio Americano Gilreath, 1915.

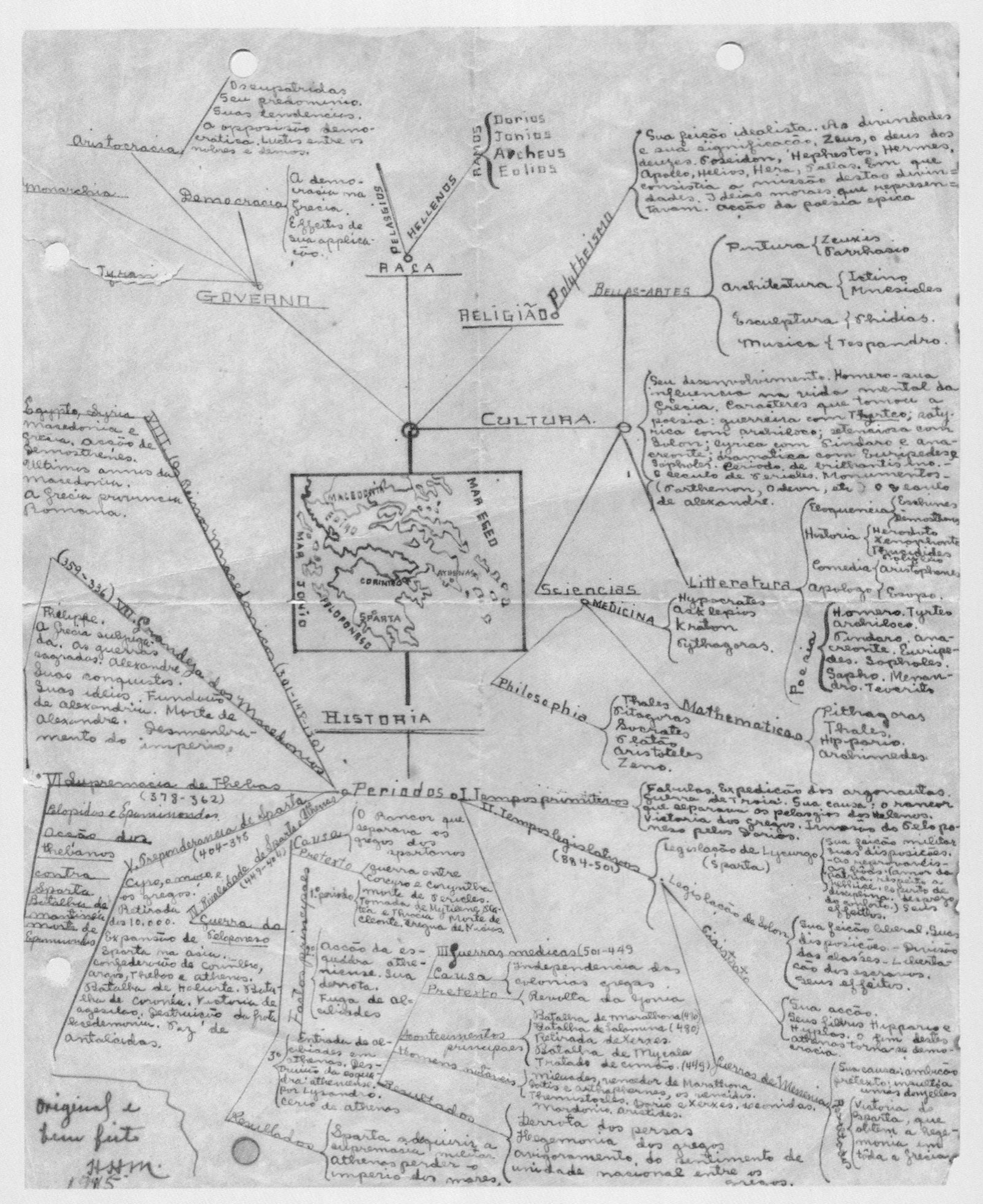

Gilberto Freyre com colegas do Colégio Americano Gilreath, Recife, Pernambuco, Brasil, 1917.

Gilberto Freyre e amigos na Universidade de Baylor, Waco, Texas, Estados Unidos, março de 1920.

Trabalho de Gilberto Freyre sobre Sociologia escrito em inglês para a Universidade de Baylor, Waco, Texas, Estados Unidos.

-Organic Conception of Society-

Sociology, as we know, is a baby among the sciences. Therefore, and unlike grown sciences -physics, zoology, biology, etc- it has not its own terminology. Auguste Comte, did not hesitate to coin certain technical terms to the new science. But, after him, the English School having Herbert Spencer as its dominant figure, borrowed from older sciences, especially biology, great many terms and figures.

This explains why the phrase "social organism" came to be used. Its use soon produced extreme assumptions as the following one, written by Paul von Lilienfield, German sociologist: "Human society, like physical organisms, is a real entity; it is nothing more than a continuation of nature, it is only a higher expression of the same energies which underlie all nature phenomena." (1) The words of Lilienfield interpret the organic conception in a literal, exact, narrow sense. Small and Vincent, American sociologists assume a moderate view concerning the organic concept of society. They say that "...the likeness of relations not the identy of terms promotes the meanings of familiar biological words to a social significanse as in the case of the term organic". (2) H. Spencer seems to recognize that there is not an identy of terms when he says: "The parts of an animal form a concrete whole; but the parts of a society form a whole which is discrete". (3) Blackmar and Gillian, the authors of our text, make the point very clear. They say: "The characteristic work of the social organism is a psychical element which is lacking in the biological cell".(4)

We will come to the conclusion that: (a) It is evident that on many functions, activities and actions a society of men is similar to a biological body; (b) this similarity is a likeness of relations and

Gilberto Freyre
e Francis Butler Simkins.
Universidade de
Columbia, Nova York,
Estados Unidos, 1921.

Gilberto Freyre , logo após
regressar da Europa, 1923.

Oliveira Lima.

Franz Boas.

Gilberto Freyre e amigos, entre eles Djalma Eloy
Hess, Oscar Spínola Teixeira e Archimedes Pereira
Guimarães. Nova York, Estados Unidos, 1921.

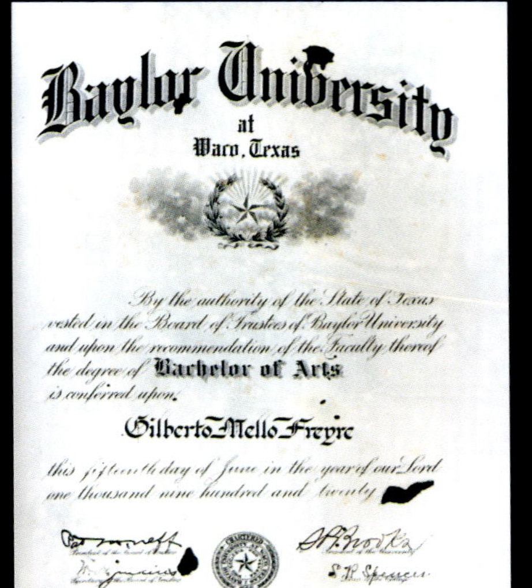

Baylor University
at
Waco, Texas

By the authority of the State of Texas
vested in the Board of Trustees of Baylor University
and upon the recommendation of the Faculty thereof
the degree of **Bachelor of Arts**
is conferred upon

Gilberto Mello Freyre

this fifteenth day of June in the year of our Lord
one thousand nine hundred and twenty

THE·TRUSTEES·OF·COLUMBIA·UNIVERSITY
IN·THE·CITY·OF·NEW·YORK
TO·ALL·PERSONS·TO·WHOM·THESE·PRESENTS·MAY·COME·GREETING
BE·IT·KNOWN·THAT
GILBERTO·DE MELLO·FREYRE·A·B
HAVING·COMPLETED·THE·STUDIES·AND·SATISFIED·THE·REQUIREMENTS
FOR·THE·DEGREE·OF
MASTER·OF·ARTS
HAS·ACCORDINGLY·BEEN·ADMITTED·TO·THAT·DEGREE·WITH·ALL·THE
RIGHTS·PRIVILEGES·AND·IMMUNITIES·THEREUNTO·APPERTAINING
IN·WITNESS·WHEREOF·WE·HAVE·CAUSED·THIS·DIPLOMA·TO·BE
SIGNED·BY·THE·PRESIDENT·OF·THE·UNIVERSITY·AND·BY·THE·DEAN·OF·THE
FACULTIES·OF·POLITICAL·SCIENCE·PHILOSOPHY·AND·PURE·SCIENCE
AND·OUR·CORPORATE·SEAL·TO·BE·HERETO·AFFIXED·IN·THE·CITY·OF
NEW·YORK·ON·THE SEVENTH DAY·OF JUNE IN·THE·YEAR·OF
OUR·LORD·ONE·THOUSAND·NINE·HUNDRED·AND·TWENTY-TWO

DEAN

PRESIDENT

Diploma de Master of Arts conferido pela Universidade de Columbia, Nova York, Estados Unidos, 7 de junho de 1922.

Diploma de Bachelor of Arts conferido pela Universidade de Baylor, Waco, Texas, Estados Unidos, 15 de junho de 1920.

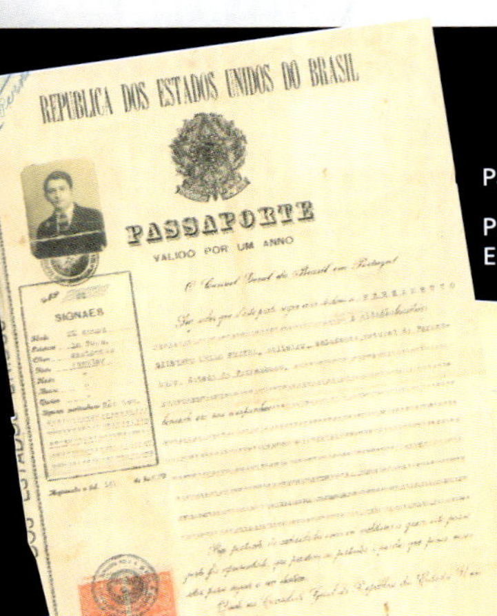

REPUBLICA DOS ESTADOS UNIDOS DO BRASIL

PASSAPORTE
VALIDO POR UM ANNO

SIGNAES

Passaporte de Gilberto Freyre, Lisboa, 1923.

Prova de Gilberto Freyre na Universidade de Columbia, Nova York, Estados Unidos, outubro de 1921.

Sociology 255.

I.

...t is meant by the expression "non-...uired characteristics"?

...t is meant that changes in b... caused by external influences, or a... are not transmitted through the... cells to the next generation. The... is not altered. This leads some... conclusion that the daughters a... all the essentials the sisters of... mother — no direct modificatio... possible in the germ-cell.

1 - Gilberto Freyre conversando com Rabindranath Tagore. Caricatura de Gilberto Freyre. Nova York, 1922.

2 - Gilberto Freyre em companhia de Amy Lowell. Caricatura de Gilberto Freyre. Boston, 1922.

3 - Gilberto Freyre vendo desenhos e poemas de Vachel Lindsay, no apartamento do poeta no Hotel Brevoort. Caricatura de Gilberto Freyre. Nova York, 1922.

4 - O Presidente Taft, dos Estados Unidos. Desenho de Gilberto Freyre aos 19 anos de idade.

5 - Gilberto Freyre no ateliê de Vicente do Rego Monteiro. Caricatura de Gilberto Freyre. Paris, 1922.

6 - Gilberto Freyre tomando vinho do porto na casa de Fidelino de Figueiredo. Caricatura de Gilberto Freyre. Lisboa, 1923.

7 - Gilberto Freyre com Oliveira Lima em Washington. Caricatura de Gilberto Freyre, 1923.

De pé, coronel Pedro Paranhos e seu filho Paulo. Sentados, Francis Butler Simkins, seu amigo na Universidade de Columbia, e Gilberto Freyre. Engenho Japaranduba, Pernambuco, Brasil, de propriedade do coronel Pedro Paranhos.

Gilberto Freyre e seu pai, 1917

Recife 1917

Fui levar a Aníbal Fernandes, que admiro muito, o jornal do colégio com meu artigo "O período feudal na vida do homem". Esse período feudal é a adolescência com seus desejos de aventuras e glórias. Confesso que o artigo me parece coisa acima da banalidade. Aníbal me recebeu como se eu fosse já igual a ele: como um intelectual a outro intelectual. Eu sei que ele é um intelectual feito e eu ainda um menino com pretensões a intelectual. Com uma agilidade que me espantou leu-me o artigo todo e exclamou: "Espantoso! Vou transcrevê-lo amanhã."

Recife 1917

Outra transcrição de trabalho meu por Aníbal Fernandes, desta vez no Diario de Pernambuco e não no jornal A Ordem: a do meu discurso de bacharel em Ciências e Letras pelo Colégio Americano. O paraninfo foi Oliveira Lima que parece ter falado a Aníbal Fernandes do discurso pois ele, não tendo ido à festa do Colégio, me escreveu um cartão felicitando-me pelo que chamou de "discurso cheio de novidade e de beleza". Mais ou menos o que me disse Oliveira Lima.

Manuscrito original de *Tempo morto e outros tempos*. Recife, 1917.

Recife, 1923

Quando Léon Kobrin me disse, ao servir-me chá à moda russa, "desta xícara em que vamos servi-lo, muitas vezes bebeu chá, aqui mesmo, Leon Trotski", tive uma emoção fácil de ser compreendida. Afinal, entre os grandes homens de ação do nosso tempo, quem é maior do que Trotski?

Isto me vem à lembrança por quê? Creio que por causa de carta de Goldberg falando-me de David Pinski. Pinski e Kobrin são considerados hoje dois dos mais avançados gênios literários do mundo israelita que se exprime em *yiddish*.

1924

Recife, 1924

Oliveira Lima advertiu-me: "Não pense em fixar-se no Brasil. Escritor no Brasil? É o mesmo que pretender alguém patinar em areia". Aqui estou há quase um ano. No Recife: nem ao menos em São Paulo, para onde o excelente amigo deu-me cartas de apresentação para Washington Luís, Carlos de Campos, Afonso de Taunay, o Padre Valois, Rangel Pestana.

Será que ele tem razão? Às vezes parece que sim. Sinto que meu ajustamento intelectual no Brasil é quase impossível. Experimento às vezes enorme vontade de voltar aos meus amigos de Columbia e sobretudo aos de Oxford – de Oxford e Paris – cujas cartas venho deixando sem resposta, decidido como estou a que esse meu intenso passado – inglês e parisiense – seja um tempo que morra de todo – a não ser como vaga recordação sentimental. São cartas que me seria doloroso responder: *dead paper* é ao que elas devem reduzir-se. "*Dead paper, mute and white*", como diria Elizabeth Barrett Browning. Minha decisão está tomada: é reintegrar-me completamente no Brasil. Atolar-me na sua carne e no seu massapê. Pelo sentimento já me sinto restituído à infância brasileira. Restituído à minha Mãe, a meu Pai, a meus Irmãos, aos parentes e amigos que aqui deixei quando parti adolescente para os

Estados Unidos. Isto é o principal: esta recuperação sentimental. A adaptação intelectual é secundária.

RECIFE, 1924

Carta de L. S., de Oxford, acompanhada de um poema que me dedica e por ele próprio copiado em letra artística. Como a de R. de B., de Paris, carta de inconformado com o mundo e com o tempo imediatos. Mais: nostalgia ou desejo de outros tempos ou outros mundos. O que talvez seja a atitude de quase toda a minha geração: na América e na Europa, pelo menos, somos uns desajustados a lugares e a tempos que nos são como que impostos pelos adultos. Pelos velhos.

É o exemplo dos "novos críticos" dos Estados Unidos: dos saídos das universidades e não apenas dos antiacadêmicos como o vulcânico H. L. Mencken. O exemplo do admirável grupo de "novos poetas", não tanto como o meu amigo Vachel e como Amy Lowell, mas como o Ezra Pound. O exemplo dos jovens americanos inconformados com os U. S. A. que se vêm expatriando em Londres e Paris. Já os Randolph Bourne achavam que a atitude exata do intelectual no mundo de hoje era divergir do estabelecido, mesmo sem ter idéias certas a respeito da reforma deste mesmo mundo. E poderia ter acrescentado: divergir do estabelecido, do imediato, do próximo, do palpável. Atitude romântica. Quem disse que o Romantismo morreu?

É curioso como os inquietos hoje de vinte e de trinta anos buscam, talvez com mais intensidade do que nunca, mundos ideais distantes ou remotos: Regis de Beaulieu, meu amigo francês, chega a admitir que eu no Brasil (a despeito de Ruis Barbosas em quem reconhece Ruis Verbosas, segundo o sarcasmo europeu que desde Haia se agarrou ao nome do nosso grande compatriota entre a maioria dos poucos europeus que tomaram conhecimento da sua existência ou da sua eloqüência) esteja num mundo paradisíaco em contraste com o francês, que, com seus Anatoles Frances, teria resvalado a extremos de mediocridade impotente. Enquanto isto, os chamados modernistas do Rio e de São Paulo são para a França, para a Europa, alguns para os Estados Unidos, como Ronald de Carvalho, que se voltam como para mundos ideais, dando as costas ao Brasil: ao que no Brasil há de verdade digna de ser descoberta ou redescoberta por jovens poetas, jovens críticos, jovens pensadores dispostos a fazer alguma coisa de diferente, de novo, de moderno; de contrário ao estabelecido; de oposto ao aceito. Mário de Andrade talvez não vá a tanto; não dá as costas ao Brasil. É bem diferente do Graça Aranha do "todo universal". Mas não deixa de ser, o Mário de Andrade, postiço, em grande parte de sua modernice mais copiada de modernismos europeus que inspirada em sugestões da situação brasileira. Justiça lhe seja feita, porém; está agora procurando inteirar-se da situação brasileira além de São Paulo – até da Amazônica. E mais catártico que Mário talvez seja Oswald de Andrade.

RECIFE, 1924

Inadaptação. Mas sempre, com alguma volúpia – é preciso dar de comer ao sexo – e algum convívio com mulheres e gente do povo, muita leitura e muito estudo, embora prefira dar aos estranhos a impressão de inércia. Detesto a gente que trabalha ou estuda dando aos outros a impressão de que se mata de trabalhar ou se esfalfa de estudar. Acho que deve haver neste particular uma como que hipocrisia: a dos que estudam mas fingem que não estudam. Deve haver o pudor do estudo como há o do sexo.

Venho relendo todo o Pater – o Pater que li ou reli quase todo em Oxford, ambiente ideal para ler-se Pater. Pater e Newman. Tenho um retrato de Newman no meu quarto.

Venho também lendo místicos espanhóis como San Juan de La Cruz, Santa Teresa, Diego de Estella, Frey Luis de León. Como é que alguém pode ignorá-los? Pena que a língua portuguesa não tenha gente dessa profundidade de espírito, entre os clássicos, nem, entre os recentes, nenhum Ganivet. A propósito de Ganivet: ele me ajuda a ver o Brasil mais do que ninguém. Continuo a freqüentar a imunda Biblioteca Pública daqui e a tomar notas. Passo lá tardes inteiras. Tem alguns volumes preciosos. Muita coisa estragada. Paranhos me promete reunir restos de arquivos de engenhos velhos. Estou interessado em cartas, inventários, testamentos. Documentos menos públicos e mais íntimos. Já consegui reunir da família alguma coisa.

RECIFE, 1924

Venho encontrar em decadência meus tios Tomás e Arminda. Eu que a vi tantas vezes coberta de jóias, de rubis e esmeraldas como se fosse uma princesa hindu, vejo-a agora uma ruína de mulher. Meu Tio T., outra ruína. Ele que foi de uma das famílias mais opulentas desta parte do Brasil é hoje um simples resto de homem. Até toma morfina ou cocaína: não sei bem o quê. Faz pena vê-lo andar a pé ou à espera do bonde: sem automóvel nem carro à sua disposição, como nos dias do seu esplendor. Carro com lanternas de prata e cocheiro de cartola.

Sua família foi das que mais luxaram no Recife. Aparentado com alemães (dos que vieram para o Brasil nos dias de Dom Pedro I, para sua guarda militar) e com italianos, foi gente cosmopolita e com hábitos elegantes e gostos finos. Dona E. L., hoje arquimilionária, foi governante alemã da gente do meu Tio T., antes de casar-se com o L., sueco que teve *ship chandler* na Lingüeta, antes de tornar-se dono de fábrica de pólvora e, depois, senhor de todo um império de fábricas de tecidos. Hoje está tudo ao contrário: Tio T. quase na miséria e os L. e Dona E. no máximo da opulência.

Tio T. entretanto é um desses homens fortes que não se lastimam nunca. Tia A. é outra criatura que não lamenta: parece nem sequer saber lamentar-se. No íntimo, porém, muito lhes deve doer a decadência em que se encontram. Não fosse Ulisses, meu irmão, e Tio T. já teria levado de todo o diabo nas mãos dos gringos que lhe emprestam dinheiro sob condições terríveis. Admirável esse meu irmão U., que sabe ser bom sem nenhum alarde. Eu estou longe de ter sua bondade ativa e realizadora. Meu modo de ser bom é platônico. Sinto que devo ser bom mas nem sempre traduzo esse sentimento em ação. É o que faz U. de modo sempre igual: sua bondade ativa, prática, realizadora, é das que não falham nunca.

RECIFE, 1924

Lendo Proust. Desde Paris que R. de B. me recomenda mergulhar em Proust: descoberta de Léon Daudet, de quem R. de B. é entusiasta. Comecei a lê-lo ainda na

França: à sombra do seu mundo. Mas só agora cheguei à minha fase intensa de proustianização. Sinto que os meus queridos Goncourt me prepararam para essa continuação de sua obra: continuação em profundidade. Os Goncourt e Henry James.

Há em Proust o mesmo sentido de *histoire intime... ce roman vrai* que, dos Goncourt, eu vinha desde 1922 procurando aplicar à minha tentativa de uma análise, evocação e revelação da vida de menino na Brasil. O mesmo menino através de vários tempos e em várias regiões; engenho, fazenda, cidade, Rio, Recife, Bahia, Rio Grande do Sul, Pará, séculos coloniais, século XIX, começo do XX. Reconheço que Proust continua Stendhal; que continua Henry James; mas continua principalmente os Goncourt. Os Goncourt – repito – da *histoire intime*. Suas análises são líricas e clínicas ao mesmo tempo: poéticas e científicas. Dessa contradição resulta ele ser o historiador ideal do que há de mais íntimo no passado de um povo. O primeiro livro de *À la recherche du temps perdu – Du côté de chez Swann* – me interessa de modo todo particular. Evocação de tempo de menino. Proust – como Joyce (o imenso Joyce) e mais que Thomas Mann – desce a criptas a que ninguém antes dele desceu. É no que ele se especializa: em ver o que se passa nessas sombras de intimidade humana para revelá-las a um francês diferente do elegante que se aprende nas escolas e nos clássicos da língua francesa. Um francês recriado por ele – fluido, sutil, lírico, analítico, contraditório – para a revelação das suas aventuras em profundidade.

RECIFE, 1924

Santo Deus, o que se lê em espanhol hoje no Brasil! Da Espanha, simplesmente Blasco Ibáñez. Da América espanhola, um tal de Vargas Vila, tido por "novelista", mais um Ingenieros, havido por sociólogo. Um horror.

Assim se serve o brasileiro da vantagem de ter ao seu alcance, quase como se fosse língua materna, um dos idiomas mais ricos em literatura, dentre todos os idiomas modernos. Com dramaturgos, místicos, pensadores, poetas, ensaístas, romancistas de primeira grandeza. Em tudo que a língua portuguesa é pobre, a espanhola esplende de riqueza: a literatura dramática, por exemplo. Mas –

repita-se – o brasileiro não se apercebe disso para enriquecer-se culturalmente através da língua espanhola. Para que lhe serve a vantagem de poder ler nessa língua literatura da melhor – Cervantes, inclusive – quase sem ter que se dar ao incômodo de aprender um novo idioma? Para ler Blasco – que não é mau mas que não é grande? Para ler Vargas Vila e Ingenieros: simplesmente medíocres? Dois porcalhões, mesmo. Enquanto o nosso desconhecimento de valores clássicos em língua espanhola e de modernos como Pío Baroja, Ganivet, Unamuno, Azorín, Valera, Galdós, Ortega é completo. Ou quase completo.

RECIFE, 1924

Cada vez mergulho mais na literatura dos meus queridos mestres espanhóis. Digo literatura porque é literatura, embora tão profunda que para lê-la não servem os olhos que só vêem à luz do sol e só lêem à luz das lâmpadas elétricas; e sim os que vêem e lêem quase sem luz. Os que vêem e lêem quase no escuro. Aliás é este o sentido mais puro do misticismo: ver no escuro. É no escuro que se podem ler San Juan de La Cruz e Santa Teresa, Luis de León e Luis de Granada, o Padre Nuremberg e Etella. E Lulio e até certas páginas de Gracián.

RECIFE, 1924

Carta de Fidelino de Figueiredo. Mostra-se interessado pela minha conferência, *Apologia pro generatione sua*, proferida na Paraíba e mandada publicar por um grupo de amigos paraibanos – José Américo de Almeida e outros. Está cheia de erros de revisão e, ao contrário do que me haviam prometido, foi impressa em papel comum. Fidelino se refere generosamente ao meu trabalho, até agora sem repercussão alguma no Brasil. Escreve Fidelino: "Não posso furtar-me à surpresa de haver público tão culto em Paraíba... Explique-me isso se tiver vagar. A sua conferência merecia divulgação maior. Duzentos exemplares é nada. Talvez o Sardinha gostasse de a reproduzir na *Nação Portuguesa*."

Recife, 1924

J. do R. M. conta a mim e a J. L. do R., que a verdade é esta: "O Amauri detesta vocês dois, a Gilberto tanto quanto a José Lins". O A., cunhado do J. do R. M., diz este que procura evitar as manifestações do Amauri contra mim: mas inutilmente. Nem o Amauri nem o velho Sérgio ligam muito a A. F., diz o J. do R. M. A razão é simples: o Carlito (diretor do *Diário*) proibiu o A. F. de elogiar o governo. De modo que agora o A. F. para aqueles dois governantes, sequiosos de elogios da imprensa (aliás o Amauri merece ser elogiado por algumas das suas iniciativas e o Sérgio também, por outras e por prestigiar um genro de talento). É um burocrata igual aos outros.

Recife, 1924

O "gancho" que me deram na Administração das Docas – corrigir o português dos principais relatórios do diretor – é o que pode haver de mais humilhante para mim. Creio que foi o A. F. que me proporcionou esse encosto que me acrescenta quinhentos mil-réis aos quinhentos que o *Diário* me paga. Pelo meu gosto, não aceitaria nunca essa humilhação. Envergonha-me receber esses quinhentos mil-réis ao fim do mês. Mas a verdade é que minha situação na família é quase a de um parasita. E noto que todos (na família) se mostram espantados pelo fato de eu vir me acomodando a uma tão estranha situação, embora da parte de todos haja uma generosidade absoluta para com o idiota que talvez me considerem.

Recife, 1924

Uma alegria, para o nativo ainda mal adaptado à terra brasileira, a visita que vem fazer-me Francis Butler Simkins, meu colega na Universidade de Columbia. Tem me escrito sempre; e eu quase nada a ele. Diz-se atraído para o Brasil, para o passado brasileiro, para o mistério brasileiro, pela leitura da minha tese universitária. Diz-se meu discípulo. Mais: diz-se revolucionado pelas minhas idéias quanto a métodos de estudo e de interpretação do passado do seu próprio país. Não sussurra isto, apenas, como se faz no Brasil: proclama-o em voz bem alta. Proclama-o por escrito. Em negrita. Em itálico. Em caixa alta. Na dedicatória impressa do seu primeiro livro.

Apareceu-me Simkins a semana passada com uma barbicha de *scholar* do século passado que o faz parecer bem mais velho do que é: barbicha que sugere também um romântico desgarrado e entre anti-românticos. Tem mais idade do que eu, esse meu brilhante e honesto "discípulo". Há nele, com efeito, alguma coisa de romântico como de resto nos americanos do Sul – ele é da Carolina do Sul – de origem – como é a dele – fidalga. Vou levá-lo em excursão pelo interior. Principalmente a Japaranduba. O engenho do meu querido amigo Pedro Paranhos, outro barbicha, igualmente com alguma coisa de romântico na sua fidalguia de senhor rural, com quem Francis há de se entender maravilhosamente bem. Levei-o à chamada Biblioteca Pública: ficou espantado com a desordem, abandono e melancolia dessa como que ex-biblioteca. Mas vem reagindo bem ao espetáculo da miscigenação brasileira: sinal de que é realmente homem de inteligência e sensibilidade incomuns. Ele e Rudiger Bilden foram os colegas de universidade com quem mais me acomodei em Columbia. Simkins está hospedado em nossa casa como se fosse da família. Minha mãe *aprova* sua fisionomia: a dele e a de J. L. do Rego. Desaprova outras.

RECIFE, 1924

Descubro a J. L. do Rego o meu segredo: o livro que, nos meus raros momentos de ânimo, desejo escrever. Um livro sobre a minha própria meninice e sobre o que tem sido nos vários Brasis, através de quase quatro séculos, a meninice dos vários tipos regionais de brasileiros que formam o Brasil Mostro-lhe as notas que já tenho sobre o assunto. Peço-lhe que guarde segredo. Não quero que ninguém saiba que me preparo para escrever este livro diferente de todos os livros. Diferente das simples memórias de infância. Diferente dos romances que fazem de meninos os seus heróis, considerando-os simples futuros homens. Diferente das histórias sociais em que o adulto toma todo o espaço e domina todas as cenas. O adulto do sexo chamado forte.

Recife, 1924

Muita falta faz aos meus olhos, nesta minha cidade do Recife, o H maiúsculo de uma catedral. Um H enorme, animador, protetor, no centro mesmo da cidade.

É uma cidade, o Recife, que só se faz notar pelos II magríssimos dos seus sobrados mais esguios e mais altos, pelos VV invertidos dos seus telhados mais agudos, pelos MM de algumas de suas igrejas mais velhas, pelos BB deitados de barrigas para o ar das basílicas como a de Nossa Senhora da Penha. Nenhum H verdadeiramente H. A bela igreja de São Pedro dos Clérigos é a construção que mais se aproxima dessa forma que, sendo a de uma letra de alfabeto, é também a do tipo mais nobre da arquitetura cristã. Mas quase toda a gente aqui exalta a feia Igreja da Penha e despreza São Pedro.

Recife, 1924

Curioso como eu e meu irmão nos sentimos, diante de vários problemas, em situação de críticos de um Pai que, a nosso ver, precisa de ser retificado pelos filhos. Curioso, também, como o Pai assim criticado pelos dois filhos vem cedendo às retificações por eles sugeridas – ele que, aos nossos olhos de meninos, nos parecia tão intransigente.

Recife, 1924

Uma das raras pessoas realmente inteligentes que encontro no Recife é U. P. Falta-lhe gosto literário (que não falta a A. F.), é certo; A. F. é outra inteligência de primeira ordem. Também falta a U. P. sensibilidade estética educada (que A. F. possui em relação à pintura, de modo admirável, embora nunca tenha ido à Europa: apenas vivendo, como vive, sob a constante influência de leituras francesas e de contatos com europeus e com afrancesados) e a esposa e os cunhados pintores. Mas inteligente, U. P. é, e muito. Havia de fazer-lhe enorme bem algum tempo nos Estados Unidos ou na Europa: em meio universitário. Fazem falta, e falta imensa, aos brasileiros, uma tradição, um sistema, uma disciplina universitária. Uma sucessão apostólica de saber humanístico. No Recife o que mais se aproxima dessa tradição é a Faculdade de Direito. E, ainda assim, que lástima, com seus vários N. C.! Meu próprio Tio V., que aos meus olhos de menino parecia um "sábio", vejo-o agora com outros olhos: ótimo advogado, homem de bem, mas longe de ser *scholar* dos que, em geral, só são produzidos em meios tradicional e sistematicamente cultos. Noto o mesmo em O. T.: outro dos bons mestres de Direito do Recife de hoje. Em O. F., médico e intelectual. No meu antigo professor F. P.: filólogo dos melhores. Alfredo de Carvalho, este sim, foi *scholar* com alguma coisa de universitário em seu modo de ser intelectual. Mas sua formação se fez principalmente na Europa e nos Estados Unidos. O mesmo é certo de Oliveira Lima. Atente-se no velho P. da C., cujo esforço de recolhedor de fatos históricos chega a torná-lo um assombro: é a negação mesma do *scholar*. A negação do que o espírito universitário de cultura tem de semelhante à sucessão apostólica nas igrejas como a grega, a romana, a anglicana: a que torna um sacerdote católico-romano ou católico-anglicano ou grego ortodoxo herdeiro de uma tradição sistemática de saber religioso, que falta aos teólogos das seitas sem essa tradição. Com o saber humanístico ou universitário se passa quase o mesmo.

RECIFE, 1924

Um dos encantos do Recife é O. N. Amigo de Oliveira Lima, de Gilberto Amado e de Assis Chateaubriand. Foi também, como meu Pai, muito amigo de Alfredo de Carvalho.

Sua casa é uma das casas mais civilizadas daqui. Sua conversa, um primor de conversa, pelo muito que ele conhece de arte, de literatura, de Paris, do Oriente. Ele me mostra uns versos que escreveu num leque sobre perfumes, a pedido de Assis Chateaubriand, que os acha admiráveis. São realmente lindos.

O. N., que é viúvo, tem fama de ser homem de muitas aventuras com mulheres. Houve aqui uma pensão galante, chamada Siqueira, na Praça Dezessete, de que ele foi uma das figuras heróicas. Ele e o velho Pontual – Constâncio Pontual – brilharam como talvez os heróis máximos dessa pensão hoje histórica de atrizes e outras mulheres livres de luxo.

Ainda a conheci – a fachada apenas e não as elegantes alcovas – quando menino. Íamos, certa vez, meu irmão e eu, no automóvel Reo de meu Tio Tomás, com ele e o seu amigo, também médico, Agripino Rigueira Costa, pelo cais Martins de Barros, quando vimos entrar num sobrado grande de esquina com a Praça Dezessete uma mulher que nos pareceu extraordinariamente bela. O sobrado grande era a Pensão Siqueira, e a mulher bonita, a atriz Dolores Rentini. Quem informou foi o Dr. José Agripino Rigueira Costa: o bom Dr. Rigueira. Dias depois de a termos visto, deslumbrados, meu irmão e eu, a bela Dolores morreu quase de repente: morreu de febre amarela. Isto deve ter sido em 1913. Morria-se ainda muito, naqueles dias, de febre amarela no Recife. De febre amarela e de cãibras de sangue.

RECIFE, 1924

É curioso: meus companheiros de boêmia – se é que é boêmia, tão discreta ela é – entre mulheres alegres do Recife são P. P., O. N. e M. C., muito mais velhos do que eu. M. não faz mistério: para ele não há como as mulatas. O. diz que não: que sua preferência é toda pelas branquinhas. E como tem fama de rico, Doninha, ao Pátio do Carmo, e outras donas de pensões – A., por exemplo, no Pátio do Terço – se esmeram em reservar para o exigente albinista, que é o meu amigo O., as mais lindas novidades no gênero: rapariguinhas alvas e até louras recém-defloradas. Quando o padrão de albinismo não é atingido, A. é a primeira a dizer que "não serve para o Dr. O., mas está ótima para o Dr. Gilberto". Creio, porém, que na prática a intransigência albinista do meu amigo O. K. não é absoluta. Só é absoluta em teoria. Nem ele seria para mim o esteta admirável que é se não transigisse com o que o Recife feminino tem de mais recifense e que vem da variedade de cor das muitas meninas-moças que as Doninhas sabem descobrir: esta "deflorada há pouco", aquela "desvirginada não faz um mês", tudo assim novo e quase virgem. Cores quentes de carne com as quais não se compara o branco clínico das albinas.

RECIFE, 1924

Consegui do J. L. do R. – repito –, a quem venho procurando ensinar inglês (sobretudo falando-lhe em português de literatura em língua inglesa), que deixasse de assinar seus artigos "Lins do Rego" e passasse a ser José: José Lins do Rego. Repugnam-me em nossa literatura, em nosso jornalismo, em nossa política, esses enfáticos "Rodrigues da Silva", "Menezes de Sá", "Ferreira dos Anjos" em que indivíduos, sequiosos de fama ou de reputação, adotam nomes de guerra oratórios, com sacrifício dos seus nomes domésticos, familiares; como que envergonhados de serem "José", "Manuel", "Antônio", "Carlos", "Jorge". Como se esses nomes não fossem dignos deles mas nomes só para meninos ou adolescentes ainda subordinados a pai ou mãe. O próprio Machado de Assis creio que deveria ter conservado seu nome cristão, como Nabuco conservou sempre o Joaquim e Rui Barbosa conservou o Rui. Creio que, passando a assinar seus artigos "José Lins do Rego", J. L. do R. mostra ter se libertado do furor panfletário que o vinha desviando de sua verdadeira vocação: a de escritor. E para essa sua reintegração, creio ter concorrido um pouco.

RECIFE, 1924

Carta de Oliveira Lima escrita ainda de Lisboa: "...vejo que não se sente aí feliz. Eu o previa. O meio é muito acanhado..." E destaca a inveja como característico do Recife. Exagero.

Acrescenta Oliveira Lima: "tenho estado ultimamente lendo algumas coisas em português que não conhecia – o Teixeira Gomes, que é medíocre, e o Aquilino Ribeiro, que tem grande talento. Vou ler o Grieco, que me recomenda"... "Desejaria vê-lo transplantado para São Paulo. O Carlos de Campos vai ser afinal o governador ou presidente do estado. É um homem inteligente e herdou o charme do pai, o falecido Bernardino de Campos. Creio-o meu afeiçoado e não duvidarei escrever-lhe uma ou mais vezes a seu respeito, quando quiser..." E ainda: "Do Pontes de Miranda penso, sem ter habilitações para julgá-lo, que o seu trabalho sobre *habeas-corpus* é bom"... "Tem tido notícias de Gildbergs? Há muito nada sei a respeito dele. Quando voltar aos Estados Unidos, refrescarei essas amizades. Ontem fui a Sintra com o nosso amigo Fidelino de Figueiredo. Na volta jantamos no Leão d'Ouro... Veja se reúne alguns cobres para ir tentar São Paulo onde o meio é maior, maior também o estímulo e menor a inveja, se também existe".

O. L. me conhece menos do que supõe. No Brasil, o meu lugar é em Pernambuco.

Recife, 1924

O recifense de hoje considera suas grandes igrejas a da Penha, a do Carmo, a da Boa Vista. Alguns chegam ao extremo de mau gosto de dar o primado à Matriz de São José que, ainda mais do que a Velha Sé de Olinda, sofreu terrível "remodelação". Admite que a Igreja do Carmo e a da Boa Vista devam ser incluídas entre os melhores monumentos recifenses: elas, a Madre de Deus e as de São Francisco. Mas nenhuma igreja da cidade que iguale em dignidade, em elegância, em autenticidade, a de São Pedro dos Clérigos. Só o seu portal vale qualquer igreja. Entretanto, está desprezada. Os devotos quase não falam dela: não parece inspirar grandes devoções. Os estetas não lhe dão a menor importância: não parece despertar da parte deles o menor interesse artístico. Quando outro dia eu disse a um deles que a considerava a igreja máxima da cidade, ele bradou indignado: "E a Penha?".

Vou sempre à Igreja de São Pedro para sentir diante dela e no seu pátio alguma coisa de castiçamente recifense que ao mesmo tempo nos integra no vasto sistema hispânico de igrejas que, levantadas ao Novo Mundo, para aqui vêm trazendo, desde o século XVI, alguma coisa de nobre do velho catolicismo peninsular. Adaptando-o às paisagens americanas. As paisagens tropicais. São Pedro tem alguma coisa de catedral mexicana, de catedral peruana, de catedral da América espanhola que se harmoniza com o não sei quê de espanhol que no Recife parece juntar-se à tradição portuguesa de arquitetura de casa e de igreja, sobrepujando-a: dando-lhe um arrojo, uma altura, uma verticalidade antes espanhola que portuguesa. É como se seus velhos arquitetos fossem de certo modo discípulos de El Greco;

e alongassem ou verticalizassem os estilos convencionalmente portugueses de igreja e de sobrado, dando-lhes alguma coisa de espanhol. Ou de mais nobre ou de mais *hidalgo* que a arquitetura mais característica de Portugal. Julgada sob esse critério, temo que São Pedro não se harmonizasse com nenhum outro conjunto brasileiro: parecesse em quaisquer deles uma intrusão. Um espanholismo. No Recife, ele se harmoniza com o que a cidade tem de mais inconfundivelmente seu, que é a tendência para os sobrados muito altos. Tendência que parece ter obrigado igrejas como a do Carmo e a da Penha a se extremarem em cúpulas ou em torres também muito altas. Competição da arquitetura de igreja com a de casa nobre ou civil.

Se eu tivesse que escolher hoje o recanto mais recifense do Recife escolheria o Pátio de São Pedro dominado por sua igreja. Divirjo aqui do meu amigo Odilon Nestor que é entusiasta da também esguia e nobre Igreja do Terço. À Igreja do Terço falta porém a dignidade, a solidez, a imponência que, na de São Pedro, se harmoniza com os arrojos antes espanhóis que portugueses – e não apenas norte-europeus e "holandeses" – de verticalidade.

RECIFE, 1924

A O. M. não falta acuidade; mas ainda lhe falta equilíbrio. Pergunto-lhe o que lhe parecem as letras modernas do Brasil. Parecem-lhe áridas. Nenhum talento criador. Repetidores, simples repetidores, simples repetidores de franceses enchem, a seu ver, os atuais quadros literários do Brasil. Pergunto-lhe se não excetua Graça Aranha, Gilberto Amado, Manuel Bandeira. Não, não os excetua. Admite que Bandeira talvez venha a ser um criador: está sob sua observação. Mário de Andrade, também. Mas Graça Aranha e Gilberto Amado parecem-lhe já revelados: insignificantes. Discordo. Discordo dele e de A. F. neste ponto e em vários outros. O. M. é entusiasta de Lima Barreto. Admite haver em José Américo bom escritor em potencial. Recomenda-me *Reflexões de uma cabra*.

S. R. é menos radical nos seus julgamentos de escritores brasileiros. Revela um equilíbrio crítico que falta tanto a A. F. – como a O. M.

Recife, 1924

J. L. do R. me aparece de olhos arregalados com a notícia: De Garo vai suicidar-se.

Não creio no suicídio de De Garo – pintor moderno tão pessoal no traço. Há nele, como em quase todo indivíduo grecoidemente magro, alguma coisa que o predispõe a soluções trágicas. Mas De Garo é também um artista com um desejo tão forte de glória e de sucesso a dominar-lhe as inquietações, que sua idéia de suicídio me parece um dos seus rasgos teatrais. O diabo é que é búlgaro ou romeno com alguma coisa de judaico. E os judeus são chegados ao suicídio.

Compreendo sua sedução de trágico pelo rio que um desses dias levamos quase uma noite inteira a contemplar, ele, eu e J. L. do R., sentados na relva do Poço da Panela. Eu próprio sinto atrações meio trágicas por este rio. Que graça teria o Recife sem este seu rio entre lírico e trágico? Que sugestões dramáticas? Que profundidade de vida? Que mistério de passado a projetar-se sobre o futuro de cada um de nós, que somos do Recife ou nos tornamos do Recife, em grande parte pelo batismo não só do corpo mas da alma nestas águas; que nunca se limitam a ser apenas presente ou somente atualidade? É incompleto o homem a quem falta um rio no qual ele pense até em desaparecer, quando a incompreensão dos outros homens for tão grande que ele precise de voltar ao ventre da água. E incompleta a cidade ou a província a que falte um rio que ligue todos os efêmeros presentes com o seu passado e com o seu futuro.

Recife, 1924

Mergulhado mais uma vez em George Gissing. É um livro triste, o seu *Private papers*, mas de uma tristeza viril, que me atrai. Fiz Ulisses ler George Moore: está encantado. Eu porém já estou me cansando do diabo do irlandês que tanto me seduziu quando o li há quatro ou cinco anos. Também já não tolero reler os livros mais brilhantes do Eça: *Correspondência de Fradique, A cidade e as serras*, a *Ilustre casa*. Mas *Os Maias*, sim. Este é livro denso. Machado não tem romance nenhum que iguale a *Os Maias*. A arte de Machado onde se revela melhor creio que é nos contos. Em alguns contos.

RECIFE, 1924

Emprestei a L. C. meu Rivarol. Diz-me J. L. do R. que devo rezar por alma do livro: L. C., como bom rivarolista, é tão sem ânimo que não se dá nunca ao incômodo de devolver os livros que pede emprestados aos amigos. Curioso, esse L. C.: realmente arguto, malicioso, bom crítico. Mas é uma vontade sempre em crise.

Marquei prazo para a devolução de um Pío Baroja a Antônio Freire, que foi meu colega de colégio; e hoje me parece andar desorientado. O que é uma pena, pois tem talento. Mas não me devolveu dentro do prazo nem a Baroja – do qual tenho ciúme – nem os outros livros que lhe emprestei. O melhor seria não emprestar livros a ninguém. Mas me falta ânimo para tal atitude. Permanece em mim alguma coisa de evangélico que me obriga a comunicar aos outros o que sei e a fazê-los participar dos valores intelectuais que adquiri.

RECIFE, 1924

Encontro na Biblioteca Pública – que hoje conheço melhor que o próprio diretor – um livro dos Goncourt que não conhecia. Outro livro delicioso. Não há na literatura francesa do século XIX obra mais interessante que a dos Goncourt: única pelo que junta de inteligência à sensibilidade. Muito francesa, essa obra de combinação tão rara do lógico e do intuitivo; muito européia; muito do século XIX. Mas com alguma coisa universal que a torna uma das grandes combinações francesas para a compreensão do homem pelo homem, dentro da tradição dos Pascal, dos Montaigne e dos Michelet.

Ao lado dos Goncourt, os Zola e os Bourget se amesquinham em subescritores: pouco mais do que simples Ohnets. Continuadores deles, Goncourt e de Maupassant em dias mais recentes vêm sendo Pierre Loti e esse admirável J. K. Huysmans. Sem o conhecimento deles não se concebe homem que seja realmente moderno no seu saber intimamente psicológico e autenticamente sociológico de natureza humana condicionada pela civilização européia mais sofisticada. Civilização de que há reflexos no

Brasil do mesmo modo que sobre nós se projetam culturas primitivas em toda a sua primitividade. Daí, no Brasil, ser tão difícil uma literatura de estilo europeu, embora a várias das camadas brasileiras de vida e de cultura – civilizadas, sofisticadas, requintadas até – se possam estender os métodos dos Goncourt de análise daquela forma de natureza humana de que eles souberam compreender os segredos mais sutis.

RECIFE, 1924

De bicicleta, venho fazendo meu *field-work* de estudante de Boas (Antropologia) e de Giddings e Thomas (Sociologia), desde que continuo estudante desses velhos mestres. Que continuo a estudar. Venho colhendo muita nota de possível interesse sociológico e antropológico sobre a vida da gente das mucambarias do Recife. Sobre a gente adulta e sobre a criança, Pois continuo com a idéia de uma "História da vida de menino" no Brasil que venha dos primeiros tempos coloniais (cartas jesuíticas, relações, diários de viajantes) aos dias atuais.

Ulisses continua nos dias de domingo a acompanhar-me em excursões e a auxiliar-me na parte de documentação fotográfica. Já estamos com uma boa coleção de tipos de mestiços de vários bairros (São José, etc.) e de subúrbios (Santa Ana, Morro da Conceição, etc.). Com Paranhos, vou estendendo esse *field-work* ao interior: velhos engenhos e povoações típicas, onde ainda se pode encontrar a gente rural mais pura em sua cultura. Uma cultura em grande parte folclórica.

Essencial que tenha contacto com pescadores. Que estude suas superstições. As suas crenças ligadas ao cotidiano social.

Venho lendo Summer, que é na verdade um grande mestre. Também Durkheim, que precisa de ser lido como corretivo a Tarde, sem que se despreze o velho Tarde – talvez o maior dos dois: talvez venha a ser considerado maior que Durkheim. Também livros técnicos sobre *field-work*: especialidade em que os ingleses e hoje, sobretudo, os americanos sobrepujam quase sempre os outros estudiosos de fenômenos sociais.

RECIFE, 1924

Encontro em Agripino Grieco uma espécie de Mencken brasileiro que tivesse também alguma coisa de um Léon Daudet: do Daudet que se ocupa de literatura às vezes de modo triunfal. E que conheci em Paris.

Tem A. G. uma flama, uma cor, um arrojo na sua maneira de ser não só crítico como insurgente em assuntos literários (nos sociais e políticos e, marginalmente, nos literários já o Antônio Torres anima as modernas letras no Brasil da trepidação de que carecem) que nos dá esperanças de uma fase de renovação intelectual e estética no nosso país, impossível de ser atingida sem alguma violência. Admito que haja nele excessos. Que um neoverbalismo o faça resvalar em exageros semelhantes aos que tornam o Rui e o próprio Euclides escravos, às vezes, em vez de senhores, das palavras. Sobretudo dos adjetivos. Adjetivos que os conduzem a espaços ou domínios que não são os da autêntica mas os da falsa literatura: da retórica, da oratória, quando muito da eloqüência.

Devo a J. L. do R. minha iniciação em A. G. Também J. L. do R. já me iniciou noutros "novos" que trazem de fato um novo vigor à literatura brasileira: Ronald, Renato Almeida, Mário e Oswald de Andrade, Tasso da Silveira, Andrade Murici, Alceu Amoroso Lima, Jackson de Figueiredo (deste já me falara Fidelino em Lisboa como dos dois Andrades me haviam falado em Paris Tarsila do Amaral e Brecheret, com os quais convivi em café de gente de vanguarda nas artes). Também são de interesse – de grande interesse – novos pensadores como Pontes de Miranda, Vicente Licínio Cardoso, Oliveira Viana, Fernando de Azevedo, que se juntam a Gilberto Amado e Roquette Pinto – sem nos esquecermos do extraordinário João Ribeiro –, todos já meus conhecidos, para a realização de uma obra renovadora da cultura brasileira. É uma cultura que precisa justamente do que eles lhe estão começando a trazer: novas perspectivas. Necessitamos de novo sentido de relações da Brasil com a Europa. Com a Europa e com os Estados Unidos. Também de uma nova consciência de nossas origens africanas e de nossas raízes ameríndias.

Recife, 1924

Estava um desses dias com J. L. do R. num café quando passou pela Rua do Imperador um rapaz muito rosado e de pele muito lisa – quase de galã de teatro – que eu já avistara antes. Perguntei a J. L. do R. quem era. J. L. me informou então ser "um caixeiro chamado Luís Jardim". Mas soube depois pelo meu irmão Ulisses que esse Jardim é também artista e lê o seu inglês. Desenha. Uma rara inteligência. Homem de bem. Filão de boa família de Garanhuns, onde seu pai e seu tio foram trucidados numa luta entre os Jardins e os Brasileiros.

J. L. do R. é hoje, com meu irmão Uisses, minha melhor companhia no Recife. Esplêndida companhia. Por seu intermédio já conheci outros jovens intelectuais (um, o O., com bastante mais idade que qualquer de nós dois, outro, S. R., da minha idade. J. L., este é apenas um ano e pouco mais moço do que eu. O O. M. é muito perspicaz e tem boas leituras, gosto literário, sensibilidade, senso crítico. O que é certo também de S. R.

O. usa um chapéu terrivelmente felpudo que é um horror de chapéu. O mais antitropical dos chapéus. Não sei como ele o suporta, no calor dos meios-dias recifenses. Ele, porém, poderá dizer o mesmo das roupas inglesas que eu uso heroicamente aqui. Das minhas meias de Oxford. Das minhas flanelas de Londres. A grande revolução a fazer-se quanto antes no Brasil não deve ser nem para mudar-se de regime de governo nem sequer para transformar-se esta desajeitada República em organização sindical – como me parece desejável –, mas para mudar-se de estilo de vestuário. Precisamos de nos vestir brasileiramente, repudiando anglicismos e francesismos impróprios de nosso clima.

Recife, 1924

Meu primo C. B. de M., que é delegado de polícia, insiste em me advertir contra o perigo de andar demasiadamente em companhia de J. L. do R. A verdade é que é sobretudo malvisto pelo governador atual, o Sérgio Loreto. Andou escrevendo uns artigos de oposição ao ilustre juiz; e o ilustre juiz – agora governador – acostumado a vida toda a ser magistrado, merecedor do respeito absoluto dos seus concidadãos, tendo se tornado político, estranha que pintalegretes da marca de J. L. do R. ousem escrever contra sua sagrada pessoa.

Meu Tio J., que é muito amigo do governador, já me fez sentir que, continuando a andar com J. L. do R., não serei nomeado diretor da Biblioteca Pública: cargo que não pleiteio. É idéia – segundo me dizem – de amigos meus.

Mas também de um amigo, que mal conheço, do governador Loreto: Solidônio Leite. Repito porém que não estou interessado no assunto. Se for nomeado, muito bem. Se não for nomeado, paciência: percam-se os anéis, mas salvem-se os dedos. Percam-se os cargos, mas salvem-se os amigos. E J. L. do R. é meu amigo. Amigo já fraterno. Quase outro irmão – além de Ulisses, também tão meu amigo. Meu e de J. L. do R.

RECIFE, 1924

Meu plano para uma publicação comemorativa do 1º Centenário do *Diário de Pernambuco*, que, sendo da capital de Pernambuco, é o jornal mais antigo em circulação na América Latina; apresentei-o ontem ao diretor do *Diário,* C. Lira Filho, que me solicitara esse trabalho. É o seguinte:

1. América Latina e Estados Unidos, os últimos cem anos, com especial interesse ao desenvolvimento social, econômico e intelectual e artístico das Américas – principalmente a Latina e suas relações com o Brasil. Inquérito às modernas tendências nesses países.

2. O Brasil nos últimos cem anos – especial interesse ao desenvolvimento social, econômico e intelectual e artístico. O Brasil e Portugal. O Brasil, nação hispânica. Colaboração de Oliveira Lima, Fidelino de Figueiredo, Antônio Sardinha, Gilberto Amado, Aníbal Freire, Assis Chateaubriand, Medeiros e Albuquerque, Oliveira Viana, João Lúcio, Capistrano, Roquette Pinto, Barbosa Lima Sobrinho, Elísio de Carvalho.

3. O Nordeste brasileiro – sua geologia, sua significação nacional, suas possibilidades econômicas, seus pontos de contato e de diferença com outras regiões do país. Colaboração de Manuel Bandeira, Odilon Nestor, A. Fernandes, Luís Cedro, Samuel

Herdman, Carlos Lira Filho, Leite Oiticica, Elói de Sousa, Henrique Castriciano, José Américo, Rafael Xavier, Gaspar Peres, Ademar Vidal, etc.

4. Pernambuco nos últimos cem anos e resumo de seus antecedentes. Especial interesse a: história da família como unidade social e econômica (aristocracia rural dos engenhos); história industrial; história comercial; história da viação, história da educação e ensino (especialmente faculdade em relação ao Nordeste); história de atividades da Igreja (pias, etc.); história particular de grandes corporações (Hospital Português, Instituto Arqueológico, Histórico e Geográfico); história de serviços sanitários, d'água, etc.; serviços de assistência social; história das artes – arte cívica, arquitetônica, eclesiástica, móvel, artes populares; antiguidades ainda de pé; sua proteção. Legislação social em Pernambuco nos últimos cem anos; história intelectual (academia, bibliotecas, etc.); história anedótica. Pesquisas científicas em Pernambuco nos últimos cem anos. Viajantes ilustres nos últimos cem anos. Inquéritos da vida e atividades nos municípios (mapas dos municípios).

O plano, repito, que foi pedido pelo Carlos Lira Filho, diretor do *Diário*. Ele acaba de aprová-lo com entusiasmo. É um plano regionalista, hispanista e americanista. Situa o Recife nos vários conjuntos de que ele é na verdade parte essencial: o conjunto regional nordestino; o conjunto brasileiro; o conjunto hispânico; o conjunto americano. Plano, bem sei, ideal. Não poderá ser realizado. Mas planejar trabalhos em termos ideais não é mal que deva ser sempre evitado. O quixotismo nunca deve ser de todo evitado. Ou de todo substituído por um realismo *à la* Sancho.

RECIFE, 1924

Achei outro dia uns restos da minha "'coleção de palavras" (idade do colecionador: 11 para 13 anos). A coleção chegou a se espalhar por uns três cadernos. Era como se fosse uma coleção de selos. Não tinha nenhum sentido lógico. Não tinha relação nenhuma com os trabalhos do colégio. As palavras iam para a coleção por um interesse todo pessoal e sensual: para um gozo mais descansado delas pelo colecionador; para uma carícia mais demorada (as suas formas pelos olhos e o mais pelos ouvidos e até pelo paladar do recolhedor) e, ainda, para satisfazer no mesmo recolhedor um como desejo de propriedade.

Eram palavras, algumas delas, que me atraíam por causa do som; mas o maior número pelo puro sabor das suas formas. Pela graça sensual dos seus contornos. As palavras com W ou V ou Y tinham para os olhos do colecionador particular encanto. As palavras começando por v ou com um v no meio ocorrem com freqüência nos retalhos da coleção (o que pode ter um sentido psicanalítico): fulvo, verdor, cravina, violeta, violáceo, laivo, silvo, vinheta, ovante, vestal, vibrátil, vívido, lavra, vulpino, vertex, lavor, venal, viperino, bravio, Entre as palavras com "w" e "y" várias inglesas, inclusive *wagon, away, swan, swell, yearling*. Outras palavras no resto do caderno, algumas hoje antipáticas ao colecionador, como ao adulto, certas namoradas do tempo de menino: auréola, gineceu, hosana, escrínio, sutil, pulcritude, jato, zéfiro, paladino, baldaquino, corifeu, caule, tipificar, frígio, plêiade, acre, esmeralda, fulgurante, dossel.

Isto me leva a notar expressões minhas, algumas com combinações novas de palavras – e entre essas palavras, não poucas das estimadas por mim, com particular ternura desde meus dias de menino que vêm sendo repetidas por outros, nem sempre com indicações da origem. Sinal de que têm algum *it* ou *glamour* para outros olhos e ouvidos, além dos meus: "franciscanamente lírico", "um Ford todo osso", "barbas tristemente brancas", "molemente maduro", "tristonhamente virtuoso", "boca em bico de prógnato", "melancolicamente acinzentado", "num doce esforço", "como uma acre volúpia", "num langor todo mole de doença", "ruas de doces sombras", "de uma verticalidade arrogante de atitudes", "igrejas gordas", "voz oleosa", "pessoalzinho ralo", "igrejas brasileiramente amarelinhas", "gorda comida de engenho", "verde beleza de adolescente", "mulheres de gordo corpo maduro", "pastéis untuosamente eclesiásticos", "esforço acre", "adstringência de expressão", "agudos relevos góticos", "volúpias rasteiras", "brilhos vivos de ação", "acre fragrância", "vida deliciosamente lírica", "frescor todo lírico de expressão", "contorno sensual de idéias", "um ritmo todo novo de expressão", "hanesmanismo estandardizador", "gosto todo afrancesado" (Conde da Boa Vista), "horrivelmente tristonho", "aquele seu rosto agudo de polichinelo", "bochechas de quem sopra corneta", "a mais oriental e mole das preguiças", "vida cinzentamente puritana", "reis castrati do constitucionalismo", "menino de luto da própria meninice", "rei que governa como governante inglesa", "tudo pelo só critério moral", "calvinismo político", "imperador de cartola liberal", "conselheiros e titulares [os do Império] do tamanho de conselheiros e titulares de Eça", "paisagem dura e acre", "relevo festivo de cor", "sabor bem da terra", "requeime de fáceis amores", "descansado de seu", "figura estranhamente gótica", "flama criadora".

RECIFE, 1924

Ontem, Ulisses meu irmão me surpreendeu com um "veja se isto presta". Era um conto. Um conto inspirado na técnica de O. Henry. Li-o com o maior interesse. Mas tive que concluir dizendo a Ulisses: "não presta". Uma pena.

Entretanto a U. não falta, a completar-lhe a inteligência, algum senso dos valores literários. Tenho lhe dado a ler, em inglês, em francês, em espanhol, uma variedade de livros, acompanhando suas reações a essas leituras. Excelentes reações. É com quem mais posso conversar sobre letras e autores literários. Reagiu esplendidamente bem ao *Portrait* de Joyce. A Huysmans. A Baroja. Mas quanto a talento para escrever, este lhe falta.

RECIFE, 1924

Almoço na casa da Rua da Aurora de P. P. Peixada maravilhosa preparada pela própria Laura, grande prima minha (Wanderley, Alves da Silva), esposa de Paranhos, neto do Visconde e sobrinho do Barão do Rio Branco. Vinho francês. Licor francês. P. P. pode viver endividado. Mas passa bem e recebe fidalgamente os amigos que, entretanto, seleciona. Sua hospitalidade não é da que se abre para muitos, indistintamente. Seleciona. Como a de minha Mãe em nossa casa.

É uma casa onde se come do bom e do melhor, a de P. P. no Recife. Tanto quanto na do Engenho, onde a especialidade é o pitu do rio Una e a hospitalidade igualmente orientada pela seleção. Daí haver quem acuse P. P. de *snob*. Ou diga que já não é fidalgo, imaginando que esnobismo e fidalguia não se juntam. Fidalguia de engenho será hoje a da mesa aberta a todos?

O rio Una: cresci ouvindo falar em rio Una. Nele e no seu pitu. Também em Tamandaré: "aí devia ser o porto de Pernambuco", sempre me disse meu Pai, repetindo à minha meninice o que, menino, ouvira do meu Avô.

Explica-se assim que ao rever, com P. P., Tamandaré, o Una, Serinhaém, Rio Formoso, Água Preta, Porto Calvo e, ao longe, a ilha de Santo Aleixo, eu tenha tido uma perfeita impressão de *déjà vu*; e ao saborear pitu em Japaranduba o tenha saboreado com alguma coisa de equivalente ao *déjà vu* no paladar: sentindo no seu gosto um delicioso gosto conhecido. Conhecido e amado.

PARAÍBA, 1924

J. L. do R. me faz conhecer o seu grande triunfo paraibano: é J. A. de A. Um triunfo, na verdade. Não se confunde com a mediocridade intelectual que aqui, como em Pernambuco, tenho conhecido. Destaca-se do próprio D. D. F.

Muito míope, feioso, um tanto desajeitado nos modos. Mas dominando esses traços negativos, uma força de personalidade que se faz sentir de maneira irresistível. Não se faz sentir pela ênfase nem dos gestos nem de palavras. É uma força suave. Suave porém marcada por uma energia interior capaz de se tornar, sendo preciso, exterior. Ligo-a às suas páginas sobre Augusto dos Anjos; e concluo que são bem a expressão do seu "eu" em face de outro e poderoso "eu". É um escritor. Euclidiano, por vezes, em sua frase, a forte personalidade não permite que nele o estilo deixe de ser o homem.

RECIFE, 1924

Sinto não ter procurado conhecer George Moore em Paris. Um instante, que fosse; de conversa com o autor de *Confessions of a young man* teria significado muito para mim. O mesmo com relação a Joyce. Felizmente conheci Yeats e Padraic e Mary Colum. G. B. S. é que cada dia me seduz menos. Sua graça não é o meu gênero. Os irlandeses que me interessam são outros: os irlandeses em profundidade e não em superfície. Com os Yeats e os Joyce sinto que são grandes as minhas afinidades. Os irlandeses de Oxford me adotaram como pessoa e eu me senti entre eles muito *at home*. Foi uma tolice minha não ter ido à Irlanda. Não que eu simpatize com a causa política da Irlanda contra a Inglaterra. De modo algum. Minha afinidade com a Irlanda é de outra espécie.

RECIFE, 1924

O. M., que quase como meu irmão U. lê inglês – o bastante para gozar valores literários em língua inglesa – está, tanto quanto U., a vibrar de prazer com certos livros na verdade excitantes em que os venho iniciando quase como em aventuras de gozo físico: Walter Pater; Newman, Melville, Joyce, George Moore, o Havelock Ellis de *Impressions and comments* (não o sexologista), Bertrand Russell. De Chesterton, O. M. me devolveu o *Orthodoxy* dizendo-me que o livro não provocara nele o entusiasmo esperado. Sugeri-lhe leitura mais atenta dos ensaios do inglês, aliás já revelado ao Brasil por Gilberto Amado. Dessa segunda leitura O. M. acaba de emergir quase fanático do autor de *Orthodoxy*. Até lá não vou eu.

RECIFE, 1924

Venho encontrando um prazer todo particular em folhear a coleção, quase completa, do *Almanach de Lembranças Luso-Brasileiro* deixado por meu Avô Alfredo. Cada volume revela alguma coisa desse avô, tão amigo de meu Pai. Meu Pai foi o seu filho predileto. Esse velho Alfredo, não o conheci. Nos almanaques marcava a lápis artigos que apreciava. E a lápis registrava suas soluções de charadas.

Ninguém deu ainda a atenção devida à importância que a charada chegou a ter para nossos avós e bisavós do mundo inteiro de fala portuguesa. Aproximou charadistas que viviam – e sempre viveriam – a distâncias enormes uns dos outros. Uns em Portugal. Outros nas Áfricas e no Oriente. Vários no Brasil.

Um desses foi o meu Avô Alfredo. O *Almanach de Lembranças* parece ter se tornado parte, além de intelectual – não se subestimem os almanaques – sentimental, de sua vida.

Leitor desse excelente *Almanach* ele parece ter sido dos mais devotados entre os brasileiros do seu tempo. O que não significa que essa fosse sua leitura única. Na casa-grande do Engenho Trombetas, como na sua casa da Rua do Alecrim, viveu cercado de livros, alguns dos quais meu Pai foi herdeiro. Livros sérios. Sua preferência era por obras de História – repito o que já escrevi neste diário. Alexandre Herculano, o seu historiador máximo. Mas estendia seu entusiasmo a Oliveira Martins – com quem não deixou de ter afinidades de caráter pessoal – e Latino Coelho. Fora da literatura rigorosamente histórica, foi leitor, também entusiástico, de Garrett e de Rebelo da Silva. E Camões, sabia grande parte de cor, como sabe meu Pai.

RECIFE, 1924

Banho no Passarinho com os médicos. Esses médicos, meus camaradas, são Ulisses Pernambucano, Edgard Altino, Arsênio Tavares, Selva Júnior, Fernando Simões Barbosa (que nunca fica de todo nu: desce ao rio de cuecas. Por que será? É homem muito apreciado por senhoras elegantes).

Quase meu camarada é Amauri de Medeiros. Entretanto, está sempre estranhando que eu não o corteje, como ele desejaria ser cortejado. É inteligente, simpático, brilhante, até. Mas, sobretudo, vaidoso.

Vaidoso eu sou também. E como diz o ditado: "dois bicudos não se beijam". Nem se aproximam.

Ulisses P. é, de todos, o mais lúcido, o de visão mais larga dos homens e das coisas, com uma capacidade extraordinária para administrar e não apenas para liderar. Se há aqui quem tenha discípulos é ele.

Estácio fez bem em confiar-lhe a direção do Ginásio. Ele vai ser um renovador. Não sabe ser, na administração, um puro burocrata. Seu trabalho na direção da Escola Normal foi uma maravilha de organização e de renovação.

O que se alega contra ele? Que é erótico. Que atrai mulheres: inclusive jovens. Que fascinou normalistas.

Com suas qualidades extraordinárias, ele tem direitos, nesse particular, que não tocam a simples burgueses. Precisamos de reagir contra o igualitarismo ético: é absurdo. Não se compreende que a um indivíduo superior, como é U. P., queiram os catões aplicar as mesmas exigências de moral sexual que a um burguês. Se eu dissesse isso ao meu amigo Dom Miguel Valverde, Arcebispo, ele talvez se assombrasse. Menos, porém, do que eu suponho. A Igreja Católica é discriminadora nos seus julgamentos éticos. Não é estandardizada como o protestantismo.

SERRA GRANDE, 1924

Visita a Serra Grande. É o atual reduto dos Lira. Grande e moderna usina. Notável criação de gado. Expressão da forte e firme vontade de um homem singular: o Coronel Carlos Lira. Recebe-me magnificamente. É um senhor de engenho com muita coisa de industrial moderno. Sobra-lhe em firmeza de ânimo e vigor de vontade o que falta ao filho Carlito. Carlos Lira Filho é uma vontade sempre em crise. Dirige o *Diário* como se fosse um personagem de Eça, inventado para simbolizar a decadência da força de vontade entre portugueses e uns tantos brasileiros, descendentes de portugueses. O que o *Diário* tem de afirmativo é expressão de personalidade do patriarca de Serra Grande. Infelizmente, está doentíssimo. Sem ele, o *Diário* continuará com os Lira? Disse-me já C. L. F. que eu me preparasse para substituí-lo na direção do jornal. Até onde irá esse seu propósito? E quanto a mim – até onde estarei inclinado a dar à minha vida este rumo: o de diretor do *Diário de Pernambuco*? Falo de C. L. F. como uma *vontade* sempre em crise. Esse não será também – de modo um tanto diferente – o meu caso? Não digo que seja exatamente uma vontade em crise. O que está sempre a flutuar em mim é o *propósito* de vida. Mais do que isto: o *motivo* de viver. A *motivação*.

RECIFE, 1924

L. A. conhece umas "mulheres da vida" que vivem suburbanamente nos arredores de Iputinga. Como ele às vezes se junta aos domingos ao nosso grupo de ciclistas, já há uns três domingos temos ido ver as "meninas de Iputinga". Um caso curioso de mimetismo social: são mulheres da vida que, moradoras de uma rua de subúrbio, pretendem parecer moças de família. Simulação que evidentemente as valoriza.

Sob esse disfarce, elas vêm desenvolvendo uma identificação tal com seus modelos, que no falar, nos gestos, nos modos parecem, na verdade, antes moças de família que mulheres da vida. Com relação aos visitantes ciclistas, adotam uma interessantíssima atitude; a de namoradas dos para elas quase três príncipes que somos nós: U., J. T. e eu. Às vezes também L. A.

Uma diz, agradando U.: "Este é meu e só meu". Outra lança os braços sobre J. T., dizendo: "Ninguém me toma este bolo-fofo" (alusão às bochechas de J. T.). A terceira me proclama seu namorado e não deixa que nenhuma outra toque em mim.

Um jogo, que não deixa de ser comovente, esse, de mulheres da vida a fazerem de conta que são família. Quando ouvem o tilintar das campainhas de nossas bicicletas se alvoroçam como se fossem colegiais a saudarem namorados adolescentes. Há nisso alguma coisa de triste que me comove.

RECIFE, 1924

Venho recebendo cartas de Monteiro Lobato. Na última, ele escreve: "Pobre Gilberto Freyre! Tem muito viva a marca, o signo terrível que põe contra um homem a legião inteira de medíocres..."

RECIFE, 1924

Minha bicicleta é uma Raleigh, inglesa como ela só. A melhor das bicicletas, creio eu. Tem o seu quê de feminino, porém é, também, como boa criação inglesa, uma bicicleta amiga, confidencial, que às vezes é como se fosse do mesmo sexo do dono de quem se torna aliada sem se tornar servil.

Ela sabe até de segredos meus. Conhece os meus caminhos prediletos. O tempo de minha preferência para excursões mais longas.

Adotou o clima tropical sem deixar de se mostrar britanicamente contente de rodar, em dias de chuva, pelas terras molhadas de aguaceiros. Sinto nela um prazer especial em não evitar de todo poças de lama mais macia. Creio que rodando por elas mate saudades das águas de chuva inglesas.

Hoje creio que a domino como um acrobata ao seu trapézio e não apenas como um ciclista qualquer a sua boa e ágil máquina. Faço com ela o que quero. Danço. Bailo. Dou, com ela, *shows* de quase bailarino russo que bailasse sobre duas rodas e por vezes sobre uma só. Posso rodar sobre ela a grande velocidade em pé sobre a montaria. Desafiando perigos. Perigos que ela evita por mim como se fosse já uma minha doce amante e não uma simples bicicleta inglesa desgarrada no trópico.

RECIFE, 1924

Com P. P. já percorri toda a zona mais antiga de engenhos de Pernambuco e de Alagoas, tendo ido às da Paraíba com J. L. do R. Os engenhos do sul de Pernambuco e de Alagoas são de um tipo; os do norte de Pernambuco, de outro; os da Paraíba, de outro. E claro que as semelhanças entre eles são maiores que as diferenças. Mas há os três tipos. Preciso de conhecer os do Recôncavo baiano e os do Rio de Janeiro.

RECIFE, 1924

Grande dia em Igaraçu. É de fato uma cidade onde o tempo parou. Um silêncio tal que parece postiço: para inglês, não digo ver, mas ouvir, não ouvindo. Um silêncio clínico. Quimicamente puro. Igrejas velhas, quase abandonadas, como preciosidades ainda intocadas pelas mãos velhacas dos agentes de antiquários. Umas freirazinhas pobres, de chinelos sem meias, cuidam dos altares e dos santos. Parecem as criaturas mais felizes deste mundo. Vivem mais para seus santos e para os mais pobres do que elas. Talvez sejam felizes. Talvez, não. Ninguém sabe quem é mesmo feliz, e quem não é.

PALMARES, 1924

Excursões a cavalo com Pedro Paranhos, senhor de Japaranduba e tendo por centro esse seu velho e imenso engenho, onde Dona Laura (que é Wanderley) preside a almoços de pitu verdadeiramente esplêndidos. A casa-grande é que me parece ter sido descaracterizada pelo arquiteto A. de O. O arquiteto, de muito ter estado na Europa, parece ter perdido de todo o sentido brasileiro da paisagem, do meio, do ambiente, da casa.

Do que ele precisava era de reintegrar-se neste meio como eu estou procurando me reintegrar e tendo por guia um Pedro Paranhos. Esta semana fomos duas vezes a cavalo – eu num cavalo enorme: um desses gigantes como os que se vêem muito na Europa mas são raros aqui – às matas de Japaranduba. Inclusive à parte delas que tem fama de ser ainda virgem. Não creio muito nessa virgindade absoluta mas na verdade são matas que parecem guardar como poucas seu mistério dos dias dos primeiros contactos dos europeus com as selvas americanas. Há no meio delas um mistério deveras empolgante. O que há de vida invisível nestas matas é o que mais me empolga. É uma vida que se faz mais adivinhar, do que anunciar por mil e um rumores, alguns sutis como se viessem de outros mundos. Alegram-me a vista palmeiras que sempre me deixam os olhos cheios de entusiasmo pela natureza brasileira, pois são rivais das exóticas e talvez de uma graça mais agrestemente tropical. Com toda esta beleza de vegetação, nossos estetas municipais enchem as cidades de figueiras-benjamins. É uma lástima. São uns cretinos.

De volta das matas, jantar e serão. P. P. abre uma velha secretária e me mostra o que lhe resta de papéis do pai que era dos mesmos Ferreiras de Tia Dulce, mulher do velho Cícero, meu tio-avô. Muita coisa interessante. Inclusive cartas do Visconde do Rio Branco para o genro, isto é, o Ferreira pai de Pedro. Cartas que sempre começam mais ou menos assim: "Exmo. Senhor e Meu prezado genro". Pedro me oferece várias cartas do seu arquivo. Inclusive uma de Joaquim Nabuco.

RECIFE, 1924

Em Palmares, mostrando-me o Engenho Trombetas, que foi de meu Avô Alfredo. P. P. me confirmou o que eu já ouvira de meu Pai: o velho Alfredo não foi barão porque não quis. O Barão de Santo André, seu amigo, quis muito que ele aceitasse o título. Alfredo recusou. O pai de P. S. foi também dos que recusaram o título de barão. Esquisitice de Alfredo, meu Avô, que, segundo meu Pai, era, além de monarquista, escravocrata. Por que não barão? Talvez influência de Herculano.

Em Palmares, P. P. me apresentou meu Tio-Avô Manuel da Rocha Wanderley. Wanderley decadente. E carcereiro de Palmares, função que desempenha como se fosse Ministro de Estado. Entretanto, esse, decadente numas coisas, noutras não, é um nórdico lapougiano. Louríssimo, vermelho, alto, magro, ainda esbelto. Um nórdico que nos dá a idéia de sobre ele o trópico não ter tido nenhuma ação amolecedora. Seu porte é altivo. Seus modos são fidalgos. Sua voz é que é fanhosa, arrastada, lenta, preguiçosa, como aliás a da minha Tia Feliciana. A voz dos Wanderley. A voz dos Wanderley, como que preguiçosa. Seus gestos são também lentos. Seu andar é o de um militar à paisana. Como bom Wanderley, é amigado com uma preta. Não constituiu família. Gosta de cavalos. Monta bem a cavalo. Também gosta de passarinho e de galo de briga. Toma seus tragos mas não é beberrão: a sina – a dipsomania – de não poucos Wanderleys. "Não há Wanderley que não beba", diz o folclore. Isto mesmo, o folclore já consagrou esse defeito dos descendentes de Gaspar: capitão de cavalaria, talvez alemão de origem, que, casado com uma Melo, trineta ou bisneta do primeiro Melo senhor de engenho no Brasil, fundou a família. Seria dado a bebidas fortes, como bom nórdico de país sem vinho próprio, como a Holanda, em que parece ter se estabelecido vindo da Alemanha como Nassau?

RECIFE, 1924

Meus amigos médicos insistem em me iniciar nas intimidades de suas ciências. Ou de suas técnicas.

Com U. P. tenho passado manhãs inteiras no Hospital – como se denomina – da Tamarineira, observando comportamentos anormais nos seus extremos. Interessante observar esses extremos do que, em formas menos intensas, é, afinal, em muitos casos, o comportamento humano quando apenas começa a transbordar do chamado normal no chamado anormal. Nesses começos de transbordamentos, vivemos, aliás, muitos de nós. Ou vários de nós. De modo que alguns dos casos da Tamarineira são apenas exageros do que somos. Alguns monstruosos exageros. São tristes. Tristíssimos. Tristíssimo é, na verdade, o indivíduo que perde de todo, ou quase todo, o controle de si mesmo.

A. T. me tem levado a observar algumas de suas façanhas de cirurgião para quem a cirurgia tem alguma coisa de arte. Ou muito de arte.

Suas mãos, mexendo em órgãos que parecem intocáveis, realizam obras-primas de cirurgia interna. Tenho acompanhado com emoção algumas de suas intrusões em entranhas humanas. Curioso que sendo o trepidante que é, operando, A. T. age sem nervosismo algum. O nervoso, seguindo-lhe a perícia das mãos, sou eu.

RECIFE, 1924.

A. F. é um dos meus velhos amigos daqui. Há outros: Edgar P. R. de B. e José Tasso. Amigos do tempo do Colégio Americano. A. F. me adverte contra os novos amigos. Para ele, como para a gente toda do *Diário de Pernambuco*, a começar pelo C. L. F., o J. L. do R. é um cafajeste. Aliás, um delegado de polícia meu amigo – amigo e primo – repito que já me advertiu: "Se você não quer ficar malvisto pelo Governo, deixe de andar com esse J. L. do R.: até em escândalos com mulheres ele está metido". P. P. é discreto mas não deixa de comentar: "Ele é de origem boa, de boa origem pernambucana, mas o C. tem razão: é meio acafajestado". A. F. tem a mesma opinião acerca de J. L. do R. A. F. me adverte também contra O. M.: "É o nosso Barrèsinho. Já leu o seu romance? Medíocre. Abaixo de medíocre".

Tenho que pisar em ovos para conciliar amizades vindas de meios tão desiguais. A verdade é que meu maior amigo, nestes dias difíceis de readaptação ao Brasil que venho atravessando, vem sendo meu irmão U. A ele venho fazendo ler os livros dos meus autores prediletos, de modo a termos assuntos para nossas longas conversas. A verdade é que ele está ficando quase doutor em assuntos quase desconhecidos do brasileiro. Mesmo o brasileiro culto. Doutor em livros de James Joyce, Thomas Hardy, Ganivet, Unamuno, George Moore, os Lawrence, Henry James, Meredith, Walter Pater, Newman, Maurras, Mencken, Psichari, Léon Daudet, Chesterton. Marx ele já conhecia. Já conhecia Whitman. Em alguns desses venho iniciando o O. M., que lê francês e inglês, e não apenas espanhol, como é o caso de J. L. do R., que apenas arranha um francesinho aprendido no colégio. Mas sua avidez pela literatura de que lhe falo, em conversa, é impressionante. Daí eu lhe fazer às vezes resumos de alguns autores ou de alguns livros: o *Portrait*, de Joyce, por exemplo. Romances de Hardy. Aliás, até lições de inglês venho lhe dando. Mas muito sem jeito: não sei ensinar. Não sou didata.

RECIFE, 1924

No que eu gostaria de me empenhar de modo completo seria num estudo total de uma rua típica do Recife. De preferência uma rua do bairro de São José. Mas poderia ser de São Pedro ou de Santo Antônio. Um estudo da vida íntima da rua. Um estudo antropológico, psicológico, sociológico do seu conjunto: casa por casa, sala por sala, quarto por quarto, habitante por habitante. Atitudes e relações com outras ruas. Observação, mensuração, interpretação através de uma participação intensa de observador na vida observada. Empatia. Para isto eu teria que morar algum tempo na rua sob observação. Teria que viver como se fosse uma pessoa de casa e não um intruso. Teria que namorar uma menina da rua. Que ganhar a confiança dos velhos e das crianças. A simpatia das donas de casa.

É já um pouco o que tenho feito em várias ruas de São José: uma delas, a que guarda o nome lírico de Rua dos Sete Pecados Mortais. Tenho notas a respeito dessa e de outras ruas antigas do Recife: do seu cotidiano mais íntimo e não apenas do mais pitoresco. No Pátio do Livramento descobri um mulato velho, parente bastardo da minha gente materna. E professor de dança. Tem me facilitado o acesso a muita intimidade recifense que sem esse mediador ideal eu talvez não conseguisse nunca conhecer. Outro elemento de ligação minha com a pequena gente média: meu Tio José Maria. Um decadente que conhece muito recanto do Recife a que só um decadente como ele poderia levar-me.

RECIFE, 1924

Recebo uma carta de um padre – João Firmino Cabral de Andrade – que me escreve de São Bento, entusiasmado com um artigo meu sobre o "Jesus de Renan". Diz que nos sertões, "cumprindo a missão de pároco humilde", não perde o entusiasmo pelos "escritores e pensadores que vêm renovando o Brasil" e conclui: "Mil graças à Divina Providência, que, sem aparato, continua a suscitar homens que influem na sociedade em que vivem". Gostaria de conhecer esse padre. Esse padre sertanejo que vive em contacto com o Brasil do interior, sem deixar de interessar-se pelas atualidades intelectuais européias e do litoral brasileiro. Aliás, meu artigo não é de católico. Quando muito, de paracatólico.

RECIFE, 1924

Recebo carta de Regis de Beaulieu, meu melhor camarada de aventuras parisienses; e discípulo amado de Maurras, embora me tenha aproximado também dos sorelistas. Escreve ele: "Je suis si loin de vous avoir oublié que hier soir à peine, causant avec Miss R. qui est de retour par quelques mois, je me plaisai a évoquer le souvenir de l'homme de monde, de l'écrivain et de l'artiste que vous êtes et que nous partagions le même regret de ne pas vous voir...". Acrescenta ter inveja da vida que eu começo a viver: "j'envie votre existence mâle, active, intelligente et libre. Comme je souhaiterais être à votre place!" No que talvez se engane. Faz este comentário sobre a morte de Rui Barbosa: "J'appris la mort de votre (compatriote), le verbeux Barbosa". E me dá, amargo, esta notícia: "Maurras qui s'étant présenté à l'Academie Française, avait été battu par J. C'est tout un poème... J. qui n'a d'autres mérites que ceux d'un multimillionaire et politicien" que estaria concorrendo para "l'américanisation (United States) de notre civilisation européenne..." E ainda: "à la suite de cette élection nous avons promené du haut du Boulevard Saint Michel jusqu'à l'Institut, un petit âne habillé de vert...". Termina: "Dites-moi votre vie brésilienne qui doit être plus large que notre vie..." Fico sem saber responder a cartas como a de R. de B. e as que me têm chegado da Inglaterra. Estou num mundo tão diferente daquele em que vivi com esses amigos em Paris e em Oxford que não me sinto com o ânimo de lhes explicar o que encontrei no Brasil: o mundo em que vivo aqui. Ou em que procuro viver. Suas cartas ficarão sem resposta.

RECIFE, 1924

Vem nos visitar meu tio-avô Wanderley: o velho Neco. Tipo de fidalgo arruinado. Muito vermelho, muito louro, muito alto, muito nórdico como vários dos Wanderley do grupo mais endogâmico da família e porventura mais fiéis aos antepassados germânicos: Wanderley, Lins, Holanda. Voz arrastada: outro característico dos Wanderley. Andar senhoril mesmo na desgraça. Dizem-me que sempre amigado com mulheres de cor. Não casou. Do irmão, Sô, se diz que, nu da cintura para cima, nos dias de calor, conservava-se sempre de botas de montar a cavalo. Mesmo porque, gordo – ao contrário de Neco –, não andava a pé senão dentro de casa: o mais era a cavalo. Ia meio nu, porém de botas de cavaleiro, defecar nas bananeiras.

1925

Recife, 1925

Sol agressivo este meu sol do Recife. Vejo-o quase esbofetear os estrangeiros, tal a intensidade de luz e de calor com que os obriga a fechar os olhos, a fazer caretas, a contrair músculos, em atitudes comicamente defensivas de homens e mulheres agredidos. Eu próprio, depois de cinco longos anos nos Estados Unidos e na Europa, sob outros sóis e até sob neves e gelos, nos meus primeiros meses de nativo de volta à velha terra da infância, não me senti bem recebido pelo bom sol dos trópicos. Tratou-me como se eu não fosse seu súdito mas intruso ou meteco. Agora estamos de novo em perfeita paz. Saio, como nos meus velhos dias de menino, sem chapéu, de bicicleta ou a pé, por esses caminhos meus conhecidos antigos, alguns dos quais não mudaram; e o sol, em vez de importunar-me, auxilia-me não tanto a ver – porque às vezes ele, por excessivo, perturba-me a visão das paisagens e das pessoas – como a sentir este meu recanto tropical do mundo. Só quem goste de sol, vibre com o sol, sinta com o sol, pode verdadeiramente sentir, amar e compreender o trópico. É pela sua aliança com o sol que Euclides é superior a Machado e a Nabuco como escritor carateristicamente brasileiro. Carateristicamente brasileiro nas suas virtudes de intérprete literário natureza tropical. O que não importa – é claro – em desprezar-se, num escritor brasileiro, o que ele tenha de menos matinal que vesperal. Além de vesperal, de noturno. De saber ser vesperal e às vezes noturno no seu modo misterioso de ligar a literatura à vida, resulta ser Machado superior a Euclides em virtudes psicológicas: aquelas que são maiores, num escritor, que as geográficas. Ou que as sociológicas.

RECIFE, 1925

Experimento maconha. Resisto. Não me leva ao amor. Mas é preciso que guarde o segredo dessa minha aventura. A maconha tem efeitos diversos, conforme a pessoa que a fuma. E pode levar certos indivíduos a cometer crimes.

RECIFE, 1925

Trabalho no *Diário de Pernambuco*, na organização de um livro comemorativo do centenário do jornal, no andar nobre: o ocupado pelo diretor Carlos Lira Filho, que o Recife inteiro sabe ser um viúvo esquisitão. Homem inteligentíssimo, vive isolado e conversa com raras pessoas: um ou outro Pedro Paranhos ou Manuel Caetano ou Pedroso Rodrigues. O cônsul de Portugal, Coimbrão e Pastor. Temos nossas mesas, no mesmo vasto salão. Noto que ele me observa muito. Convidou-me já para sua casa: o que é um escândalo, pois só recebe em casa pessoas muito íntimas, como o Tavares (antigo censor do seu colégio, do qual fez gerente do *Diário*), os irmãos – o padre e o industrial –, o parente Antônio Vicente. Jantar simples: nenhum luxo. Depois do jantar, bilhar (que não sei jogar). Tavares já me sussurrou: "O Carlito deseja V. para genro. Nunca o vi distinguir ninguém como lhe distingue."

RECIFE, 1925

Curioso o que vou te confiar hoje, amigo diário. É sobre o nosso O. M. Como toda terça-feira, depois do jantar, ontem saímos juntos, andando a pé pelas ruas de São José.

Desta vez não acabamos parando na Doninha, e aí ceando galinha assada e tomando chá, que ela nos prepara com o maior esmero. Mas como regionalistas, em vez de iguarias finas e mulheres recém-defloradas na Doninha, o que ontem fizemos foi somente vagar pelas ruas até tarde, saboreando comida de tabuleiro. Comida de rua. Tapioca de negra "baiana".

Essa "baiana" é preta velha e boa que tem seu tabuleiro escancarado em X no Pátio de São Pedro. Adquirimos umas tapiocas ainda quentes. Deliciosas. Saí comendo as minhas duas, O. M., supus que me acompanhasse, saboreando as suas. A certa altura, porém, notei que o excelente amigo apenas fingia comer as tapiocas. Disfarçadamente ia-as jogando fora aos bocadinhos. A verdade é que O. M. não gosta de tapioca como não gosta de peixe frito nem de arroz-doce de rua. O que ele é, em coisas de paladar, é um puro europeu. Parisiense. Mas parisiense da *rive droite* com horror à *rive gauche*. Pelo menos às comidas da *rive gauche*.

Eu, por mim, se por um lado sou entusiasta de caviar com *champagne* e de outras finas iguarias européias, por outro, aprecio, e muito, comidas as mais plebéias e, para o europeu, exóticas. E com relação a certos quitutes, certos doces, sobretudo prefiro os de rua aos feitos requintadamente em casa. Arroz-doce, por exemplo, não há, para mim, como o de rua. O mesmo digo da tapioca. Do grude. As pretas de tabuleiro parece que, no preparo de uns tantos quitutes, dispõem de uns quindins ignorados pelas sinhás brancas. O mesmo me parece certo de certas maneiras da fêmea não só seduzir como conservar o macho: a mulata plebéia é superior à branca fidalga.

RECIFE, 1925

Relações com a M. Pretíssima. Baudelairiana. Conta-me que foi "amante do P.": o elegante P., que P. do que mais gostava era de que ela, M., com suas mãos pretíssimas, lhe desse banho, lhe ensaboasse o corpo fradiquianamente branco, como uma mãe a um filho. Que o chamasse de filho: "Meu filho". Alguma coisa de freudiano nisso. M. me pediu segredo: segredo absoluto.

RECIFE, 1925

De Santayana (como Chesterton se amesquinha num Sancho ao lado desse fidalgo do espírito que é Santayana!) e este reparo no Soliloquies: "There are books in which the foot-notes, or the comments scrawled by some reader's hand in the margin, are more interesting than the text". Não me humilharia o fato de ser autor de um livro que provocasse tais comentários: superiores ao próprio texto. Na verdade, não me atraem os livros completos ou perfeitos, que não se prolongam em sugestões capazes de provocar reações da parte do leitor; e de torná-lo um quase colaborador do autor.

Que os comentários do leitor não sejam sempre superiores ao texto, compreende-se: tais leitores superiores aos autores de bons livros devem ser raros. Raríssimos. Mas quando esses comentários são um enriquecimento às sugestões ou às provocações vindas do autor até o leitor, parecem me realizar do modo pleno o destino de um bom livro, que é sempre este: ser um sexo à procura do outro. Quase sempre, o sexo masculino do autor aventuroso à procura do feminino, receptivo, do leitor sedentário, para que haja encontro, interpenetração, fecundação.

RECIFE, 1925

Depois de *Folkways*, venho relendo com vagar Westermark, Wundt, Ward, o Padre Schmidt, Thomas – agora meus: em volumes que me pertencem. Interessa-me o problema da ética, do ponto de vista sociológico e psicológico. Devo reler Tarde, Durkheim, além de Stuart Mill e do meu velho Spencer. Tudo dentro do um plano de estudos que se prende à análise e à interpretação da situação do menino na sociedade brasileira: histórica e atual. O meu projeto de livro creio que original e revelador. Dos brasileiros: Tobias (*Menores e Loucos*), Lafaiete (*Direito de Família*: livro admirável), Nabuco, Alberto Torres, Sílvio, Tito Lívio do Castro, Perdigão Malheiro estão entre os autores que deverei ler ou reler com o mesmo fim.

RECIFE, 1925

Estamos fotografando – o fotógrafo é meu irmão Ulisses: eu o seu guia – tudo que encontro de reminiscências mouriscas nas ruas mais velhas do Recife. Sobretudo janelas. Manuel Caetano Filho presenteou-me com um par de janelas mouriscas arrancadas a uma casa do beco do Recife antigo: casa que está sendo demolida. Horror de minha Mãe: pode ser de casa onde morreu bexiguento! E tanto fez que me desfiz das lindas janelas mouriscas.

RECIFE, 1925

Ouvi dizer que o L. J., que é homem sisudo e de *pince-nez*, comentou um desses dias na loja de ourives do Moreira: "Não creio na lenda que quer fazer esse Gilberto Freyre homem de estudo ou erudito, além de grande inteligência. Pois se é visto de noite com freqüência nos pastoris e a pandegar pelo Bacurau e de manhã a pedalar de bicicleta pelos subúrbios atrás das mulatinhas!" Esse L. J. é o mesmo que em loja de ourives disse, outra ocasião, estando eu presente: "Não acredito em cultura universitária, nos Estados Unidos: deve ser *bluff* como os próprios Estados Unidos".

Homem sério, direito, respeitável, dizem-me que é esse L. J., e acredito. Mas pertence ao número dos que não se desprendem de convenções: homem de estudo, ele só concebe o livresco. Curvado o tempo todo sobre livros, da manhã à noite. Lendo. De *pince-nez*, como ele. E isto num gabinete de janelas escancaradas para a rua, de modo a ser visto por toda gente que comente: "Lá está fulano lendo! Lá está fulano queimando as pestanas! Lá está fulano fazendo cultura!"

Duvido que alguém aqui leia hoje, de livros sérios na sua especialidade e em literatura e filosofia geral, metade sequer do que eu leio. Conheço as leituras de Andrade Bezerra, por exemplo. Conheço as de Metódio Maranhão. As de Joaquim Pimenta. Vi as bibliotecas de Andrade e de Metódio. Conversei com eles sobre livros. Estão apenas nos primeiros andares da erudição. E padecem do mal de ser livrescos. Não vêem, não observam, não têm contacto com a vida. Não vão a pastoris nem pedalam de bicicleta pelos subúrbios. Nem conversam com gente do povo. Pimenta é populista de boca: boca de orador.

Recife, 1925

Admito que depois de uma meninice, para brasileiro, quase casta, e de uma adolescência também, para um tropical, temperante, comecei em Nova York, depois na Europa, a me entregar a experiências sexuais com mulheres de quase toda espécie com um fervor de quem quisesse recuperar esses tempos perdidos.

Sexualidade que, agora, em contacto com uma natureza tropical excitadora dos sentidos, viesse fazendo de mim mais corpo do que alma, mais sexo do que inteligência. Mas a verdade é que continuo a me sentir tão alma quanto corpo. Continuo a me sentir alma. Continuo a pensar que não há experiência de corpo que não seja também experiência de alma, o contrário sendo também verdadeiro. Acacianamente verdadeiro.

Recife, 1925

Carlos Lira – o moço, mas já homem de seus quarenta e poucos anos (o velho é um rijo velho cuja energia é a dos pernambucanos mais realizadores, rivais dos paulistas no arrojo) – escolheu-me seu sucessor para dirigir o *Diário*. Mas a escolha, sei, por ele próprio, que até choro vem provocando. Que é uma injustiça dar-se a um rapazola de vinte e poucos anos um posto de comando sobre homens já de idade, encanecidos no serviço da empresa, intelectuais conhecidos que ficariam humilhados por essa promoção brusca de quem nem sequer é redator do jornal. Ou é redator especial e extraordinário. A filosofia de Carlito é de que não se trata de serviço público, com promoções de acordo com praxes ou regras burocráticas. Trata-se de um substituto para ele, C. L. F., que é diretor de jornal e não redator-chefe. Eu seria seu substituto. E o seu cargo – o de diretor – não faz parte do mecanismo da redação nem da gerência nem de seção alguma do jornal.

Confesso, entretanto, que o choro de homens feitos me comove. Talvez acabe recusando essa oferta que bem sei ser excepcional. Principalmente partindo de um Carlos Lira Filho. Ele é de fato um homem de tal modo superior ao meio que sua vida no Recife não pode ser diferente do que é: a de um homem isolado, muito da sua família e de uns três ou quatro amigos – inclusive Pedro Paranhos e o velho Manuel Caetano (que já se tornaram, aliás, tão meus amigos, um deles, M. C., até de aventuras boêmias, com mulheres, como se ele não tivesse sessenta e poucos anos e eu vinte e poucos). Nada – para Carlos Lira Filho – de camaradagens de café, de rua, de esquina, de Jóquei Clube. Quase ninguém o vê. A pouquíssimas pessoas recebe no terceiro andar do edifício do *Diário*, onde vive entre velhos jacarandás e velhas pratas. Uma vez por outra relê *Os Maias*. Sente-se às vezes um fracassado (talvez como o outro Carlos, o d'*Os Maias*). Mas o exemplo da fibra de Carlos seu pai como que o sustenta contra tais colapsos ou desânimos de romântico: o romântico que nele se esconde muito bem escondido dentro do realista só na aparência perfeito. A mim ele não engana: é um romântico a dissimular-se num anti-romântico. Duvido um tanto é da sua firmeza de vontade: é uma vontade sempre em crise.

RECIFE, 1925

A. F. alarmado com um meu artigo de crítica ao governo, no *Diário*. Vê-se pelo seu cartão que minha situação junto ao governador é péssima. Sem dúvida vão dispensar-me do "belo" emprego que me foi dado na Administração das Docas: emprego que é para mim uma degradação. Que me dispensem. Será que essa boa gente supõe que com esse emprego compraria minha independência?

RECIFE, 1925

Venho administrando a O. M., que lê inglês, doses fortes de literatura e de filosofia em língua inglesa, por ele desejadas. Trata-se de um mundo de que ele conhecia apenas dois ou três fragmentos. Um pouco de Dickens e um pouco não sei de que mais. A J. L. do R. – que vem estudando inglês comigo – as doses de matéria literária inglesa que venho administrando, também a seu pedido, vêm sendo menores. Um é já adulto. O outro é um bebê intelectual, embora um extraordinário bebê de uma inteligência e de uma sensibilidade que suprem seus poucos conhecimentos das línguas inglesa e francesa. Pois venho também lhes administrando doses de literatura francesa: da que eles quase ignoram e que é a da minha predileção com Pascal, Montaigne dentre os clássicos; Stendhal; e dentre os mais modernos e atuais – Flaubert é bem conhecido no Brasil, ao lado de Gauthier, Renan, Anatole, Zola, Loti (que me parece tão importante), Vigny, Mistral, os Goncourt, Guérin, Huysmans, Maritain, Péguy, Psichari, Maurras, Banville, Georges Sorel, não pela virtude literária mas pelo arrojo do pensar crítico. Alguns desses são aqui desconhecidos: mesmo no Rio.

Dentre os espanhóis, os místicos (La Cruz, Santa Teresa, Diego de Estella e outros) e os pensadores-ensaístas, aqui quase desconhecidos, como Ganivet, Uoamuno, Baroja; Ortega y Gasset, por causa da *Revista*, tem já aqui quem o conheça. Ganivet é de todo ignorado pelos brasileiros. Ou quase de todo.

RECIFE, 1925

O que venho absorvendo de livros em várias línguas estes últimos anos talvez chegue a ser assombroso. Mas sempre procurando dar aos estranhos a impressão de um tanto desdenhoso de leituras, pois detesto a ostentação seja lá de que for: inclusive a de muito estudo, muita leitura, muita devoção à literatura, à filosofia ou à ciência. Trata-se de um esnobismo semelhante ao que venho adotando ao me fingir homem sem formação acadêmica. Esnobismo só, não: uma espécie de hipocrisia. Aliás, o sentido atual de esnobismo é desconhecido no Brasil. Pensa-se ainda no "sem nobreza" em latim.

A essa dissimulação se associa outra, e é a de ler e reler certos autores de minha predileção que guardo para meu exclusivo regalo, só os revelando ou só transmitindo o entusiasmo ou o gosto por eles a raros amigos: a meu irmão Ulisses, por exemplo; a J. L. do R. ou a O. M. Entre esses meus autores, por assim dizer secretos, está George Gissing. Outro é Donne. Ainda outro, Guérin. Quase ninguém os conhece por estas terras.

Venho lendo Strachey. Não há dúvida: renovou a arte da biografia. É um artista admirável. Junto dele, os atuais biógrafos franceses empalidecem. Mas prejudicado pela atitude de "superior" que adota com relação aos biografados de modo às vezes um tanto irritante. E sem que ele seja um gênio para se sentir tão superior aos mesmos biografados.

RECIFE, 1925

Estou sob este peso de consciência: o de ter pecado terrivelmente contra Deus. Um pecado que as Escrituras dizem ser dos maiores. Acredito que hoje nas Escrituras como expressão absoluta do próprio juízo de Deus? Não: não acredito. Inclino-me a acreditar mais na palavra da Igreja que na das Escrituras, embora na verdade não acredite plenamente em nenhuma das duas. Mas a formação protestante no Colégio Gilreath me deixou marcado pelo "cristianismo evangélico". Não que eu fosse protestante por mais de um ano: o da minha transição entre o Brasil e a civilização anglo-saxônia. Mas mesmo como menino Católico ouvi constantemente, todas as manhãs, o Muirhead ou o Gallimore – Mr. G. com seu inglês de Inglaterra – ler a Bíblia e nos fazer cantar hinos. Como me esquecer dessa leitura da Bíblia e desses hinos?

Uma das advertências mais severas das Escrituras é contra quem peque contra uma criança ou um inocente. Foi o que eu fiz anteontem. Estava no apartamento de solteiro em que dormimos, Ulisses meu irmão e eu, de volta do banho; e ao vestir-me para sair, notei, então, que uma filha de M., a cozinheira, menina de seus dez anos, enquanto lavava uns panos no tanque próximo, me procurava ver nu pela porta entreaberta. Pouco me esquivei.

Desde então me persegue uma consciência de pecado que não me tem deixado tranqüilo. Ora são as palavras da Escritura que vêm até meus ouvidos, graves e severas, pronunciadas por Mr. W. de bigodes ruivos que talvez já não viva; e me fale agora, no seu português de inglês da Inglaterra, do próprio Além; ora são palavras daquele hino evangélico de exaltação da criança:

"Jesus escuta
a voz terninha
da criancinha".

RECIFE, 1925

Pedro Paranhos é já um dos meus melhores amigos. Tem mais que duas vezes minha idade. Tem a idade de meu Pai. Mas é com a gente de idade duas vezes a minha que venho me entendendo melhor desde a adolescência. Talvez deva dizer: desde a meninice.

Vou ao seu engenho com freqüência, e é como se fosse um dos seus filhos. Pessoa da família. Aliás uma Ferreira – ele é Paranhos Ferreira – foi minha tia-avó: Tia Dulce. Casada com meu Tio-Avô Cícero. Conheci-os, eu menino, eles já velhos. Ele, de uma barba muito branca, de um sorriso ainda de jovem e de um andar de fidalgo. Ela, sempre de vestido tão austero e de porte tão erecto, tão aristocrático, tão fino, que parecia uma inglesa da corte da Rainha Vitória: Dulce Ferreira. Pernambuco tem tido mulheres assim: parecem fidalgas inglesas ou francesas desgarradas no trópico. Dona Flora é hoje uma delas. Laura Paranhos, outra. Laura Sousa Leão de Amorim Salgado, ainda outra.

Tia Dulce era prima de Pedro Afonso Ferreira: herói da Guerra do Paraguai, de quem é parente, pelo lado paterno, o P. P. pelo lado materno; é que ele é neto do Visconde do Rio Branco e sobrinho do Barão, com quem morou algum tempo na Europa.

Pedro me conta que Assis Chateaubriand quando adolescente e moço de vinte e poucos anos – como eu agora – foi também grande freqüentador de Japaranduba. Quando tinha um vagar, ia gozá-lo ao engenho. E dá-me este depoimento sobre Chateaubriand: continua a ser um dos seus amigos mais leais. O que contradiz muito *gossip* acerca do A. C., pois P. não é nenhum nababo.

RECIFE, 1925

Lendo *Soliloquies in England*, de Santayana, que acabo de receber de Londres. Ótimo livro. Grande livro. Superior a *Character and opinion in the United States* e digno de fazer companhia a *Little essays* e a *The sense of beauty*. Que maior mestre moderno do ensaio em língua inglesa que esse semi-espanhol, semi-anglo-americano? Nenhum. Igual talvez só Havelock Ellis nos seus melhores momentos. E certamente Unamuno. Bertrand Russell não é igual a eles: prejudica-o o racionalismo de ex-matemático.

Havelock Ellis só é bom ensaísta nos seus melhores momentos. Quando o pensador-artista nele supera de todo o pedagogo, o moralista, o sociólogo, o próprio cientista-artista de uma nova sexologia. O que não acontece sempre. É até raro.

Uma delícia de sensibilidade, de penetração, de análise, de virilidade de espírito, o capítulo de Santayana sobre amizades: especialmente para quem conhece a Inglaterra; a juventude inglesa; e Oxford ou Cambridge: estes dois grandes centros de arte da amizade entre ingleses. Santayana se refere a amizades entre jovens que lhe parecem florescer de modo particular na Inglaterra: "brief echoes, as it were, of that love of comrades so much celebrated in antiquity"... "a union of a whole man with another whole man". E mais: "in such friendships there is a touch of passion and of shyness; and understanding which does not need to become explicit or complete". Ainda: "This profound physical sympathy may sometimes, for a moment, spread to the senses; that is one of its possible radiations, though fugitive; and there is a fashionable psychology at hand to explain all friendship, for that reason, as an aberration of sex". Mas para Santayana – que soube tão agudamente sentir, aprender e, no melhor sentido grego da palavra, compreender essa vida inglesa de amigos no exato significado de *phylos*, e não apenas de *hetairos*, de que eu também aprendi e compreendi algumas intimidades durante meus dias de Oxford, tão curtos e tão intensos – "the love of friends in youth, in the case where it is love rather than friendship, has a mystical tendency". Quanto a essas tendências (sem realização prática, é claro, que as degrade em atos menos eróticos que lascivos) Santayana pergunta: "Why should they not be erotic? Sexual passion is itself an incident in the life of the Psyche, a transitive phase in the great by which life on earth is kept going".

Não conheço melhor interpretação da amizade que, por muito intensa entre jovens – e creio ter começado a ser platonicamente assim uma das minhas amizades em Oxford –, atravessa, sem degradação, isto é, sem a prática de atos que tornariam impossível não só sua intensificação como sua continuação sob a forma de amizade platonicamente amorosa dentre indivíduos do mesmo sexo. A "transitive phase" a que Santayana se refere. Transitiva ou intransitiva?

RECIFE, 1925

Minha Mãe reclama que eu, durante o dia, passo dias quase sem sair de casa: apenas pequenas excursões a pé ou de bicicleta pela manhã e, à noite, alguma volta por São José – estudo demais. Que leio demais. Que, em casa, quando não estou lendo, estou escrevendo, em vez de também criar passarinho, por exemplo, como alguns dos meus tios. Que isto é um exagero de trabalho intelectual. A propósito recorda que eu custei a aprender a ler e a escrever. Pensou-se até que eu fosse retardado mental. Mas depois de ter aprendido a ler e a escrever, comecei a descontar o tempo perdido com uma voracidade que diz ela durar até hoje.

Talvez deva tomar agora seu conselho e me harmonizar com o ritmo da vida tropical. "No trópico não se deve pensar: faz mal pensar aqui", dizia a doce negra da Martinica ao europeu do conto de Lafcadio Hearn. Este talvez o meu grande erro: querer pensar neste recanto tropical do Brasil. Pensar, meditar, ler, estudar, escrever. Devo ter menos vida intelectual e mais vida sensual. Entrar em maior harmonia com a natureza brasileira que é uma natureza agrestemente volutuosa, é claro que sem entregar-me de todo às suas volúpias ou ao seu langor. Afinal, não realizou dentro dela, natureza tropical, Teixeira de Freitas, uma tão magnífica obra de vigor germanicamente intelectual?

É difícil mas possível, em meio tropical, o equilíbrio entre a ciência e o sexo, entre a arte e a inércia.

RECIFE, 1925

Excursões noturnas com Manuel Caetano. Ele me pede que não diga nada ao filho, o José Maria. Somos os dois entusiastas de mulatas. Admirável como o austero Manuel Caetano de Albuquerque Melo sobe comigo as mais velhas escadas do Recife para, num terceiro ou quarto andar, vermos uma simples mulatinha.

RECIFE, 1925

Sarapatel no Bacurau. Vimos raiar o dia na Madalena – Manuel Caetano e eu. Levei-o de automóvel. Fiquei de voltar no dia seguinte ao seu sítio do Derby para comer tamarindo. Também vamos juntos quase toda semana às peixadas que nos prepara Dudu. Excelente, esse Dudu. Gordo, sempre de camisa de meia. Dono de uma engenhoca.

RECIFE, 1925

Toda vez que a O. A. vai visitar-me, no *Diário*, toda *rouge* a boca, toda perfume francês, Carlito intensifica a constante observação, a quase espionagem, como que me segue as atitudes, as amizades, as atividades. Terá razão o Tavares?

JAPARANDUBA, 1925

Minha parenta Dona Laura Wanderley Paranhos é o tipo de senhora de engenho pernambucana dos velhos tempos. Mais do que a própria Baronesa de Contendas. O tempo não a descaracteriza. É um regalo vê-la descer à cozinha para mandar preparar os pitus para o almoço: pitus do rio Una. É pena que não esteja comigo meu irmão Ulisses nesta temporada mais longa no Engenho de P. Ulisses vem sendo o melhor dos meus amigos, nos dias terríveis que têm sido para mim os de readaptação ao Brasil. Pena, também, que o Brasil não seja, todo ele, um vasto Japaranduba governado por um super Pedro Paranhos Ferreira.

Estamos de volta da mata: diz o Pedrinho que mata virgem. Virgem ou não: mata de uma profundidade com alguma coisa de música de Bach nos seus sons cheios de mistério.

Quase caí de um cavalo: um cavalo gigante no qual Pedro me fez montar. Gigante bom conhecedor da mata que suponho não ser de todo virgem.

JAPARANDUBA, 1925

De novo, em Japaranduba. De novo com os Paranhos. Curioso como me sinto bem na casa-grande de Japaranduba. Curioso também que meus amigos sejam quase todos no Brasil – Pedro Paranhos, Carlos Lira Filho, Manuel Caetano, Odilon, Cedro, Júlio Belo – gente muito mais velha do que eu.

É uma delícia acordar, como eu acordo, de madrugada, nesta boa casa de engenho (um tanto mal reformada, meu caro Pedrinho: por que se deixou levar pelas idéias de um arquiteto afrancesado?) com o vigia chamando o senhor, como nos velhos tempos: "Coronel Pedrinho! Coronel Pedrinho!"

Tomando o café, saímos sempre a cavalo ainda no escuro: o dia apenas querendo começar, a noite ainda sem vontade de ir embora para o meio das outras noites. No trópico é quando a paisagem se deixa ver melhor: na madrugada. Quem não conhece o trópico de madrugada não sabe o que é sua paisagem: seu encanto mais íntimo. Se dependesse de mim as madrugadas seriam bem mais longas do que são. Eu gostaria de limitar o poder despótico, nos espaços tropicais, desse supernapoleão petulante da natureza nos países quentes que é o sol do meio-dia.

JAPARANDUBA, 1925

Há em Laura Paranhos um pouco de tristeza que sempre notei em minha Mãe. Que tristeza é essa? É uma tristeza de mãe brasileira nunca resignada com o tempo que afasta dela os filhos que crescem.

Repito que tenho passado noites inteiras com Pedrinho remexendo papéis velhos, do arquivo da família. Muita carta do Visconde do Rio Branco para o genro, outrora senhor de Japaranduba e pai de Pedrinho: um Ferreira, dos Ferreiras de minha Tia Dulce, casada com meu Tio-Avô Cícero. A gente antiga do Brasil era mais dada a escrever cartas do que a atual. Talvez influência inglesa. Grandes Paranhos, o Visconde e o Barão. Dos filhos do Barão, porém, parece que todos são medíocres. Um mistério, a hereditariedade. Pedrinho morou em Paris com o tio, o Barão do Rio Branco, e me vem contando muita intimidade da vida e dos hábitos do Barão que só um sobrinho quase filho como ele poderia ter surpreendido. Inclusive confirmando a lenda da glutoneria do grande homem. Era um regalão doido por feijoada. Por feijoada à brasileira e por peixada à portuguesa.

JAPARANDUBA, 1925

Outra vez em Japaranduba. Desta vez trago comigo meu colega da Universidade de Columbia, o Francis Butler Simkins. Ele é de uma família de fidalgos da Carolina do Sul. Relembramos nossos dias de universidade. Estudos. Professores. Troças.

Bom que ele conheça Japaranduba. Os Paranhos têm estado magníficos. Pedrinho, sempre de branco. Dona Laura, com um *pince-nez* que lhe dá um aspecto de começo do século, nela muito distinto. O *pince-nez* parece sobreviver no Brasil mais do que na Europa ou nos Estados Unidos.

F. B. S. está hospedado em nossa casa do Recife: casa a que se admite pouquíssima gente que não seja da família. Está encantado com o ambiente: com minha Mãe, sobretudo, e com os jacarandás, alguns dos meus avós. Somos uma família que vive muito para si. Noto o desejo de certos camaradas de minha idade de me conhecerem na intimidade. De freqüentarem nossa casa. Mas é uma casa que só vem sendo freqüentada, por iniciativa minha, por um ou outro Pedro Paranhos, Manuel Caetano, Odilon Nestor, Aníbal Fernandes, Júlio Belo, José Lins do Rego. E muito por Edgar Ribeiro de Brito e José Tasso, amigos fraternais meus e de Ulisses.

RECIFE, 1925

Seguirei breve para os Estados Unidos (que vou rever depois de quase três anos de readaptação já quase completa ao Brasil), menos por vontade própria de realizar tal viagem que por vontade do meu amigo Carlos Lira Filho, o diretor-proprietário do *Diário de Pernambuco*, com quem venho trabalhando nestes dois últimos anos. Está ele decidido a que eu o substitua na direção do jornal. Isto é ainda segredo. Mas o plano de Carlos Lira é que, de volta da viagem, eu o substitua: ele vai afastar-se da direção do jornal para casar-se com a alemãzinha de quem já está, aliás, noivo, embora ela seja protestante e ele católico. Falou-me na substituição com algum mistério: sabia que ia ser uma surpresa para muita gente, um "menino" na direção do *Diário*! A verdade é que todos os Liras, inclusive o Padre – o Cônego Benigno e principalmente o patriarca, o velho Carlos –, se entusiasmaram com o meu trabalho de organização das comemorações do 1º centenário da fundação do *Diário*. Trabalho em que fui, aliás, muito ajudado pelo Pedro Paranhos e pelo meu irmão Ulisses. Menos com relação ao livro comemorativo – que este foi o esforço mais duro e que realizei quase sozinho, apenas com a ajuda de José Maria de Albuquerque em coisas tipográficas e a do desenhista Bandeira para as ilustrações, aliás quase todas copiadas de fotos de Ulisses.

Primeiro pensamos, Carlito (Carlos Lira Filho) e eu, em ressuscitar velho desenhista da revista *Diabo a Quatro*, do tempo de Dom Vital, que soubemos ainda viver para os lados de Beberibe. Apareceu o velhinho. Dei-lhe uns trabalhos a fazer. A experiência foi um fracasso. O velhinho parece que só sabia mesmo traçar as caricaturas anticlericais que tornaram famosa aquela revista. Queríamos outro tipo de desenho. José Maria, filho de M. C., disse que talvez o Bandeira servisse. Mas não tinha certeza. Veio o tal Bandeira, que é ainda um jovem recifense. Fizemos a experiência. Traço muito bom o dele, para o desenho de ilustração – exato, histórico, documental – que eu desejava. Pedi-lhe desenhos de dois ou três aspectos de Pernambuco ou do Nordeste da sua escolha: um fracasso. Não tem imaginação nem de longe criadora. Não sabe descobrir. Dei-lhe, para copiar, várias fotografias feitas por meu irmão Ulisses, em manhãs que desde que aqui cheguei da Europa em 1923 dedicamos inteiramente a isso. A fotografia do Beco do Serigado, por exemplo, e que Ulisses conseguiu, depois de proezas acrobáticas que alvoroçaram a pacata vida dos moradores do Serigado, é um primor. Outro primor, a da casa-grande de Megaípe. Na cópia de fotos assim, Bandeira é ótimo. Também de fotografias de janelas mouriscas, de portões, de telhados, de sobrados, de negras de tabuleiros, de "raparigas" mulatas com seus panos atados à cabeça de modos diversos. Outras ilustrações, Bandeira as fez do natural, sempre com o mesmo traço exato, honesto; desenhos de recantos do Recife que indiquei quase como um mestre a um aluno: paradoxal! Dirigido, ele é ótimo. Sem direção, não sabe o que desenhar. Escolhe o pior. Repita-se que o menos expressivo.

O livro, decidi que fosse principalmente sobre o Recife, a capital do Nordeste. Que fosse um documentário sob critério regional: o do Nordeste, do Brasil, sua história, sua economia, sua cultura. Creio que é a primeira publicação desse gênero no Brasil. Quase sem despesas para o *Diário*, consegui colaboração de gente de primeira ordem, eu indicando os assuntos, dentro do plano traçado sob aquele critério regional: artigos de Oliveira Lima, Fidelino, Simkins, Samuel Hardman, Odilon Nestor, um, sobre rendas do Nordeste, do velho Oiticica de Alagoas, que relutou muito em escrever o ensaio, aliás excelente, dizendo que "isso de renda é coisa de mulher", Aníbal Fernandes, Manuel Caetano de Albuquerque, Luís Cedro. E o poema de Manuel Bandeira, que pedi a esse outro Bandeira, sem o conhecer pessoalmente, que escrevesse, dando-lhe o tema: só pelo fato de ele vir me escrevendo cartas já de amigo. Pedi-lhe o poema sobre o Recife do seu tempo de menino (a história da infância é hoje minha maior obsessão desde que penso num livro sobre a história da vida de menino no Brasil – nos engenhos, nas fazendas, nas cidades). Ele escreveu-me que não costumava fazer poemas sobre assunto encomendado: seria uma exceção. O diabo é que Salvador Lira, por economia, decidiu que o livro fosse impresso num papel mais para jornal que para livro, e o trabalhão em que me empenhei com o José Maria foi terrivelmente prejudicado por esse excesso de furor econômico daquele meu amigo, rico mas sumítico. Carlito, encolhido no seu primeiro andar, não soube evitar a desgraça. A desgraça gráfica. O livro impresso em papel ordinaríssimo. Mal impresso em papel ordinarérrimo. Mal impresso, portanto. Um desastre.

RECIFE, 1925

Tanto J. L. do R., como O. M., como A. F. vêm me imitando – eles, dentre vários outros, de menor porte – o estilo, a forma, a própria pontuação. Sei que tenho um estilo ou uma forma e um ritmo que se define em parte pela pontuação (assunto estudado por George Saintsbury). Confirma-se o diagnóstico de Armstrong dentro dos limites provincianos e da língua portuguesa: "O que V. é de modo raro é escritor: entregue-se à sua vocação que V. será um criador de valores imprevistos". Que escritor pode haver sem forma? Sem plástica? Sem ritmo? Eu vou chegando a uma forma nova em língua portuguesa, que é diferente das antigas, sem deixar de ter o ritmo tradicional das prosas portuguesas; que exprime uma personalidade ao mesmo tempo moderna e castiça até na pontuação; e que a exprime de modo contagioso. Daí as imitações. Hei de criar um estilo. E dentro desse estilo, desde que me repugna inventar, como nas novelas e nos dramas, que escreverei? Talvez a continuação dos meus primeiros esforços de ressurreição de um passado brasileiro mais íntimo ("*l'histoire intime... roman vrai*", como dizem os Goncourt) até esse passado tornar-se carne. Vida. Superação de tempo.

RECIFE, 1925

Devido a sumiticaria dos L., o livro comemorativo do centenário do diário (*Diário de Pernambuco*) no qual trabalhei com tanto afã, auxiliado na parte gráfica pelo José Maria de Albuquerque (que é um mestre no assunto), "arte gráfica", e nas ilustrações, pelo meu irmão Ulisses, fotógrafo, e pelo Bandeira, desenhista, saiu um fracasso. Deu-me vontade de chorar. Quase chorei. O papel ordinário tornou a impressão um horror. Algumas páginas ninguém as consegue ler. Imagino o prazer da gente que no Recife e até no Rio me hostiliza e vem escrevendo contra mim, com e sem propósito, tanta palavra maliciosa e até pérfida. Agora pode essa multidão de cretinos rejubilar-se e dizer triunfante: "Nós bem dizíamos que esse sujeito não passa de um *bluff*". O livro está na verdade um *bluff*. E não é nisso que a tal gente insiste – que eu sou um *bluff*, que minha formação estrangeira é um *bluff*, que minha literatura é um *bluff*, que minha ciência é um *bluff*? Tudo por uma questão de uns poucos contos de réis a mais – nada para os L., que estão muito bem, muito ricos, muito cheios de dinheiro, graças ao Coronel L., que é de fato um pioneiro na agricultura, na pecuária, na indústria: um homem extraordinário. Dependesse dele – e não dos filhos sumíticos – e teria sido diferente.

Grande comemoração, a do 1º centenário do *Diário de Pernambuco*. Com o auxílio de Pedrinho – esse esplêndido "Coronel Pedrinho de Japaranduba" – e do Brás Ribeiro – um colecionador de móveis, pratas, jóias – organizei no edifício do *Diário* – no 3º andar – verdadeira exposição de móveis, prata, jóias e também porcelana – valores ligados ao passado do Nordeste, em geral, e, em particular, ao de Pernambuco. Saiu um catálogo ilustrado. Extraordinária receptividade do público a essa exposição. Comovente a missa campal comemorativa. Foi a mim que tocou a tarefa diplomática de aproximar o arcebispo do *Diário*. Estavam um tanto frias as relações entre essas duas potências: Carlito e Dom Miguel Valverde, que é tão meu amigo como o Babalorixá Adão.

Justiça seja feita aos Lira, tão mesquinhos com relação ao papel para a publicação do *Livro do Nordeste*, comemorativo do centenário – que trabalho me deu! Redimiram-me, de algum modo, dessa mesquinharia, gastando uns bons dinheiros na festa de ontem. De ontem entrando pelo dia de hoje. Muito peru, muito presunto, muitos doces, muito vinho. Entrei forte no *champagne*. Tinha direito.

1926

RECIFE, 1926

Porque a nossa casa está em conserto, hospedo R. B. e a sua linda esposa J. – os Bilden, ele alemão, ela americana –, que foram meus colegas de universidade, na *garçonnière* do 3º andar da Camboa do Carmo. Ambiente boêmio, eu lhes explico: mas que eles, tendo vivido em Greenwich Village, onde os conheci, não estranharão de todo. Que eles perdoem à velha cama de jacarandá as invencíveis pulgas. R. está com grandes planos de viagens pelo Brasil, para colher material histórico-social sobre o que foi o regime de trabalho escravo: assunto meu, pelo qual se apaixonou e de que vem se informando em livros e documentos da época com sua imensa capacidade germânica de acumular erudição. Regozijo-me com o fato de ter-lhe inspirado entusiasmo pelo assunto e pelo Brasil com a minha tese *Social life in Brazil in the middle of the 19th Century*, da qual, aliás, quase ninguém até hoje no Brasil tomou conhecimento. Tenho certeza de que o trabalho tem algum valor e alguma originalidade pelo que me têm escrito a respeito dele críticos estrangeiros que não brincam com essas coisas.

Aliás aqui rara é a gente que tem qualquer idéia – se há alguma – dos meus estudos universitários: o que significa ter sido aluno de um Boas e de um Giddings, cuja grandeza ignoram. "Voltou engenheiro?", perguntam a meu respeito. "Médico? Bacharel em Direito?". Quando lhes dizem que não, não compreendem que se seja bacharel com grau universitário noutras coisas e que se tenha feito curso superior em ciências como a Antropologia ou a Sociologia. Consideram-me meio-idiota, esta é que é a verdade. E talvez tenham alguma razão.

RECIFE, 1926

Vem visitar-nos o Arcebispo Dom Miguel, que minha Mãe recebe com um chá. "Ele nunca visita ninguém", me informa Pedro Paranhos. É homem de cara sempre fechada. "Padre realmente padre", acrescenta Pedro de Japaranduba, parecendo pensar do padre ortodoxo, que não deve ser homem de muito sorrir.

A verdade, porém, é que comigo Dom Miguel, quando estamos juntos, se abre. Conta anedotas. Sorri. É outro Dom Miguel Valverde, diferente do que aparece ao público e do que os retratos nos jornais anunciam como homem sempre terrivelmente austero.

RECIFE, 1926

A decadência dos pastoris é uma das tristezas no Pernambuco de hoje. Vai-se a um pastoril e é um desalento. Parecem mulatinhas doentes, as pastoras. Sifilíticas. Tísicas. Sem voz, sem alegria, sem ânimo. Necessitadas de Elixir de Nogueira, de Xarope de Mastruço, de remédios contra vermes. Não há folclore que resista a essa cada dia maior falta de saúde de nossa gente do povo. Falta de saúde, pobreza e até miséria. Amauri de Medeiros pretende combater a falta de saúde só com medidas de higiene pública. Esforço vão. O combate tem que ir mais longe. Alcançar outros inimigos. Alcançar a pobreza, a miséria, a desorganização social. Problemas tremendos mas que seria possível a um governo, não digo só de um Estado, mas do país inteiro, enfrentar, se esse governo tivesse orientação e poderes plenos para agir. Continuo a pensar como pensava em 23 ao escrever e publicar em Lisboa meu artigo sobre a democracia liberal: a democracia liberal fracassou.

Recife, 1926

Vejo que A., tanto quanto J. L., O. e M. L. está imitando meu estilo. Não imagino: quem duvidar que leia seus últimos artigos. Será que me regozijo com isto? De modo algum. O estilo sabe-se que é tão pessoal como o ritmo de respiração. Como o ritmo de respiração é inconfundível expressão de cada indivíduo, assim deve ser o estilo. Por conseguinte, inimitável. Cada um deve desenvolver seu próprio estilo e não copiar de outro escritor, antigo ou atual, o estilo que lhe pareça mais bonito ou mais prestigioso ou mais imponente ou mais ágil ou mais fluido.

A graça é que A. não precisa de arremedar um estilo personalíssimo e ainda verde, travoso, imaturo, inquieto, insatisfeito, como é o meu. Tem já o seu estilo firmado e bom: claro, nítido, precioso, elegante, ainda que um tanto afrancesado como o meu talvez seja um tanto anglicizado. Um estilo, o de A., que me parece superior, pela maturidade, ao meu, ainda impreciso e em busca de qualidade e de forma que se juntem ao que nele porventura já seja ritmo. Aliás, se depender de mim, nunca ficarei plenamente maduro nem nas idéias nem no estilo, mas sempre verde, incompleto, experimental.

Recife, 1926

Ontem, no jantar de terça-feira em casa de Odilon Nestor, Gouveia de Barros disse a meu Pai, um tanto sentencioso, como é às vezes o tom de sua fala: "Seu chefe, V. pode ter o aspecto de um *gentleman* inglês. Mas porte distinto, distinção da melhor, quem tem é Dona Francisquinha. Ninguém aqui ou no Rio que me dê mais do que ela a impressão de uma duquesa espanhola desgarrada no Brasil. E isto sem a menor afetação. Trajando, como ela traja, com muita discrição."

Odilon Nestor apoiou com entusiasmo Alice – irmã de Odilon – também. O velho Freyre gostou do elogio à sua Dona Francisquinha. Eu, tanto quanto ele. Ou ainda mais. Aliás, desde que voltei do estrangeiro que me impressionou em minha Mãe uma distinção que quando menino eu não notara nela, desde que passara a admirar, mais do que a sua simplicidade, o esplendor das jóias –

rubis, esmeraldas, ametistas – de minha madrinha Arminda, sua irmã. Agora vejo como ela foi sempre mais elegantemente feminina do que minha madrinha Arminda, com todas as suas jóias. Com seu excesso oriental e um pouco novo-rico de pedras preciosas em pulseiras, brincos, anéis, a anunciarem a então fortuna do esposo.

RECIFE, 1926

Depois do Congresso Regionalista, a Semana da Árvore, também iniciativa minha. Colaboração de Estácio, futuro Governador, do Juiz Cunha Melo e de Olegário Mariano, por intermédio de Amauri de Medeiros, de quem o poeta *d'As cigarras* é muito amigo. Tipo de meninão bom, generoso, sentimental, esse Olegário, agora por uns dias no Recife. E é a constância de adolescência nos seus sentimentos e nas suas atitudes que dá à sua poesia – como à sua pessoa – o melhor encanto que elas têm.

Ascenso Ferreira (que pretende ser o rival mais forte de Olegário no Recife) vem se firmando como trovador. Porque não é poeta: é trovador. Um esplêndido trovador. Sua virtude está em dar vida como que burguesa aos versos dos poetas verdadeiramente populares e regionais. Também é ágil na assimilação do que, mesmo em poesia erudita, tenha o gosto autêntico da popular. Assim incorporou a um dos seus poemas o meu "madeira que cupim não rói" a propósito da gente mestiça – "preta, parda, roxa, morena" – do Brasil. Apenas particularizou a gente mestiça na "mulata", dando à síntese certo sentido erótico ao mesmo tempo que lírico. Perguntou-me o que achava do poema. Disse-lhe que tinha a impressão de já o conhecer.

Fui um dos conferencistas da "Semana", além de seu organizador. Desde meus artigos de estudante enviados dos Estados Unidos – "Da outra América" – que venho insistindo na necessidade de cuidarmos da arborização das nossas cidades do Nordeste – particularmente desta velha e tropical Recife – sob critério regional. Combatendo a praga que representa a figueira-benjamim – além do eucalipto – agora plantada por toda parte neste trecho do Brasil. O que devemos plantar é árvore brasileira. Ou aqui já aclimatada. Árvore regional. Nordestina, A "Semana da Árvore" veio dar relevo ao problema. Pode ser considerada nova vitória regionalista: espécie de *post scriptum* ao Congresso de fevereiro no qual, pela primeira vez, no Brasil e, talvez, na América, cuidou-se de urbanismo como aspecto de alguma coisa mais do que a arte de embelezar-se, acatitar-se e higienizar-se uma cidade: como aspecto de chamada planificação regional. Inclusive a harmonização da paisagem urbana com a rural através da arborização que ligue à cidade a vegetação regional.

RECIFE, 1926

De uma carta de Amauri de Medeiros – regressa breve ao Rio – a quem por vezes critiquei, quando ele, genro do Governador, era aqui pessoa sagrada a quem não se devia opor a menor restrição; e que, ao deixar a Diretoria ou Secretaria de Saúde, publicou um livro com fotografias que, ao meu ver, cabiam mais num "álbum de família" que numa publicação oficial. Mau gosto que critiquei. Entretanto sempre reconheci em A. de M. qualidades verdadeiramente excepcionais de homem público. Escreve-me ele: "Você vai fazer parte do governo, você vai ajudar uma administração; todas as vezes que você fizer o que deve e não o que gostaria de fazer, você se lembrará de mim; quando você sentir que começam a negar a sua existência você se convencerá de que o meu livro tem poucas fotografias... O contacto com o governo será uma carta longa que V. de mim irá recebendo cada dia."

RECIFE, 1926

Jantar em casa de O. N. aos meus amigos Rudiger e Jane Bilden. Um grande jantar. Presentes Pedro Paranhos com sua barba fidalga, Amauri de Medeiros, muito louro e elegante – mas sem a senhora: gafe! –, Ulisses, meu irmão. Alice, irmã de O. N. O. N. esteve num dos seus grandes dias: um jantar como no Norte do Brasil talvez só fosse possível no Recife. No Recife ou em Salvador. E duvido que no Rio os Bilden encontrem civilização superior à do Recife na arte dos jantares.

Jane estava uma maravilha de bela. É realmente uma mulher bela: beleza clássica e beleza romântica combinadas numa só. Só lhe faz falta uma voz sem o estridor das vozes de americanas do velho Sul que nisto me parecem com as brasileiras aqui do Norte.

Daí me encantarem tanto como a de L. L. e a de L. S. L. que são vozes de brasileiras do Norte que não falam gritando. Ao contrário: falam como se de certo modo cantassem. É como devem falar as mulheres. Devem falar como se cantassem e andar como se de certo modo – um modo doce e discreto, é claro – dançassem. Isso de falar, falando, de andar, andando – simplesmente falando e andando – é para os homens e não para as mulheres.

RIO, 1926

Fui hoje à sessão do Senado. Estácio à presidência. Como eu imaginava, preside magnificamente. Com uma dignidade de palavra e de porte que parecem ter sentido histórico simples reuniões ordinárias. Mas essa dignidade, sóbria: sem resvalar em excessos de solenidade acaciana. É o que alguns brasileiros não compreendem: a importância da liturgia na vida parlamentar, na vida política, na vida acadêmica. A própria Igreja Católica no Brasil está sofrendo desse mal: tenho visto aqui atos religiosos celebrados de um modo ou numa cadência que não é o modo nem a cadência litúrgica. Tem-se a impressão de que os sacerdotes querem ostentar simplicidade, sacrificando ritos e símbolos a que deviam ser fiéis. Têm eles todo o direito – e, até, o dever – de ser simples no que é apenas pessoal ou individual. Mas não no que é da Igreja. O mesmo é certo dos homens públicos. No desempenho de funções de governo é dever de cada um deles agir ou proceder dentro de uma como cadência litúrgica. Como quem cumpre um rito suprapessoal. Sacerdotalmente. Sensíveis à importância dos símbolos.

É o que faz Estácio – e com toda razão – como Presidente do Senado e Vice-Presidente da República. Procede sacerdotalmente. Liturgicamente. Não se incomoda que o chamem de pomposo ou de enfatuado.

Fui cumprimentá-lo após a sessão, no seu gabinete. Apresentou-me a Azevedo, cuja voz macia e melíflua contrasta com a de Estácio, estridente, áspera, um tanto mal-educada. Também me apresentou a Lauro Sodré. A outros senadores. Ambiente simpático, o do Monroe.

O edifício é que não é muito próprio a um Senado da República. À entrada, dois grandes vasos que se prestam a gracejos de toda espécie. Por dentro, não se pode conceber edifício com tão perfeita negação do que seja aproveitamento de espaço. O Brasil é, evidentemente, um país sem arquitetos.

RIO, 1926

Chego à "capital federal" que venho a conhecer depois de ter estado em vários países e em várias cidades dos Estados Unidos e da Europa.

Desapontado com a arquitetura nova do Rio: tanto a pública como a doméstica. É horrível. A nova Câmara dos Deputados chega a ser ridícula. Aquele Deodoro à romana é de fazer rir um frade de pedra. Quanta caricatura ruim! Porque a boa caricatura pode ser arte da melhor.

Na arquitetura doméstica domina também um sub-rococó dos diabos. A variedade de subestilos é assombrosa, e só uma unidade os irmana: a do mau gosto. Faz pena ver o Rio – cidade de situação ideal – sob essa invasão triunfante de mau gosto que vem conseguindo comprometer as próprias vantagens naturais da capital brasileira: saliências de morros cobertos de vegetação tropical. Em vez de se conservar a velha confraternidade da mata com a civilização, raspa-se agora o verde para só destacar-se o horror de novos e incaracterísticos arquitetônicos. Diante de edifícios como o do Elixir não sei de que, tem-se a impressão de pilhérias de arquitetos a zombarem dos novos-ricos que lhes encomendam novidades. Um horror. Pilhérias tais que chegam a ser obras-primas.

Entretanto o velho Rio que vem sendo assim descaracterizado era uma cidade a que não faltava encanto próprio, único, inconfundível. Arquitetura sólida. Muita cor – como em Lisboa. E uma confraternização única com a mata, com a água, com a natureza. É o que concluo através das sobrevivências desse Rio bom e autêntico.

É bom o que ainda se vê em suas velhas casas. Na de Dona Laurinda Santos Lobo, em Santa Teresa. Na de Leopoldo de Bulhões (que visitei em companhia de Assis Chateaubriand). Na do Marechal Pires Ferreira. Na do Rosa e Silva, à Rua Senador Vergueiro. No Cosme Velho inteiro. Em Santa Teresa inteira. Ilhas e ilhotas que vêm resistindo à inundação de mau gosto, de arrivismo, de rastaqüerismo. E certos "modernistas" a acharem isto "bonito", "progressista", "moderno" e a se regozijarem com a destruição das "velharias". São uns cretinos, esses "modernistas".

RIO, 1926

Porque há não sei quê no ar do Rio – no seu ar ao mesmo tempo sensual e lírico – que se dá a impressão de encontrar aqui, sob escândalos cenográficos de paisagem, intimidades como que minhas velhas conhecidas, dedico meus vagares a reler Proust: escritor que, aliás, precisa de ser relido, para seu *humour* – porque há um *humour* proustiano um pouco inglês e quase nada francês – ser saboreado na sua plenitude de gostos e sugestões sutis, esquisitas.

Para quem, como eu, desdenha um tanto do que há de ficção na literatura de Proust, para dar maior atenção ao que nela é história, realidade, biografia, "*histoire intime*", é interessante encontrar no francês reflexões sobre assuntos que me preocupam em relação com a arte-ciência de evocação histórica e de revelação biográfica. Para Proust, é o artista-cientista que dá a certas coisas dentre as que ele vê ou evoca, "existência própria", uma espécie de "alma" que elas depois conservam em movimento como que próprio, desde que não há passado fixo. O próprio historiador que o evoca o põe em movimento, sendo um homem fluido por sua atualidade em combinação com sua memória. Através dessa fluidez é que a realidade se deixa ver ou entrever; e nunca em sólidos perfeitamente fixos no tempo ou mesmo no espaço.

Meu passado recifense, ou pernambucano, por exemplo, tem alguma coisa de passado do Rio por ter a experiência de velhos parentes meus assimilado no Rio imagens e sensações que foram transmitidas à minha meninice com tal vivacidade que se tornaram fluidos; e, nesse estado de fluidez e de movimento, se tornaram parte do meu próprio passado de menino provinciano, agora projetado sobre o meu presente. Sobre o meu contacto direto com a Metrópole. Já com mais de vinte anos, me encontro no Rio como se já o tivesse visto, eu próprio, com olhos já de adulto precoce a serviço da minha prolongada ou retardada sensibilidade de menino.

Rio, 1926

Vou visitar Manuel Bandeira: Curvelo 51, Santa Teresa. Lindo lugar. Mas casa de pobre.

Ele me supõe a princípio um espanhol – ou hispano-americano? – que ficara de visitá-lo. Quando digo quem sou, desata numa risada que deixa à mostra a dentuça já famosa que lhe dá ao aspecto alguma coisa de inglês e, ao mesmo tempo, de caricatural.

Ninguém mais pernambucano. Vive numa saudade constante do Recife. Pergunta-me por mil e uma coisas do Recife. Depois por poetas e escritores da língua inglesa. Se conheço beltrano. Que tal fulano? Que penso de sicrano.

Como já nos correspondemos há mais de um ano, sentimo-nos como se fôssemos amigos velhos. Vejo que são muitas e profundas as afinidades que nos ligam. Para mim é hoje o maior poeta da língua portuguesa, dentre os que conheço.

Rio, 1926

Grandes dias, estes meus, no Rio, antes de voltar aos Estados Unidos. Eu conhecia os Estados Unidos, o Canadá, a fronteira mexicana, a Inglaterra, a Alemanha, a Bélgica, a França, a Espanha, Portugal e ainda não conhecia o Rio.

Revejo o Pedroso Rodrigues, tanto tempo Cônsul de Portugal no Recife, agora secretário da embaixada do seu país no Rio. Visito-o na casa de apartamentos onde mora. É o mesmo Pedroso a um tempo lírico e epicurista. Inicia-me na *Minhota* e noutros restaurantes portugueses, onde é recebido como um grão-senhor.

Assis Chateaubriand abre *O Jornal* à minha colaboração. Ele está radiante com esta sua nova vitória: a de ter jornal *seu*. Fala-me desencantado de "Seu Ernesto", isto é, o Conde Pereira Carneiro, e de Alexandre (Barbosa Lima Sobrinho). Que eu tivesse cuidado com eles. É um triunfador, o Chateaubriand. Ninguém hoje o excede em prestígio.

Meu grupo no Rio, desde que aqui cheguei, vem sendo o dos "modernistas" – na verdade, renovadores sem "ismo" nenhum – que preparam a *Revista do Brasil*, para a sua nova fase: Rodrigo Melo Franco de Andrade, Prudente de Morais Neto, Sérgio Buarque de

Holanda, Drummond de Andrade. E sobretudo Bandeira: Manuel Bandeira, que vinha se correspondendo comigo desde 1924 e de quem arranquei um poema de encomenda; outro grupo meu: José Nabuco, Jimmy Chermont, Vasco Leitão da Cunha. Almoços no Jóquei.

RIO, 1926

Tenho convivido no Hotel dos Estrangeiros com vários dos amigos de Estácio. Com alguns, almoçado ou jantado: um deles, Vilaboim. Paulista-baiano encantador: sente-se nele, raspado o verniz neopaulista, a substância baiana. É um erro supor-se o baiano um demento decorativo ou ornamental na civilização que se vem formando no Brasil. É um elemento substancial. Não me refiro a Rui Barbosa – de quem logo todo mundo pensa quando se fala em Bahia; e em quem o retórico se expandiu à custa do homem de bom senso e de bom gosto, embora não do homem bravo e do bem. Penso num Cotegipe, num Zacarias, num Nabuco de Araújo. E em Teixeira de Freitas. É desses baianos substanciais que há alguma coisa em Vilaboim, como nos Calmons. Principalmente em Miguel Calmon, em cuja casa estive com Estácio. E magníficos de baianidade me pareceram também os afro-baianos Teodoro Sampaio e Juliano Moreira. Conheci-os a todos esses, aqui no Rio. Dois príncipes.

Outros encontros com políticos que me impressionam bem: com Epitácio (ainda um tanto bacharelesco), com João Penido; com Cardoso de Almeida; com Pedro Lago – este, outro baiano dos bons. Como é Clementino Fraga.

RIO, 1926

Um dos ensaístas ingleses – ensaísta, dramaturgo e romancista – que mais tenho recomendado aos brasileiros interessados em letras inglesas é Arnold Bennett. E admirável de lucidez. Sua crítica a Joseph Conrad é uma das melhores páginas de crítica literária que conheço.

Venho relendo os Goncourt. E, com enorme interesse, Pierre Loti. Não compreendo o fato de Loti não ter sido nunca adotado pelos brasileiros entusiastas de literatura francesa e que vivem a babar-se pelo Anatole. Vamos ver Proust: se Proust conseguirá seduzir brasileiros.

RIO, 1926

De volta do Ministério da Fazenda, onde fui levar o abraço de Estácio ao novo Ministro – um rio-grandense-do-sul chamado Getúlio Vargas, que parece tudo que se imagine: sergipano, alagoano, mineiro, paraense, menos gaúcho do tipo consagrado ou clássico de gaúcho –, andei meia avenida na companhia de Tio Juca – bispo do Tesouro. Ele me perguntou a certa altura: "V. que tem viajado um tanto pela Europa e pela América, responda com franqueza: há avenida que se compare com esta nossa?"

RIO, 1926

Que não me ouça o pensamento minha prima Dondom do Morim, mas a verdade é que tive de Laurinda Santos Lobo a melhor das impressões. Podendo dar-se ao luxo de parecer requintadamente cosmopolita na sua elegância, é de uma admirável autenticidade não só brasileira mas provinciana. Sente-se nela alguma coisa de mato-grossense, de caboclo, de telúrico que, em vez de diminuir, aumenta o encanto da sua pessoa. Pessoa, não: personalidade. Trata-se de uma personalidade tão marcada como a de Heitor Villa-Lobos, que acabo também de conhecer *chez* Madame Santos Lobo. Há mesmo um parentesco de personalidade entre eles.

O Brasil tem alguma coisa de inconfundivelmente próprio que lhe permita afirmar-se em personalidades como estas: Dona Laurinda, o General Cândido Rondon, Villa-Lobos.

RIO, 1926

Com Assis Chateaubriand, visito Leopoldo de Bulhões. Outro brasileiro autêntico: simpaticão, simples, natural, fumando seu cigarro de palha num terraço de casa acolhedora, de um tipo de residência antiga que ainda existe muito no Rio de Janeiro, entre árvores que as completam com suas sombras e seus verdes.

RIO, 1926

O mesmo que escrevi de Bulhões não posso dizer de Afrânio Peixoto de quem me disse A. C.: "Vou te fazer conhecer um baiano brilhantíssimo". Simpático, fluente, atraente, brilhante no sentido de *bright*, ele é. No de *brilliant*, talvez não. É distinção que não se pode fazer na língua portuguesa. Conversa encantadora. Mas quase todos os assuntos, superficiais.

RIO, 1926

Com o que ganho, não me é possível instalar-me em hotel. Muito menos no Hotel dos Estrangeiros, onde está Estácio. É assunto em que Sua Excelência o Governador de Pernambuco deveria ter pensado. Mas evidentemente não pensou. E como não tenho vocação para caloteiro, aceitei o convite de Manuel Bandeira (que no Recife diz ir ficar em nossa casa) para ser seu hóspede em Santa Teresa: a sua casinha de 51, Curvelo, Santa Teresa. Casinha de franciscano à paisana.

Confesso que tenho certo receio: afinal, Manuel é tuberculoso consolidado, mas tuberculoso. E esse contacto íntimo com ele, numa casa pequeníssima, talvez seja um perigo para quem, como eu, teme a tuberculose a ponto de ter abandonado antes de tempo Oxford pelo temor do seu clima, na verdade terrível. É que lá e em Paris escarrou sangue.

Mas confesso também que venho esquecendo tal perigo pelo gosto, pela alegria enorme, de conviver com Manuel Bandeira como com um irmão mais velho. Tomando seu leite. Comendo sua comida. Conversando com ele desde muito cedo. Já temos conversado sobre uma multidão de assuntos.

PETRÓPOLIS, 1926

Vou com José Nabuco a uma dança de clube elegante. Dá-me um tédio imenso. Não sei como se acha graça em "vida de sociedade", tal como a "vida de sociedade" é hoje no Brasil. Falsa elegância.

Meu refúgio aqui é a casa da velha Laurinda. Aí, sim, encontro um ambiente que, sendo elegante, é também brasileiro; e permite que se converse. Não se evita, como noutros ambientes daqui e do Recife, a arte da conversa, jogando-se ou dançando-se o tempo todo.

Quem freqüenta muito a casa de Dona Laurinda é Alberto de Faria, que mora em Petrópolis. Fala pelos cotovelos. Dizem-me que em casa é um monge de Trapa: casmurro e silencioso como ele só.

Curioso, o Embaixador da Espanha. Passa por ser um leviano, mas parece que se serve da leviandade para bisbilhotar. Outro dia perguntou a Dona Laurinda: "Quanta plata tiene Usted, Laurinda?".

Dona Laurinda conserva em Petrópolis o pavilhão que foi de Joaquim Murtinho, seu tio. Onde Murtinho trabalhava ou estudava, isolado. Permite-me que escolha um dos objetos da sala de estudo de Murtinho para o guardar como lembrança do grande brasileiro. Escolho um tinteiro que representa Sarah Bernhardt. Sarah parece ter sido uma das grandes paixões de Murtinho, que, como Estácio hoje, era homem a quem as mulheres fascinavam de tal modo que cortejá-las era um dos seus principais motivos de vida. Interessante é outro ponto de contacto de Estácio com Murtinho: o entusiasmo pela homeopatia. Aliás, meu avô paterno também foi homeopata, do mesmo modo que o pai de Estácio, o velho Coimbra. Aliás, o velho Coimbra e meu avô foram bons camaradas em Barreiros. Minha avó era parenta próxima da mãe de Dondom, hoje Coimbra, mas naquele tempo Marinho, pela mãe, e Castelo Branco, pelo pai. De modo que quando ouço em plena Petrópolis nomes de remédios dos médicos homeopatas, não ouço novidades, mas velhos nomes meus conhecidos desde meus dias mais remotos de menino. O estranho é ouvi-los pronunciados por Dona Laurinda. Mas a verdade é que se trata de uma brasileira também de origem rural.

Rio, 1926

No *Jornal do Brasil,* encontro-me com vários pernambucanos: Múcio e Barbosa Lima Sobrinho, entre eles. Barbosa sempre medido e correto me apresenta a João Ribeiro, que eu muito admiro:

"– João Ribeiro, glória do Brasil!
– Gilberto Freyre, esperança do Norte!"

RIO, 1926

Invento com os meus amigos Bandeira, Prudente, Rodrigo, Sérgio, um grupo de personagens dos quais vamos fazer alguns colaboradores da *Revista*: J. J. Gomes Sampaio e Esmeraldino Olímpio, entre eles. Sérgio e Prudente conhecem de fato literatura inglesa moderna, além da francesa. Ótimos. Com eles já saí de noite boemiamente. Também com Villa-Lobos e Gallet. Fomos juntos a uma noitada de violão, com alguma cachaça e com os brasileiríssimos Pixinguinha, Patrício, Donga.

RIO, 1926

Almoço no Jóquei a convite do J. M. B., muito amável mas muito convencional. Muito convencional também o seu amigo de monóculo, diplomata quase de caricatura, mas na verdade bom sujeito, a quem primeiro me apresenta: o L. V. N. Escandalosamente em contraste com os dois se apresenta o G. A., que chega de repente, depois de todas, e com alguma coisa de *prima-donna* no seu modo de chegar ou aparecer, é certo, mas com uma imensa superioridade real, e não apenas cenográfica, sobre os dois amáveis e convencionais *gentlemen* de quem eu vinha já me aborrecendo ou entediando. Extraordinário, esse G. A. que não deixa, entretanto, de representar também aos olhos do provinciano silencioso que sou, o homem de metrópole triunfante na política e nas letras e até na vida. Fala com exuberância. Finge ser um homem invejavelmente feliz e completo. Nietzschiano. Bastando-se a si mesmo. Não me parece ser o que finge ser, mas, ao contrário, um homem infeliz a quem falta alguma coisa de essencial na vida, por mais admirado ou festejado que, ainda moço, se sinta no Rio e no Brasil. Além do que, é um tímido a compensar-se da timidez por certo exibicionismo. Um inseguro a compensar-se da insegurança pelos gritos enfáticos.

Rio, 1926

Apresentam-me a A. G. Desaponta-me. Tenho por esse escritor uma enorme admiração. Tem ele um poder verbal a que o sentido plástico da arte de escrever dá com o desassombro de crítico extraordinário e personalíssimo relevo. Tem sensibilidade. Inteligência crítica. Cultura literária.

Mas sua pessoa confesso-te com franqueza, amigo diário, que foi para mim um desapontamento. É um homem com qualquer coisa de permanentemente espirituoso e às vezes até carnavalesco que me irrita como me desaponta a pessoa de outro grande aqui da Corte – grande das letras –, a quem fui um desses dias também apresentado; e com quem tenho me avistado várias vezes. Ele não se faz de rogado nem para ser visto nem para ser ouvido pelos mais jovens. Refiro-me a J. de F. Este – líder católico – nada tem de carnavalesco: mas é de um feitio profissionalmente apostólico que me repugna, embora o admire e o respeite como escritor, publicista, crítico social. Tem um sorriso que é às vezes o do apóstolo profissional, compadecido dos intelectuais que ainda não descobriram o verdadeiro caminho: o que ele segue desde sua aliás corajosa conversão. Apontou-me uma dessas tardes para um rapaz que passou pela esquina em que estávamos parados, conversando, e informou-me com uma indiscrição deselegante e desnecessária: "Aquele, salvei-o eu da degradação em que se encontrava". Que degradação seria essa?

Mesmo assim – desapontando-me como pessoas, cada um por um motivo – esse A. G. e esse J. de F. continuam para mim duas das maiores figuras das modernas letras brasileiras. Das letras consideradas no seu sentido mais amplo, pois ambos são críticos sociais e não apenas das belas-letras.

Rio, 1926

Minha gente aqui no Rio repito que é a do grupo Bandeira-Prudente-Rodrigo-Sérgio. Grupo magnífico. Também tenho tido bom convívio com Villa-Lobos, Luciano Gallet, o admirável Ovale. Isto sem falar em Chateaubriand, que é uma pessoa esplêndida com todas as suas contradições; e que me tem apresentado a vários dos seus amigos – do velho Leopoldo de Bulhões a um ruivo ainda jovem de Santa Catarina, que me diz ser homem de grande talento, o Edmundo da Luz Pinto. Ontem à noite jantei com Chateaubriand no Copacabana Palace. Depois do jantar fomos ao salão de jogo. Vi o velho Rosa e Silva jogando roleta como um verdadeiro viciado: concentrado a fazer terríveis caretas nervosas. Mas o diabo do velho nem assim perde a elegância. Nem no auge do vício deixa de ser o elegante sem excesso que tem sido a vida inteira. As próprias caretas terminam por se tornar toleráveis em velho tão finamente mundano. Suas maneiras ainda são as do Império. Não é sem significação que ao título de Conselheiro continua preso o seu nome de político republicano. Conselheiro do Império.

RIO, 1926

Foi na redação d'*O Jornal*, aonde vou sempre ver o Rodrigo, que Chateaubriand apresentou-me com muitos elogios a Afrânio Peixoto. Mestre Afrânio Peixoto, então, não teve dúvida: fez uma demonstração completa dos seus talentos de *causeur*. Muito brilhante, Mestre Afrânio, mas muito superficial. O contrário de João Ribeiro, que me deu a impressão de um perfeito *scholar*. Um verdadeiro sábio com alguma coisa de artista. Boa impressão tenho também de Bulhões, do Barão de Ramiz Galvão, de Epitácio Pessoa, de Álvaro de Carvalho, do velho Afonso Celso, do Tasso Fragoso (amigo de Estácio), aos quais já fui também apresentado. Gostaria de conhecer Laet, Capistrano, Calógeras. Com Estácio, jantei no Hotel dos Estrangeiros com Graça Aranha, que já conhecia da Garnier. No fim do jantar, apareceu Ronald de Carvalho, a quem fui apresentado. Também gostaria de conhecer Alceu Amoroso Lima.

RIO, 1926

Ouvi hoje na Garnier interessantíssima conversa de Osório Duque Estrada com Alberto de Oliveira. Osório a lamentar a moderna anarquia literária do Brasil. Uma literatura "sem rumo". Enquanto a antiga, disse ele com uma ênfase acaciana que me parecia impossível fora da comédia de teatro, "tinha fundo e tinha forma", Alberto de Oliveira, calado: simplesmente a ouvir o amigo. Sempre elegante, principesco, quase majestoso.

À saída da mesma Garnier já fora uma dessas tardes apresentado a Graça Aranha. Bela figura, a do Graça. É pena vir escrevendo ultimamente tanta coisa vã e não apenas insensata, a ponto de não parecer mais o mesmo homem que escreveu *Canaã*. O mesmo é certo de Gustavo Barroso: depois de ter estreado com o excelente *Terra do sol,* vem escrevendo apenas coisas banais.

SÃO PAULO, 1926

Procuro Taunay. Vou a sua casa. Não está. Quanto a Washington Luís e Carlos de Campos, nem sequer penso em procurá-los. Nem sequer trouxe comigo as cartas, aliás já antigas – de 1923 –, em que Oliveira Lima, creio que ainda da Alemanha, me recomendava a esses seus amigos paulistas. A eles, ao Padre Valois, a Rangel Pestana. Por que procurá-los? Eles seriam capazes de me confundir com bacharéis do Norte em busca de promotorias e de outros empregos no "progressista Estado de São Paulo". Faço votos para que aumente esse progresso. Votos, também, para que o paulista conserve o seu velho caráter no meio de suas novas aventuras: as industriais. O meu lugar, entretanto, creio que não é aqui; e sim na minha pobre mas nobre província.

SÃO PAULO, 1926

Gente com quem me entendo bem, a paulista, isto é, a paulista velha como os Prado. Ótimo, Paulo Prado. Talvez Oliveira Lima tenha razão: a vir fixar-me no Brasil, eu deveria arranchar-me em São Paulo. Repugnam-me, entretanto, essas transferências. Creio que cada um deve ficar o mais possível no lugar onde nasceu. Nada de muita emenda ao soneto da vida: ou do destino, que é o mesmo.

Cidade feia mas simpática, São Paulo. Talvez se pudesse dizer com exatidão da capital paulista: feia e forte.

Como o Recife, metrópole regional. Sente-se que domina uma região e não apenas um Estado. Breve dominará o Brasil.

Aflige-me o problema – não o nacional, mas o pessoal – do café que aqui é essência ou óleo. Tenho de bebê-lo entre pessoas de cerimônia: ninguém, em São Paulo, compreenderia de súbito a incapacidade de um brasileiro para regalar-se com o mais ortodoxo, o mais puro, o melhor dos cafés. Para mim, o café, quanto mais forte, e, por conseguinte, quanto mais ortodoxo, mais detestável. O único que tolero é o francês, que me dizem quase não ser café, de tão impuro. De tão anticafé.

RECIFE, 1926

Volta do Rio. Início do govemo Estácio. Homem meio liberal meio não. Batalha tremenda junto a Estácio para salvar A. F. Estácio tem por ele o maior, o mais injusto desdém. Não só está decidido a não aproveitá-lo em cargo algum, de relevo, no governo (era o que alguns dos amigos de A. F. pretendiam) como a anular sua nomeação para professor do Ginásio. Júlio Belo está desolado: Estácio não cede. Diz Júlio que somente eu conseguirei salvar A. F. Que a mim Estácio ouve como a ninguém, pois me considera acima dos "mexericos da aldeia" e vítima, eu próprio, tanto quanto ele, Estácio, do grupo a que A. F. pertencia durante o governo de Sérgio. A verdade é que não me considero vítima desse nem de qualquer outro grupo; e sim de mim mesmo. Nem poderia esperar de A. F., que brigasse por minha causa com Sérgio ou Amauri, que de mim exigiam apenas isto, para me nomearem Diretor da Biblioteca Pública: que eu lhes fizesse a corte. Isto não conseguiram.

Agora, porém, a situação é outra: e toda gente sabe que Estácio desde os seus dias de Vice-Presidente da República me distingue de um modo excepcional: como a nenhum outro indivíduo, moço ou velho. Toda gente sabe agora que ele me confiou o cargo de Oficial Chefe de seu Gabinete para eu não ser Oficial nem Chefe de Gabinete: só para estar na intimidade do seu governo e ser por ele consultado sobre certos assuntos, como se fosse pessoa importante. Sei que seu juízo sobre A. F. é injusto; e o pior possível. Mas estou certo de que conseguirei modificá-lo, responsabilizando-me eu próprio por A. F. – coisa impossível de ser conseguida por Júlio Belo ou Pedro Paranhos que, nesta batalha, estão a favor de A. F. duramente combatido, junto a Estácio, por duas potências: Samuel Hardman e

Humberto Coimbra. Humberto – irmão de Estácio – quer ver em palácio o diabo em pessoa, antes de A. F.

RECIFE, 1926

Nas audiências públicas de Estácio, como governador do Estado – secretariadas por mim com o maior gosto –, não se vêem só vítimas de explorações de ricaços sem escrúpulos – vítimas que a Justiça, a despeito do seu imenso J maiúsculo, nem sempre ampara contra tais exploradores. Também náufragos das tempestades do tempo social que é, às vezes, tão traiçoeiro quanto o outro; e deixa em farrapos homens e mulheres que começaram a viagem da vida cobertos de ouro e, como se diz na Bíblia, de púrpura. Um desses náufragos é a velha D., que quando aparece é de luto fechado, toda de preto, até de véu preto, como viúva ainda nos primeiros tempos de viuvez. Estácio não lhe falta com um auxílio. Pois foi essa dama misteriosa e de preto – de quem o próprio Estácio me disse que era "histórica" célebre como tinha sido pela beleza nos dias do S., governador do Estado – que ontem se abriu comigo, quase como a um confessor. Contou-me sua ligação com o velho S. Outras ligações boêmias do seu tempo de jovem. Ceias alegres. Homens respeitáveis, que eu me acostumara a ver em álbuns de famílias ilustres (algumas delas, minhas parentas próximas) de fraques e gravatas sisudas, que ela me descreve noutras atitudes: rebolando com ela e com outras mulheres ardentes do Recife dos começos do século em pândegas que a gente dificilmente associa a figuras tão austeras. O curioso é que o diabo da pecadora parece ainda ter saudade dos seus pecados: evoca-os com evidente prazer voluptuoso. Olha-me às vezes como se quisesse iniciar-me em sutilezas de sexo que somente ela conhecesse. Tão pecadora ela se sente ainda que do Palácio do Governo me disse que vai sempre, diretamente, ao Carmo confessar-se com Frei parece que Eliseu. "Um santo", me disse a grande pecadora do tempo de S.

RECIFE, 1926

Pé no estribo: sigo para os Estados Unidos a fim de representar o *Diário de Pernambuco* no grande

Congresso Pan-Americano de Imprensa. Seguem do Brasil Medeiros e Albuquerque, Cícero Peregrino, Carlos Dias Fernandes, Rangel Pestana, Paulo Hasslocher. Oliveira Lima representará o *Correio da Manhã*.

Notícia no *Diário de Pernambuco* em destaque, terceira página, bem no alto. Excepcionalmente elogiosa. Põe nas nuvens "o Dr. Gilberto Freyre". Identifico o autor: Carlos Lira Filho. Pois dos redatores, eu conseguira que não me chamassem de doutor. C. L. F. é intransigente neste ponto.

NOVA YORK, 1926

Outra vez nos Estados Unidos, encontro esta terra de protestantes em declínio e de católicos em expansão, deslumbrada com o Congresso Eucarístico em Chicago. As seitas protestantes ficam com um ar de irmãs mais velhas – e mais ricas! – de Maria Borralheira, vendo Maria – Salve Regina! – entrar de repente no grande baile nacional muito mais bonita do que todas elas reunidas. Será que isto é definitivo?

WASHINGTON, 1926

Os latino-americanos delegados ao Congresso de Imprensa me dão quase todos a impressão de uns meninões. O próprio Mitre de *La Nación*, que proferiu um discurso com todo o ar de um colegial rico e muito bem vestidinho pela governante inglesa que recitasse o seu número em festa de fim do ano: é um meninão abobalhado. O Soto-Hall, de *La Prensa*, este é positivamente um criançola: meninão feio com inveja do bonito que, no caso, é o Mitre; e desdém pelo garoto de jardim de infância perdido entre os "grandes" que, no caso, sou eu. É verdadeiramente ridícula a fúria de alguns dos meninões contra mim – o mais menino do grupo – por ter sido escolhido para responder em inglês à saudação de Mr. Kellogg, Secretário do Estado, e sobretudo por haver realizado essa missão do modo por que a realizei. Outro meninão – excelente pessoa aliás – é o delegado do México, que ostenta umas barbas proféticas que parecem postiças e lembra, pelo estilo romântico da oratória, que deve ser – o que imagino ser – do nosso velho Barbosa Lima, como deputado.

Dentre os brasileiros, quem mais meninão que o meu caro Paulo Hasslocher? Ou que o próprio Medeiros e Albuquerque? Sóbrios, equilibrados, discretos: o Rangel Pestana, do *O Estado de S. Paulo*, e o Antônio Cícero, do *Jornal do Comércio*, do Rio. Meninão o Carlos Dias Fernandes, que aliás supunha, com ingênuo lirismo, vir empolgar aqui os meios universitários quando não fala uma palavra de inglês. Há um Castaldi, de Santos (São Paulo), também boa pessoa, mas que se tomou de verdadeira obsessão contra mim, que chama "o meninote aristocrático". Por que, não descobri ainda: é uma antipatia das chamadas gratuitas. Não tenho culpa nem de ter vinte e poucos anos nem de ter tomado algum chá em pequeno. E ser filho de uma Dona Francisquinha e de um Wanderley de fato, *à la* pernambucana, fidalgos.

WASHINGTON, 1926

Encontro o velho Lima (Oliveira Lima) quase certo de ir ser escolhido Ministro das Relações Exteriores pelo novo Presidente da República (Washington Luís). Parece que sua quase certeza se baseia em carta recebida de um dos seus melhores amigos paulistas: creio que o Lorena Ferreira. Também do Rio me chega carta do bom e brilhante Ronald de Carvalho (que deve estar bem informado no mesmo sentido: admitindo que Oliveira Lima seja escolhido para o Itamarati). Ronald até o elogia. E Ronald é sabido e segundo me dizem – não sei – oportunista. O. L. está radiante com a possibilidade de vir a pôr em prática idéias que a seu ver darão novo sentido à política exterior do Brasil. Política que considera desorientada desde os dias do Barão. O Barão pensa Oliveira Lima que era homem nuns pontos muito mesquinho; mas noutros lúcido e amplo. E seguia um rumo político, que ele soube adaptando a política exterior brasileira a circunstâncias que já não são as do primeiro decênio do século. Para Oliveira Lima (como, segundo parece, para Gastão da Cunha, com quem ele muito se corresponde), tanto Raul Fernandes como Afrânio de Melo Franco se vêm revelando incompetentes na parte mais complexamente política da direção do Itamarati: são apenas juristas. Isto para não falar de Félix Pacheco, que, segundo Oliveira Lima, nem sequer é jurista.

Ontem, ao almoço, Oliveira Lima falou-me francamente no assunto. Ele se considera quase ministro. E convidou-me para ser o seu auxiliar de confiança no Itamarati, recordando: "Eu não lhe dizia para preparar-se para uma possível carreira diplomática? Vai ver como o que aprendeu com o John Barrett Moore e com o Munro e o Hayes vai servir-lhe agora!".

WASHINGTON, 1926

Sei já qual é o mistério: porque jornal nenhum se referiu ao meu discurso de ontem no Congresso Pan-Americano de Imprensa mas só ao de Mr. Kellogg e ao do Sr. Luís Mitre, de *La Nación*. Houve protestos de *La Prensa* contra o fato de ter sido eu, e não o seu redator, Soto-Hall, o orador principal da solenidade de ontem. E como *La Prensa*, a poderosíssima *La Prensa*, protestasse, resolveu-se dar o meu discurso como não tendo sido pronunciado. Silêncio completo nos jornais daqui, de Nova York, e, decerto, de todos os Estados Unidos. Meu discurso me trouxe muitos aplausos e felicitações, especialmente de Mr. Kellogg, que é um velhote muito simpático, e dos embaixadores do Brasil – O. Amaral – da Argentina e do Chile. Não creio que o da Argentina concordasse com o silêncio que se fez nos jornais ou na imprensa norte-americana, em torno do meu discurso, para não irritar a já irritada *La Prensa*. O incidente mostra que a imprensa aqui é uma imprensa dirigida: e não livre. Nem de todo fiel aos fatos. Censurada e à mercê de interesses – e não independente.

Dos brasileiros, o próprio Medeiros e Albuquerque ficou entusiasmado com o triunfo que alcancei com um discurso, aliás, muito curto: de quinze ou vinte minutos. Nestor Rangel Pestana também e o Antônio Cícero. Todos me felicitaram de um modo caloroso e que me pareceu sincero.

Kellogg me perguntou onde eu aprendera inglês. Expliquei-lhe que era formado pela Universidade de Columbia. Ele me perguntou: "E o *sense of humour*, onde o aprendeu? Não é comum!"

Oliveira Lima disse-me que foi um discurso justo, isto é, para o momento, para as circunstâncias. Discurso de diplomata, acrescentou. E comentou: "Não viu os diplomatas ficarem entusiasmados? Isto é raro". Para Oliveira Lima eu tornei-me "o leão do Congresso" dando "extraordinário prestígio" ao Brasil. Fui entrevistado por mais de um repórter latino-americano. O. L. escreveu um artigo para *La Prensa* destacando meu discurso. Este O. L. sim, é, de fato, um independente.

WASHINGTON, 1926

Estranho o que ontem se passou na casa dos O. L. onde vim passar uns dias. Estava no meu quarto, lendo um romance inglês, quando por volta das dez da noite me apareceu chorando Dona F. Fiquei assombrado: Dona F. é uma dessas mulheres magnificamente vitorianas no porte e no espírito que ninguém imagina capazes de chorar na presença de estranhos. Mas ela chorava de tal modo que minha primeira impressão foi a de que O. L. morrera de repente. Levantei-me, perguntando-lhe: "Que foi, que foi?". Ela então explicou: "O nosso Dom Manuel (o apelido de O. L.) acaba de abandonar-me. Só V. poderá trazê-lo. Acho que vai fugir com a amante."

Desci as escadas como se voasse. E corri rua afora, na direção da cidade.

Até que já depois de ter corrido um bom pedaço, avistei o vulto enorme de O. L. Caminhava pela calçada a passo, para ele, espantosamente ligeiro.

Gritei-lhe: "Dom Manuel! Dom Manuel!" Ele parou. Só então notei que O. L. caminhava pela rua de pijama: escândalo nos Estados Unidos. Felizmente a rua estava quase deserta àquela hora.

Falei com O. L. como se fôssemos homens quase da mesma idade. Que voltasse imediatamente. Que estava se portando como uma criança.

Ele me explicou: "Já não suporto o ciúme de F. É um ciúme, eu lhe asseguro, sem nenhum motivo".

"Sinal de os dois continuarem a se namorar como nos dias de noivos", eu lhe disse. "Vamos para casa". Fomos. Abraçaram-se e beijaram-se como se de fato fossem noivos e não casados há trinta anos. Quem quase chorou com este final fui eu. Abracei-os também. Que motivo haverá para o ciúme? Isso de sexo é o diabo.

WASHINGTON, 1926

Não posso explicar bem ao bom do O. L. o trabalho em que estou empenhado na sua Brasiliana desde o meu primeiro contato com ela em 21: trabalho que me faz passar dias inteiros entre os livros e papéis que esse raro brasileiro doou à Pontifícia Universidade Católica. Disse-lhe vagamente que estou reunindo notas para uma história da vida de menino no Brasil: uma espécie de autobiografia ou de memórias de um indivíduo estendidas em histórias ou em memórias de todos os meninos do Brasil. Uma volta de um indivíduo à infância e uma volta de todo um povo ao que tem sido a infância, dentro desse povo, através de várias gerações. Há algum livro que realize esse quase impossível? Que eu conheça, nenhum. É o livro que espero em Deus escrever. Estou encontrando na Brasiliana de O. L. muita coisa que desejava encontrar.

WASHINGTON, 1926

Ainda a propósito do caso da fuga de casa de O. L. Não me parece que a vida de casado possa ser senão drama. Mesmo no caso das pessoas maravilhosamente bem casadas, o matrimônio é drama. Tem de ser drama. Acredito que os próprios Browning tivessem seus conflitos semelhantes a esse, de há poucos dias, entre O. L. e Dona F.

Daí se deverá concluir que a vida conjugal deva ser evitada? De modo algum. Na capacidade do homem ou da mulher para viver dramaticamente está, penso eu, uma das mais altas capacidades humanas. A própria vida mística entre os ascetas católicos imita, no plano da sublimação espiritual, a vida conjugal, transferindo para esse plano, sob a forma de casamento da alma da mulher com Jesus, o drama conjugal. Pelo menos é a transferência em que se aguce de modo poético, lírico, amorosamente lírico, o misticismo, ao mesmo tempo tão dramático, de Santa Teresa de Jesus. A qual por vezes diz-se que brigava com o próprio Deus, acusando-o – coisa de amante – de maltratar os melhores amigos. Inclusive a melhor amiga.

A propósito: E. veio hoje buscar-me no seu automóvel elétrico no qual fomos até os franciscanos. É uma americanazinha encantadora. Dona F. supõe que haja entre nós romance capaz de terminar em casamento. Mas não há. Temo casamentos internacionais. Aliás os O. L. são muito contrários aos casamentos internacionais e citam como exemplo de sua inconveniência o casamento do Barão de R. B.

WASHINGTON, 1926

Fui convidado a uma recepção na Embaixada do Chile que reuniu só altas figuras da diplomacia, do governo e da sociedade: a famosa "sociedade" de Washington. Foi E. quem me levou no seu lindo automóvel elétrico que tanto tem rodado comigo pelas ruas da capital dos Estados Unidos com uma elegância macia, aristocrática, lenta, que falta aos automóveis comuns. Ela me disse: "Não é preciso ter dom de profecia para dizer de V. que vai ser um dos grandes homens da América". Gostei da profecia saída de lábios de tão encantadora pitonisa.

Aliás, a tarde inteira foi para mim de elogios que recolhi e saboreei como um menino guloso que, mimado pelos grandes, fosse por eles distinguido com bombons finos. Desde que O. L., tão sóbrio nos elogios, me louvou o discurso na Conferência de Imprensa, que venho me fartando infantilmente de bombons finos dessa espécie.

O embaixador do Chile recebeu-me na sua embaixada como se eu fosse outro embaixador. Apresentou-me a encantadoras chilenas, o que fez O. L. observar que eu era no momento um *bachelor* muito festejado e cortejado até por mamães elegantes desejosas de bons partidos para as filhas. O embaixador da Argentina – Puereydon – voltou a tratar-me com um carinho quase de pai por filho. O que em parte se explica por me achar parecido à gente de sua esposa, descendente de brasileiros creio que do Rio Grande do Sul. Também ele me disse, repetindo-se: "Você é um diplomata que o Brasil precisa de aproveitar logo em missões importantes". Ele talvez idealize o Brasil, recordando-se da figura da mãe, filha ou neta de brasileiros do Rio Grande. Ou do Rio de Janeiro: não estou certo.

Torno a encontrar o velho Howard – Lord Howard – meu conhecido de Oxford (quando ele era Embaixador de S. M. Britânica em Madri) e eu companheiro de seu filho nos trabalhos do *Oxford Spanish Club*. O sempre fidalgo Lord Howard é agora embaixador da Inglaterra em Washington. Pergunto-lhe pelo filho, cuja amizade foi um dos maiores encantos da minha temporada em Oxford: tão magnificamente inglês, tão puro de espírito, tão nobre de caráter e de sangue sem afetação nem pedanteria. Lord Howard me informa com tristeza que já não tem esperança de que ele se cure. Está na Suíça. Tuberculoso. Lembro-me de que foi ele que mais me animou, quando em Oxford eu comecei a me sentir tuberculoso, contra temores que me disse serem vãos. Era então o mais rosado e belo dos adolescentes de Oxford.

WASHINGTON, 1926

Ótimo jantar em casa do Oliveira Lima, preparado pela cozinheira portuguesa, que é uma mestra de mestras. Nem na Embaixada do Brasil se come tão bem.

Aliás a casa do Oliveira Lima é uma embaixada permanente do Brasil em Washington. Ele é que é o continuador de Joaquim Nabuco. Quanta gente ilustre eu tenho conhecido nas recepções dos Oliveira Lima: diplomatas, europeus, bispos americanos, generais e aristocratas alemães, intelectuais latino-americanos! Inclusive viúvas de diplomatas com as quais tenho aprendido muita coisa sobre o mundo de antes da guerra: a viúva do Dawson (*née* Guerra Duval), a viúva de Salvador de Mendonça.

Tive um desses dias uma conversa com o Angel Cesar Rivas, venezuelano eminente que vive em Washington vida de *émigré* político. Ele me diz isto mesmo: "Vocês, brasileiros, são felizes em ter aqui permanentemente um Oliveira Lima. Com a sua presença, os embaixadores oficiais mandados pelo Governo podem ser medíocres: ele conserva as tradições de Rio Branco e de Nabuco".

Aliás, a impressão geral entre anglo-americanos e latino-americanos é que a diplomacia brasileira está em declínio. Para essa impressão geral muito vem concorrendo os Félix Pacheco. Alguns podem ser bons juristas – Félix nem isto é, segundo O. L. – mas sem o sentido político e o sentido cultural que deve orientar a diplomacia de um país novo como o Brasil. Sentido que não faltou a Penedo, aos Rio Branco, aos Sousa Correia, a Nabuco, a Salvador de Mendonça; e não falta a Oliveira Lima nem a Gastão da Cunha nem a Hélio Lobo, discípulo de Rio Branco e meu companheiro de estudos na Universidade de Columbia, quando ambos fomos discípulos de John Bassett Moore, de Direito Internacional.

Tenho lido algumas das cartas de Gastão da Cunha e Sousa Dantas a Oliveira Lima. Cartas que constam do seu arquivo, por ele aberto à minha curiosidade. Também eles lamentam a falta atual de orientação superior da parte do Itamarati. Mesmo assim o Itamarati é um mito entre os latino-americanos. Conseqüência do impulso adquirido nos grandes dias do Barão.

WASHINGTON, 1926

José Maria de Albuquerque compôs e imprimiu o meu *Bahia de todos os santos e de quase todos os pecados* nuns tipos pretos, gordos, bons e mandou-me logo um exemplar. Exatamente os tipos que eu desejava. Os que o poema pedia. Esse José Maria é um medieval. Um mestre medieval na sua arte. O. M. julga-o um menino abobalhado e A. F. é da mesma opinião. Mas a verdade é que J. M. é um artista e não apenas um artesão. Um irmão de Bandeira pintor na sociedade, no esmero, no amor com que pratica sua arte. Ou seu artesanato.

NOVA YORK, 1926

Carta com novidades do Brasil. Curioso como M. B., poeta, se mostra fechado a Augusto dos Anjos. Isto a propósito do meu artigo de reabilitação desse poeta em *The Stratford Monthly*, Boston. Chega a dizer segundo meu informante: "poeta para soldado de polícia". Uma frase de todo infeliz.

NOVA YORK, 1926

Reunião no *Cosmopolitan Club* de estudantes e professores de Direito Intemacional – alguns meus antigos colegas nas aulas de Diplomacia de Munro e de Direito, de John Bassett Moore – no qual sou convidado a falar sobre a atitude do Brasil na Liga das Nações. Assunto delicado. Pelo que, procuro contorná-lo, falando sobre as constantes da política internacional do Brasil. A impressão geral entre internacionalistas e juristas é de inépcia da atual representação brasileira na Liga. É a de inépcia do nosso Governo com relação à Liga, à pretensão alemã: ao problema da harmonização européia que necessita do fortalecimento da democracia alemã. E eu próprio é do que estou convencido: de que os Félix Pacheco estão metendo os pés pelas mãos e levando o Brasil a atitudes quase ridículas na Europa e na América. De modo que evito os aspectos atuais da política exterior do nosso país, para recordar o fato – que é pura verdade – de haver uma tradição brasileira de diplomacia, além de uma tradição brasileira de pacifismo nas relações do Estado, primeiro Monarquia, depois República, com as nações estrangeiras, que se caracteriza pela consistência, pela solidez, pela segurança e lucidez do espírito jurídico e de senso político. Os dois juntos. Um espírito jurídico completado pelo político, em contraste com a política internacional de rompantes de altos e baixos e de exibições de imaturidade de espírito, da maioria das repúblicas latino-americanas. Agora, porém, como os Félix Pacheco estão a nos afastarem das tradições de Rio Branco e Nabuco, de Penedo e Sousa Correia, parece que estamos nos afastando de tais normas e nos deixando contagiar pelo adolescentismo político nos assuntos internacionais – de algumas – não todas, de modo algum – das repúblicas vizinhas.

NOVA YORK, 1926

Cocktail em casa de Miss Constance Lindsay Skinner. É uma mulher de personalidade. Tornou-se célebre pelos seus poemas sobre assuntos ameríndios. Seus ritmos se assemelham aos de Carl Sandburg. Mulher de valor.

Miss Skinner me apresenta ao irlandês Padraic Colum que é agora um poeta muito em voga na língua inglesa: poeta e crítico. Muito irlandês. Muito celta. Muito sofisticado. Conheço também Mary Colum: rival do marido em lucidez crítica. Amigos do meu já conhecido e muito admirado W. B. Y.

Mary me pergunta pelos poetas novos do Brasil. Eu lhe falo de Manuel Bandeira. Dou-lhe resumos de poemas como *Os sinos, Os sapos.* Não lhe ouso falar de Ronald como poeta novo. Ela com certeza me diria, com seu sarcasmo de celta: "Mas isto não é poesia, meu caro. Isto é retórica". Foi mais ou menos o que me disse a poetisa versada em língua espanhola, Muna Lee, quando lhe pedi sua impressão da *Toda América*, que eu lhe dera para ler, e caso ela se interessasse pelos poemas, traduzir alguns para o inglês. Ronald me pedira muito no Rio que lhe descobrisse um tradutor para a língua inglesa.

Para Padraic Colum não há poeta sem muita intensidade de experiência ou de aventura pessoal. É o que falta, talvez, ao aliás brilhante Ronald. É, me parece, o que a tísica deu a Bandeira, embora sem fazer dele um poeta mórbido. Deu-lhe concentração, intensidade, aventura pessoal que se exprime numa poesia inteiramente nova em língua portuguesa. A de Ronald tem alguma coisa de novo mas quase não é poesia. E sim eloqüência, sub-whitmaniana. Falta-lhe o lastro de aventura pessoal. E mais composição – boa, excelente composição até, por vezes – que expressão. E o mesmo é certo de outros "modernistas" brasileiros, dos quais entretanto seria injustiça não destacar como poetas novos um Ribeiro Couto, os dois Andrade e Drummond, e mesmo os dois Andrade de São Paulo nos seus melhores momentos.

NOVA YORK, 1926

Só no hotel. Deitei sangue desta vez não pela boca, mas prosaicamente pelo nariz. Outra vez, sangue – como em Oxford e em Paris, quando corri para Portugal, confesso que com medo de morrer. Creio que o excesso de aquecimento nas casas durante os dias de inverno mais frios me ataca de modo particular não sei se os pulmões, romanticamente, se apenas o nariz, prosaicamente. Deixa-me sem ânimo. Prostrado. Com medo de asfixias, de desmaios, da morte.

Penso de novo no fato de ter chegado aos 25 anos sem ter hoje, fora dos pais e irmãs, um grande amigo. Terei retalhos de grandes amigos mas não um grande amigo completo, íntegro; com esses retalhos, juntando-os, eu formaria o grande amigo que me falta. Mas esses retalhos não se unem: eles se repelem.

Creio que foi em Oxford que eu cheguei mais perto de encontrar dois ou três grandes amigos compreensivos, afins, fraternos. Dois deles quiseram, através de cartas, continuar esses começos de amizade que eu próprio deixei que morressem sem criarem raízes. Para quê? Agora é talvez aqui que me restam amizades dos tempos universitários mais capazes de se desenvolverem em amizades completas. Duas ou três aqui; duas ou três no Recife. Outras duas ou três no Rio e em São Paulo. Deus queira que com o tempo eles se tornem as amizades completas que hoje me fazem falta nos meus dias de maior solidão.

NOVA YORK, 1926

Quando nós, modernos, julgamos a Idade Média, pelo critério sanitário ou pelo valor ou o apreço dado à vida humana, e concluímos, triunfantes, que a nossa superioridade sobre esses antepassados é absoluta, e nós, sim, é que sabemos dar valor à vida e defendê-la, esquecendo-nos de algumas estatísticas modernas. A de mortes por automóvel entre outras. Acabo de ver estatísticas inglesas para as grandes capitais modernas: os números ainda quentes de novos. São números espantosos.

Se o bobo da corte do Rei Artur viesse um desses dias pagar a visita que lhe fez, há tempos, todo ancho dos seus pentes, das suas escovas e das suas americanices, o *yankee* de Connecticut, não esqueceria decerto de lhe perguntar com um sorrisinho irônico: e as mortes por automóvel, camarada?

NOVA YORK, 1926

O bobo da corte do Rei Artur era quem logicamente deveria vir pagar ao *yankee* de Connecticut a visita que este se lembrou de lhe fazer (portando-se, entretanto, em casa do rei, como um mal-educado de primeira). Não veio o bobo: veio o padre ou o capelão. E desta vez o *yankee* de Connecticut, decerto já arrependido de umas tantas "superioridades" ostentadas na corte do Rei Artur, deve: ter se ajoelhado e beijado a mão do padre. Refiro-me ao formidável esplendor medieval do Congresso

Eucarístico entre os arranha-céus de Chicago em 1926. Esplendor que não deixou de significar uma transigência de época da grande técnica de transporte, de comunicação, produção e habitação, já meio convencida das suas insuficiências, com a idade das catedrais e dos trovadores. Para compreender o que estou dizendo, entretanto, é preciso conhecer no seu mais íntimo sentido o livro de Mark Twain *A Connecticut yankee*.

Rio, 1926

De novo no Rio depois de uma temporada nos Estados Unidos.

Convido para almoçar comigo o General O'Brien, alto, barbado, já velho, mas sempre muito irlandês e muito má-língua, que foi meu companheiro de viagem de Nova York ao Rio. Vai ao Paraguai onde me informa que já foi ministro de seu país. Diz-me o celta horrores de Mr. Morgan, o simpático embaixador dos Estados Unidos no Brasil e que é, decerto, uma admirável expressão do que pode se reunir de melhor num representante de civilização anglo-saxônia em país neolatino. Um excelente embaixador. Mas para O'Brien, trata-se de um indivíduo incapaz das suas altas funções. Talvez ressentimento ou despeito.

Rio, 1926

O embaixador da Alemanha me convida para um jantar em Santa Teresa. Encantadora Santa Teresa. Jantar de *smoking*. Vou com meus amigos Rudiger e Jane – ele alemão, ela americana, ambos até há pouco meus colegas na Universidade Columbia. Antes do jantar, tomamos uns *drinks* no Hotel Glória. Recordamos figuras e episódios de Columbia. Jane sempre muito bonita. Sua voz, sempre terrivelmente feia. Ótimo jantar. O embaixador, um alemão do tipo europeu. Admirador de Goethe e leitor de Proust. Mas de quem mais se falou no jantar foi de Thomas Mann como romancista também de um novo tipo. Como Joyce e como Proust também preocupado com o tempo. Ou com os tempos. Com os homens que morreram, dentro dos tempos e com os tempos que morrem dentro de outros homens. Os tísicos são principalmente os que morrem dentro do tempo. Antes de tempo quase sempre.

RIO, 1926

M. B. é sem dúvida nosso maior poeta. O maior, atualmente, penso eu, na língua portuguesa, na qual até há pouco dominaram o brasileiro Bilac e, mais do que Bilac, os portugueses Antônio Nobre e Eugênio de Castro. Mas sua prosa me parece quase sempre inexpressiva. Às vezes insípida. E uma de suas deficiências – estranha deficiência num poeta! – é a de um ritmo que lhe seja próprio. Também a de musicalidade. A de eurritmia.

São virtudes que ainda não são minhas. Mas estou a caminho dessa conquista. Já tenho um começo de estilo inconfundível. Nada de modéstias num diário honesto.

Isto a despeito de M. B. me ter dito um desses dias que não acredita na musicalidade, em prosa literária – que eu pretendo atingir – dos escritores que não sejam senhores dos segredos da música propriamente dita. O meu caso.

A essa sua suposição oponho o seguinte: ninguém mais senhor desses segredos que Robert Browning. Sabia música. Era um erudito em assuntos musicais. Também um voluptuoso das delícias da música: da instrumental, da de ópera, da de câmera. Entretanto, à sua poesia faltava musicalidade.

Enquanto Swinburne, que pouco sabia de assuntos musicais e a quem sempre faltou entusiasmo pela música propriamente dita, foi, em contraste com Browning, um poeta notável pela musicalidade. Um musicalíssimo poeta.

RECIFE, 1926

Manuel Bandeira está no Recife e está em nossa casa: na casa do meu irmão Ulisses. Para Rudiger e Jane é que o ano passado preparamos cômodos um tanto no estilo dos de Greenwich Village e do Quartier Latin no terceiro andar da Camboa do Carmo, onde temos o nosso anexo urbano. Tem-se de lá de cima uma vista única de alguns dos mais velhos telhados do Recife, que Ulisses tem fotografado a meu pedido, do mesmo modo que vem fotografando aquelas janelas mouriscas, varandas de ferro trabalhado, interiores de igreja. O Recife está sendo desmanchado pelos "progressistas" mais do que pelo "progresso" e é preciso que fique ao menos em fotografias e desenhos. A casa de Ulisses perto de Casa Forte (Encanamento), Bandeira chama de "toca de Regionalismo", pelo que lá se encontra de regional tanto no sítio, cheio de mangueiras, jaqueiras, palmeiras, como no interior da mansão, que aliás é mourisca no estilo: jacarandás, porcelanas, pratas, cristais dos velhos tempos de Pernambuco. Alguns de família. Aliás o que nós temos de melhorzinho no gênero está não na toca dos solteiros mas na casa da família, que Bandeira visitou e sentenciou; "Esta casa é ainda mais agradável do que a toca. É uma delícia". Os velhos Freyres ficaram encantados com Bandeira. Minha Mãe proclama-o "um dos nossos".

Nosso cozinheiro – da toca – José Pedro tem caprichado em preparar para Bandeira quitutes dos mais saborosamente regionais. Munguzá, tapioca, cuscuz, pamonha. Também já lhe oferecemos na casa de Ulisses uma feijoada, em que esteve também José Lins do Rego, cada dia mais meu amigo. Depois da feijoada, os convivas, para melhor fazerem o quilo, se puseram em trajes menores: alguns ficaram de todo nus. Bandeira e Odilon Nestor, não: conservaram-se vestidos. Foi tirada uma fotografia dos nus.

Bandeira está sendo por mim iniciado – segundo ele próprio – em literatura inglesa e anglo-americana: na menos ostensiva. Ele o que conhece dessas na verdade opulentas literaturas é o que elas têm de mais ostensivo – Shakespeare, Byron (que ele parece supor grande poeta: mito que tenho procurado desmanchar diante dos seus olhos um tanto surpreendidos), Keats, Shelley, Swift, Poe, Dickens, Defoe. Já o iniciei nos Browning: ele parece que nem sequer suspeitava da existência de uma Mrs. Browning, de quem é parente em língua portuguesa. E o venho iniciando em ensaístas e romancistas dos quais lhe tenho dado a ler páginas dos quais mais releio: trechos de Lamb, Pater, Jane Austen, Donne, De Quincey, Bunyan, Newman, Stevenson, Blake, Butler. Em poetas imagistas, em Vachel Lindsay, em poetas novos dos Estados Unidos, inclusive alguns negros. Ele tem ficado maravilhado com alguns. Até recitei-lhe versos de Edgar Lee Masters, da *Spoon river* e *I have a rendez-vous with death*, que vai traduzir. Também vai traduzir a meu pedido sonetos de Mrs. Browning, que o encantaram. Outros versos que lhe recitei à maneira do próprio poeta recitá-los, foram os de Vachel. Ficou interessado em saber que sou amigo desse estranho Vachel, que acaba, maravilhado, de descobrir, através dessas nossas conversas no Recife. Um pormenor: um desses dias falei-lhe em Swinburne. Ele me interrompeu: "Ah, este meu Pai gostava muito dele!". Parei um tanto espantado. Mas logo verifiquei que o meu amigo se equivocara: não conhecendo Swinburne, supusera tratar-se de Swedenborg. Não tive ânimo de retificá-lo. Estou certo de que ele me retificaria num engano semelhante. Eu – bobagem minha! – fiquei sem ânimo de fazê-lo e ao mesmo tempo pesaroso de não revelar-lhe um poeta inglês no qual ele encontraria tão esquisitos sabores, novos para nós, brasileiros.

José Pedro está muito ancho de sua nova amizade: Manuel Bandeira. "Ele conversa comigo como se fosse meu amigo desde menino", me disse o preto que tem aliás a mania de querer parecer mais moço do que é. Até de Ulisses meu irmão ele se diz contemporâneo: homem da mesma idade. E trata Odilon Nestor como neto a um avô. São quase da mesma idade.

RECIFE, 1926

Grande farra na *garçonnière* da Camboa do Carmo com Bandeira poeta. Bebeu um pouco e ficou tão alegre que deu para cantar. Voz detestável. Lá estavam Ulisses, meu irmão, José Tasso, Antiógenes Chaves. Vê-se que o poeta esqueceu-se da tísica e das tristezas e ficou por toda uma noite quase vinte anos mais moço do que é. Muito feliz entre mulatas. As mulatas não tão felizes com ele.

1927

RECIFE, 1927

Agora que estou ganhando bastante (do fim de 23 a 26 ganhei pouquíssimo – por algum tempo quinhentos mil-réis do *Diário* e mais nada depois, durante o ano de 24 a essa soma juntaram-se outros quinhentos, de humilhante ofício que aceitei nas Docas: o de corrigir o português dos relatórios dos seus administradores e, durante o ano de 25, o *Diário*, em vez de pagar-me apenas quinhentos mil-réis, passou a pagar-me um conto por mês: quinhentos de colaboração e quinhentos pelo trabalho – que foi imenso – de organizar o livro comemorativo do 1° centenário do jornal. Sempre, desse dinheiro, dou metade à família para as despesas de casa). Agora, que estou ganhando bastante, venho me regalando com a compra de livros já muito desejados. É com alvoroço de menino que recebesse brinquedos que desembrulho pacotes de Londres (Hugh Rees), de Paris (livros adquiridos por intermédio principalmente do nosso Ministro em Praga, Belfort Ramos) e da Alemanha (por intermédio do Karl von den Steinen). Uns livros novos em folha – os ingleses com um cheiro diferente do que caracteriza os franceses; os alemães com odor também próprio (que não se confunde com o dos livros americanos). Alguns, livros antigos, antiqüíssimos até: livros de viajantes que estiveram no Brasil colonial. Um Koster em francês, estampas a cor, e autógrafo do tradutor. Um Luccock: raríssimo. Um Lindsay: outra raridade. Um Pyrard. Verdadeiras preciosidades. Também as obras completas de Frazer. Morgan. Tylor. Quase todos os clássicos da antropologia em língua inglesa. Vários alemães, austríacos, franceses, italianos. Os modernos: Wissler, Kroeber, o Padre Schmidt, o italiano Sergi. E também literatura. Autores que li em bibliotecas e tenho agora ao meu lado, como amigos que me fizeram companhia neste meu exílio intelectual no trópico. Pater completo.

RECIFE, 1927

Má impressão pessoal de M. de A. Sei que sua obra é das mais importantes que um intelectual já realizou no Brasil. Que entende de música como um técnico e não apenas como um artista intuitivo. Que une muita erudição à intuição poética. Mas me parece artificial e postiço em muita coisa. E sua pessoa é o que acentua: o lado artificioso de sua obra de renovador das artes e das letras no Brasil. Seu modo de falar, de tão artificioso, chega a parecer – sem ser – delicado em excesso. Alguns dos seus gestos também me parecem precários. Mesmo assim, um grande, um enorme homem-orquestra, que está sendo para o Brasil uma espécie de Walt Whitman. Um semi-Walt Whitman.

RECIFE, 1927

A. J., a admirável mulata da Travessa do Forte, não é mulher fácil nem de qualquer um. É mantida, com todos os carinhos financeiros, por um burguesão famoso. Comporta-se assim amigada como se fosse casada. Meu Tio A. conheceu-a antes da amigação e foi quem me levou posso dizer que aos seus braços, tão imediato foi o afeto que surgiu entre nós.

RECIFE, 1927

Disse-me ontem o J. que ouvira dizer-se numa roda de intelectuais que não era possível que eu fosse "o assombro que dizem que sou, de saber", sendo "tão boêmio". Isto porque às vezes sou visto em pensões de mulheres, em clubes populares de carnaval como o das Pás, dançando com as morenas em pastoris como o do Poço, em ceias de sarapatel no Bacurau ou no Dudu (nestas quase sempre na companhia do velho Manuel Caetano). É uma verdade esse meu desejo de impregnar-me de vida brasileira como ela é mais intensamente vivida, que é pela gente do povo, pela pequena gente média, pela negralhada: essa negralhada de que os "requintados" (como eu estou sempre a chamar os intelectuais distantes do cotidiano e da plebe) falam como se pertencessem a outro mundo. Mas não é verdade que por essas aventuras boêmias eu deixe de estudar e de ler. As manhãs inteiras é como as tenho vivido aqui desde que cheguei da Europa: lendo, estudando, tomando notas de leituras, continuando a ser o devorador de livros que sou desde os treze anos. Interrupções sérias a essa atividade, só as das viagens e excursões, quer as longas, quer as apenas de bicicleta por todos os arredores do Recife.

O que procuro – isto é verdade – é não ostentar vida de estudo, de trabalho e de leitura, à maneira do J., que escancara as janelas da casa para que toda gente que passa a pé ou de bonde o veja em casa, de pijama e chinelos, lendo e escrevendo, pela manhã e à noite. É ao meu ver uma das piores formas de exibicionismo: a do indivíduo que estuda, que lê, que escreve, que medita, ostentando essa sua atividade, para ele, superior. É uma atividade que deve ser quase tão íntima quanto a do amor. Não acompanho o Comte do "viver às claras" neste particular. Prefiro estudar, ler e meditar à sombra. Quase escondido. Sem ostentação nem exibicionismo. Parecendo mesmo ser apenas boêmio e simples freqüentador de pastoris e clubes populares e amigo do que os "requintados" chamam a "negralhada".

RECIFE, 1927

Jantar com o Barão de Suassuna na casa-grande de Morim. O. L. tinha me advertido contra ele: "é homem falso". Mas a verdade é que o diabo do velho tem seu encanto pessoal e é inteligente como ele só. Nunca uma pergunta o apanha desprevenido. Sempre ereto, lembra um general à paisana. E não lhe falta a vaidade de ser um dos últimos titulares da Monarquia, entre simples bacharéis da República. É um dos pontos em que o velho senhor da Escada (Quixote realista sempre acompanhado do seu Sancho um tanto romântico, que é o Dr. Gomes Porto) parece sentir-se superior ao atual senhor de Morim, que é E. C. Tratam-se com a maior das cordialidades: "Barão" para cá, "Doutor Estácio" para lá. Mas no íntimo são dois aristocratas pernambucanos rivais em lutas de que o "Dr. Estácio" vem saindo vitorioso sobre o velho Barão. Lutas quase florentinas.

Converso com o Barão. Conversa bem. Conhece de perto o que a Europa tem de melhor. Não ignora as catedrais – embora o conhecimento do gótico não seja o seu forte. Mas sua Europa não é a dos rastaqüeras.

Lembro-me do que se conta dele com o meu querido J. L. do R. Foi antes de eu chegar da Europa. J. L. do R. estava em pleno furor panfletário, dirigindo com outro jovem de talento, o O. B., um panfleto em que muito se agredia a Estácio e a outros políticos, e defendia-se Borba – o aliás admirável, embora muito tacanho, Borba. O Barão concorria secretamente com dinheiro para sustentar o panfleto. E não deixava de ter seus encontros com os panfletários: encontros que pelo seu gosto seriam sempre discretos.

Uma tarde descia ele a Rua Nova, marcial, nobre, quase um lorde inglês perdido nos trópicos, quando, de repente, quem começa a caminhar a seu lado, conversando familiarmente com o velho e sóbrio aristocrata do Império? O panfletário J. L. do R. Dá-lhe notícias políticas. Fala-lhe do panfleto. Notícias que o Barão passou a ouvir com algum interesse, embora sem perder nunca a nobre fleuma.

É quando avista pela Rua Nova, em sentido contrário ao seu, o Samuel Hardman, amigo fraterno de Estácio; e não menos "raposa velha" em política que o próprio Barão. Suassuna não se altera. Limita-se a dizer de modo incisivo ao jovem panfletário que o acompanhava: "Finja que não vem comigo". Atitude que segundo o malicioso L. C. lembra a de um velho viciado que não quisesse ser visto na companhia de um adolescente suspeito de ser sua Adelaide.

RECIFE, 1927

Há no Brasil um general chamado Setembrino: Setembrino de Carvalho. Eis aí um nome esquisito de que eu não me importaria de ser portador. Pois o fato é que tenho pelo mês de setembro uma predileção que chega a ser uma devoção pagã por um deus. Dentre os meses é o que eu adoraria se fosse pagão e se os meses fossem deuses. Gosto dele nos países frios – fim de verão, começo de outono. Gosto dele mais neste meu recanto tropical do Brasil. É um mês, o de setembro, em Pernambuco, de uma luz tão macia, de um ar tão liricamente fino, de manhãs e madrugadas tão sutilmente doces, de fins de tarde tão saudosos, que as paisagens e as pessoas parecem adquirir durante ele contorno diferente do dos outros meses; deixam-se ver melhor pelos que se deliciam em ver; e parecem sujeitar-se melhor à admiração e à ternura dos que vivem a vida deliciando-se em respirar o ar e em ver os efeitos da luz sobre as pessoas e as coisas, como se respirar o melhor ar e ver a melhor luz fossem – como de fato são – privilégios e não banalidades.

RECIFE, 1927

Fui ontem a um xangô autêntico, num ambiente amigo; sem me sentir turista nem médico nem "pessoa do governo" mas amigo de Minha Fé. Meu guia: a velha "Minha Fé". Ela me apresentou ao babalorixá; "Este é dos nossos. Branco que gosta mesmo de nós". Serviram-me logo uma espécie de caruru que comi meio repugnado mas comi. Fiquei a noite inteira. Até de madrugada. Uma doce mulata se encarregou de mim: bonita mulatinha, muito dengosa. Como eu gosto. Terna (e eu sou um faminto de ternura). O curioso é que os gritos, os saltos e os pulos dos possessos me parecem iguaizinhos aos das velhotas e moças que vi num *revival* em Kentucky, num dos meus primeiros meses nos Estados Unidos. Horrorizou-me aquilo: nunca vira coisa semelhante no Brasil. Agora lamento não ter observado com mais simpatia as velhotas e moças de Kentucky em êxtase religioso, numa cidadezinha matuta de gente toda branca, em grande parte loura.

Lapougianamente loura. Poderia comparar melhor o que vi entre aqueles brancos com o que acabo de ver entre negros e mulatos do Recife. Religiosidade, sem dúvida, num e noutro caso, a despeito de alguma histeria. Porém religiosidade autêntica. E bonitos os cantos. Bonitas as danças. Nenhuma canalhice. Mais doçura nas vozes e danças afro-brasileiras.

RECIFE, 1927

Não daria por coisa alguma a tarefa de secretariar o Governador em dia de audiência pública e anotar casos: casos de miséria, casos de perseguição de pobres por poderosos, casos de opressão de decadentes por arrivistas ou novos-ricos. Casos simplesmente de degradação: por inércia, por jogo, por amor. Estou já com um monte de notas do maior interesse sociológico. Sociológico e psicológico. Material para um livro: se eu tiver ânimo para dar forma de livro a esses retalhos de vida ainda quente, que tenho tido a oportunidade de colher de náufragos sociais que expõem seus casos ao Governador quase como se confessassem a um padre velho. Entrando em pormenores íntimos. Revelando intimidades profundas.

É claro que deve haver entre eles simuladores. Mas vários casos que tenho me encarregado de examinar são expressão pura da verdade. Sem nenhuma simulação nem sequer exagero.

RECIFE, 1927

Interessantíssimas – repito – as audiências públicas de Estácio Coimbra, como governador que venho secretariando. Ele ouve uma multidão de gente que sem essas audiências nunca falaria diretamente com o Chefe do Estado. Ouve com atenção. São casos, muitos deles, de exploração do homem pelo homem em suas formas mais cruas. Gente pobre – ou empobrecida: netos de senhores de engenho até, de senadores, de presidentes de Província – explorada por gente rica, ou enriquecida de repente. Esta é sempre a pior. Estácio às vezes me diz: "Teu socialismo não deixa de ter razão". O suposto reacionário que ele é traído pelo que há de jovem, de receptivo ao novo, de plástico, na sua inteligência de homem de mais de cinqüenta anos nascido ainda no tempo do Império e quando o mundo era tão diferente do de hoje. Tende a ser um tanto pomposo quando discursa e quando escreve. Mas redige bem. É inteligente: vai aos pontos essenciais dos problemas. E com esta superioridade magnífica: em certos documentos não hesita em dizer-me que lhe "corrija" a linguagem, no sentido não de melhor gramática (pois sabe que não sou gramático, e a dele está longe de precisar de remendos) mas de melhor estilo. O que, quando faço, é respeitando a personalidade do autor e não adaptando-a à minha. Nuns pontos ele é teimoso como em usar erradamente "inversão" (de capitais) em vez de "investimentos", que é o certo, como já lhe sugeri mais de uma vez. Ele porém insiste nesse erro que, aliás, é freqüente no Brasil.

RECIFE, 1927

Jantar nosso – de meu Pai, de minha Mãe, de Ulisses – a Estácio, que aparece, como era esperado, com Paranhos. Dondon está no Rio.

Ótimo jantar. Os Olímpios – o apelido em família de meu Pai e de minha Mãe – recebem bem. Temos a nosso serviço o Eduardo, antigo empregado de ingleses que se apresenta sempre de dólmã branco, muito britânico. Boa cozinheira. Mas quem dirige tudo na cozinha é Dona Francisquinha, que sabe ser dona de casa.

Estácio se interessa pelas colheres de prata de minha Mãe. E muito pelos móveis de jacarandá de Spieler que foram de meu Avô Alfredo que ele, E. C., aliás, conheceu. Sabe que o Barão de Santo André quis fazer de Alfredo Senior também barão.

Estácio está agora entusiasta de antiguidades. Influência, sobre ele, de José Mariano Filho, no Rio, e de Paranhos, aqui em Pernambuco. Está ficando moda gostar do antigo. Colecionar o antigo. Voltar aos móveis antigos. Seu maior interesse é por uma na verdade lindíssima conversadeira para quatro. Ele tem móvel parecido. Mas admira os de minha Mãe e do velho Freyre. E é de fato superior.

Rio, 1927

Outra vez o Rio. Ontem na casa de Dona Laurinda (Santos Lobo). Um ambiente que sob vários aspectos me encanta. Repito que é bom que o Rio tenha casas como a de Dona Laurinda, a da Baronesa de Bonfim e a do velho Rosa (Rosa e Silva) e não apenas como a do Leopoldo de Bulhões (onde estive com Assis Chateaubriand), a do Marechal Pires Ferreira (que visitei com Estácio) e a de Dona Laura Sousa Leão.

Dona Laurinda é uma brasileiríssima brasileira, nada descaracterizada pelos seus contactos com a Europa, com Paris, com a Rue de la Paix. Ao mesmo tempo civilizada e telúrica. Compreende-se que ela se delicie em reunir seus valores de arte e seus amigos sofisticados à sombra da própria mata tropical que só falta entrar-lhe pela casa adentro.

Nada mais explicável do que a atração de artistas e homens de letras pelo ambiente que Mme. Santos Lobo soube criar. Ela me fala com entusiasmo do meu conterrâneo, o caricaturista Emílio Cardoso Ayres, que foi muito desta sua casa. Que caricaturou em traços ainda hoje vivos não só Dona Laurinda como várias das figuras que ainda agora lhe freqüentam os chás.

Também me fala com entusiasmo da música de Villa-Lobos, que é outro freqüentador das suas reuniões – numa dessas o conheci – embora não seja nada elegante nem sofisticado. Mas é telúrico. E Dona Laurinda também é telúrica, embora Mme. Santos Lobo seja sofisticada. As duas coexistem.

Rio, 1927

Sei que minha Mãe não haveria de aprovar: o magricela do filho, tão mimado por ter sido sempre magro, morando com um tísico. Mas eu já nem penso no assunto. Mesmo porque Manuel Bandeira não é para mim um tísico: é Manuel Bandeira. Sua poesia é tão maior que sua tísica que esta deve ser inofensiva.

Rio, 1927

Com o que ganho como secretário particular de Estácio não me seria possível conservar-me no mesmo hotel que ele: o Hotel dos Estrangeiros. Ele devia compreender isso. Mas parece continuar a não compreender. E não serei eu que o advirta.

Rio, 1927

Falei certa vez a Bandeira de Swinburne. Ele é esplêndido mas tem a mania de insinuar que a literatura inglesa, da qual uma vez por outra lhe revelo valores inteiramente novos para ele e para o Brasil, é conhecida em todos os seus segredos por Sérgio Buarque. Não acredito que Sérgio conheça sequer metade do que eu conheço neste particular. Mas não digo.

Voltando a Swinburne. Depois de lhe ter dito que Swinburne era um dos poetas ingleses verdadeiramente superiores (já lhe dissera que Browning é superior a Tennyson e que Byron é poeta de segunda ordem: muito retórico) ele me disse: "Sabe, meu pai era entusiasta dele...".

Fiquei surpreendido. O velho Bandeira já era entusiasta de Swinburne? Mas a conversa foi esclarecendo: Manuel confundira Swinburne com Swedenborg, o da Nova Jerusalém. Não tive coragem – estou a repetir-me – de retificá-lo. Ele falava com uma firmeza tal que não tive coragem de dizer-lhe: "Não, não, Swinburne é muito outro. Não o confunda com Swedenborg".

1928

Recife, 1928

Que dizer a v., amigo diário, da Reforma Carneiro Leão de ensino da qual tanto se está falando nos jornais do Recife, do Rio e até nos dos Jesuítas de Paris, que a combatem? É inteligente no seu modo de ser modernizante. Revolucionariamente modernizante. Tem certos aspectos mais que modernizantes: modernistas, que me repugnam. Enfaticamente modernistas para uma província, como é Pernambuco, como toda província apegada a convenções. Direi, como homenagem ao seu valor e restrição ao seu método, que é uma espécie de *Semana de Arte Moderna* – o Modernismo – de São Paulo, 1922, em termos pedagógicos. Vai ter, no ensino brasileiro, uma atuação semelhante à que o Modernismo teve nas artes e nas letras. Porque do Recife repercutiria noutros pontos do país.

A oposição está sendo violenta. É, em parte, de politicóides inimigos de Estácio. Mas também dos padres jesuítas do Recife que conseguiram associar a sua hostilidade de ultraconservadores a uma reforma que não pode ser considerada anticatólica, os seus superiores intelectuais, mas no caso, mal informados, de *La Croix*, os Jesuítas de Paris. Está se dizendo contra a Reforma e contra o seu principal executor, o Professor José Escobar, trazido de São Paulo, muita coisa falsa; ou maliciosamente inexata. O casal Escobar foi mal escolhido pelo Carneiro Leão para a delicadíssima missão. São do interior de São Paulo. Falta-lhes, além de traquejo social, tato. Afinal Pernambuco é Pernambuco. Bons técnicos, eles são. Mas com essas deficiências. São uns matutões do interior.

RECIFE, 1928

A Reforma Carneiro Leão vem criando uma situação crítica para o Governo Estácio Coimbra. Confirmo meus reparos sobre os Escobar, seus executores. São uns desastrados nessa execução, sendo bons técnicos, em pedagogia. Pior que eles é outro matutão importado de São Paulo: o Scarmelli.

Diante da crise, Estácio Coimbra veio há dias a mim: queria nomear-me Diretor do Ensino Normal para dirigir do alto a execução da Reforma. Renunciei imediatamente. Impossível, com esses bobalhões em atividade. Só há uma solução, disse a Estácio: é trazer do Rio, para essa superior direção da Reforma, o próprio reformador. Isto é, o Carneiro Leão, continuando os Escobar a trabalhar com ele.

RECIFE, 1928

Anteontem, atrito, no Palácio do Governo, com o bravo, o temível Coronel Gonçalves Ferreira. O Tonicão. Motivo: os cartões que lhe escrevo, interpretando o pensar do Governador, recomendando homens humildes, desprotegidos de "chefes políticos", para pequenos empregos na Administração das Docas. Ele é o Administrador. Antony ou Tonico ou Tonicão – aliás excelente pessoa – é dos que não se conformam com as intervenções do Governador em secretarias e chefias de repartições, em conseqüência dos contatos diretos, com ele, Governador do Estado, da gente mais humilde, nas agora famosas "audiências públicas", às sextas-feiras. E. C. transformou essas audiências numa das melhores expressões não sei se diga de um quase socialismo de Estado. Outra é a dos valados, dividindo zonas agrárias, de zonas pastoris, no interior: uma maravilha de intervenção de Estado, em benefício geral, em assuntos econômicos, tidos por inteiramente privados: intervenção para a qual colaborei. É um intervencionismo que E. C. vem desenvolvendo paradoxalmente. E como isto acontece, sou acusado por alguns de ser a alma-danada dessas inovações: as de um Governador que deixa de prestigiar ricaços, chefes políticos, senadores, deputados, para atender a reclamações de humildes, de rústicos, de analfabetos. Por alguns sou considerado "comunista" ou "agitador" que estaria empolgando E. C. com lábias aprendidas nos xangôs. Formase um mito em torno do assunto.

O Antony – ríspido homenzarrão acusado de violências tremendas contra gente modesta (inclusive a de ter furado o olho de um cocheiro com a ponta da bengala) – é bom tipo à sua maneira. Filho do muito amigo de meu Pai, Conselheiro Gonçalves Ferreira, antigo Governador, é dos que me consideram "comunista". Anteontem explodiu contra mim aos gritos histéricos. Deixei-o a berrar, dei-lhe as costas mas escrevi-lhe imediatamente uma carta violentíssima – o preto no branco, como talvez ele nunca tenha recebido igual em toda a sua vida. Enviei-a por próprio. O efeito foi o que eu esperava: caiu em si. Procurou logo um amigo comum: P. P. Mostrou-lhe a carta, que é tremenda. Derramou-se em elogios a mim. Mas acrescentou que P. P. deveria moderar-me no meu "comunismo". Eu estaria desencaminhando E. C.

RECIFE, 1928

Já consegui do Governador este quase impossível tratando-se de um homem aparentemente desdenhoso de causas populares como é E. C.: que subvencione clubes populares de carnaval. Subvenções que não importem em compromissos ou obrigações da parte desses clubes para com o Governo. Compromissos desse caráter poderiam afetá-los nas suas tradições e na sua espontaneidade: aquilo que eles têm de mais valioso. Eles farão o que entenderem das subvenções, contanto que elas sejam empregadas a favor das suas exibições nos dias de Carnaval. Creio que, com isto, Pernambuco faz alguma coisa de importante a favor daquele seu carnaval – o dos clubes populares: o meu predileto dentre eles é o das Pás – que, ao meu ver, só se apresenta como uma das expressões não só mais pitorescas como mais cheias de possibilidades artísticas (como arte genuinamente popular) no Recife.

O que vinha sendo a regra? A regra vinha sendo o Estado subvencionar os grandes clubes burgueses que se apresentam com seus carros alegóricos de um crescente mau gosto, de uma cada vez maior falta de imaginação. Enquanto aos clubes populares – aos seus estandartes, às suas músicas, às fantasias de Luís XV, da Idade Média, dos Doze da Inglaterra com que se exibiam tão à sua maneira, combinando de modo tão inesperado os modelos importados com o físico, o caráter, o gosto dos importadores – não tem faltado espontaneidade. Espontaneidade popular e originalidade brasileira.

Os pastoris estão, neste Nordeste todo, na mais triste decadência. Difícil de restituir-lhes seu esplendor. Mas o Carnaval, embora ameaçado de aburguesar-se e carioquizar-se, está vivo no Recife. Precisamos de avigorá-lo. De defender suas tradições e de assegurar-lhe condições de sobrevivência, a fim de afirmar-se espontâneo, dinâmico, popular, regional, brasileiro.

RECIFE, 1928

F., pela manhã, na casa de Carrapicho: a toca. Visita inesperada. Encontrou-me de chambre, à vontade. Compreensão imediata. Deu-me um dos melhores prazeres sexuais que tenho tido. Um agudo, pungente, intenso prazer. Mulher matinalmente feminina com alguma coisa de adolescente inglesa, sob uma figura brasileiramente morena.

RECIFE, 1928

Com Carneiro Leão estou indo quase todas as tardes a Boa Viagem. Temos ali o nosso banheiro de palha. Pedrinho às vezes nos acompanha.

A propósito, ele nos contou, ontem, rindo, esta história que assegura ser exata: que um indiscreto ouviu de vozes jovens – vozes de moças – que vinham do banheiro das P., falar em "paranhos": uma espécie de concurso, entre elas, para ver quem tinha o "paranhos" mais bonito. Venceu uma filha de P. Por aí se concluiu que no vocabulário atual das *misses* elegantes de Boa Viagem "paranhos" significa o órgão feminino da jovem quando já peludo. Homenagem

– observei eu – à barba *à la* Jorge V do admirável P. P. Acrescentei: "Homem feliz V., seu Pedrinho de Japaranduba! Que homenagem mais expressiva V. poderia desejar?"

Carneiro Leão sorriu: um meio sorriso de homem extremamente pudico. O que não impede esse austero pedagogo de ser, em surdina, muito discretamente, quase tão erótico quanto U. P. Apenas parece se especializar em belezas para lá de balzaquianas, enquanto U. P. prefere as ainda não balzaquianas.

Ontem mesmo vi, de volta ao Recife, uma das P. Conversamos. Fiquei todo o tempo pensando no encanto que deve ter o seu "paranhos": combinação não só sensual como esteticamente atraente de pêlo muito preto e carne douradamente morena. Pernambucanamente morena. Pernambucanissimamente morena.

RECIFE, 1928

Estácio Coimbra e Dondon nos recebem, a todos os Freyres, para um jantar em Palácio que não sei se deva dizer que foi do governador e primeira-dama ou de senhores de engenho. Dondon é um encanto de pernambucana que junta à sua distinção de sinhá de engenho do sul de Pernambuco uma simplicidade, uma naturalidade, que não podem ser nem ensinadas nem aprendidas. Afina bem com minha Mãe. Lembro-me mais de uma vez, durante o jantar, de que as famílias de meu Pai (Engenho Mangueira) e Dondon (Engenho Morim) quiseram casá-los. Aliás são parentes. Primos. Contou-me há tempo Dondon, numa viagem em vapor inglês do Recife para o Rio, que meu Pai, muito Wanderley, tinha, quando adolescente, uma face tão cor-de-rosa e tão fina que parecia ter acabado de chegar da Europa. Coisa de Wanderley. Ela, entretanto, deve ter sido, quando sinhazinha, uma linda morena. Atração dos contrários junto à atração das semelhanças.

RECIFE, 1928

Jantar dos Agache na casa dos velhos Freyre. Minha Mãe exemplar, encantando os franceses com o seu francês, que é melhor do que ela pensa; e com suas maneiras.

Além do quê, sem ser bela, tem uma distinção de perfil e de porte e uma graça feminina que valem mais que a simples beleza. Ou estarei sendo coruja às avessas?

RECIFE, 1928

Operado de desvio no septo por Artur de Sá. Nunca pensei que fosse uma operação tão violenta para ser feita a frio, com o operado a seguir toda a brutalidade científica do operador.

Admirável na sua cirurgia o Artur de Sá. O apelido que lhe dei, de Tuca, pegou. Quase toda gente o conhece agora por Tuca.

RECIFE, 1928

Júlio Belo e Dona Alice deram-me tanto peixe – peixe delicioso – durante a Semana Santa que passei no Engenho Queimadas, que atribuo a esse excesso a urticária terrível que me fez rebolar ontem pelos tapetes e pelo chão, como um desesperado.

Medicado por Ulisses Pernambucano. Grande médico. Ulisses. Também veio ver-me Artur de Sá. Curioso que eu viva entre médicos mais do que entre profissionais de qualquer outra espécie: Ulisses, Artur de Sá, Fernando Simões Barbosa, Edgar Altino, Arsênio Tavares, Selva Júnior, Olívio Álvares.

RECIFE, 1928

Gilberto Amado me escreve de Paris dizendo-me que se lembra de mim pelo meu modo de acompanhar as conversas mais sorrindo do que falando: "um sorriso cheio de significados e de malícias, o seu", acrescenta. Ele já me dissera no Rio, há dois anos, quando eu lhe fui reapresentado num almoço no Jóquei e lhe recordei que, ainda menino, meu Pai me apresentara a ele, Amado, então no começo de sua glória política e da sua fama literária, dizendo-lhe que: "este também se chama Gilberto". "Você fala pouco, mas sorri de modo tão inteligente que quase não precisa falar".

Pensei que era amabilidade superficial, além de irônica, para consolar-me do fato de não ter eu – como não tenho – nenhum brilho verbal nas conversas; ou para tornar-me consciente desse fato. Mas pela sua carta de agora, vejo que ele está sendo mais do que gentil; e suponho, agora, que não é uma amabilidade, a sua, inteiramente superficial ou apenas irônica. De outro modo, por que escrever-me de Paris, só para insistir no assunto? Talvez – noutros casos que não o meu – essa incapacidade de falar brilhantemente, nas conversas, seja compensada, de algum modo, pelo modo de sorrir compreensivamente ou com malícia ou ironia. Conta-se de Emerson que seu encontro com Carlyle foi mais silencioso que falado. Talvez também com sorrisos da parte de Emerson.

RECIFE, 1928

Estácio (Coimbra) me comunica que está combinada a fundação de uma cátedra de Sociologia na Escola Normal: conseqüência da Reforma Carneiro Leão. "A cátedra será tua", me informa ele. Conta-me ter sido procurado pelo G. N. que, sabendo dessa possibilidade – uma criação de tal cadeira – lhe dissera: "O único que poderá ocupar essa cátedra sou eu: não vejo outro". O Estácio me conta ter-lhe respondido: "Pois está enganado: o catedrático será o Dr. Gilberto Freyre, formado pela Universidade de Columbia na Faculdade de Ciências Políticas, Jurídicas e Sociais, embora aqui ninguém saiba disso".

O que farei será tentar fundar uma cátedra de Sociologia (eu preferiria que fosse de Antropologia Social, que é mais do que Sociologia, minha especialidade ou predileção, de antigo aluno de Boas) com orientação científica, base antropológica e acompanhada de pesquisa de campo. Como não há nem houve ainda – que eu saiba – no Brasil.

Mas tendo cuidado com o cientificismo, a que venho me referindo em vários artigos como um mal a ser evitado em nossa cultura. Portanto: conservando pontes entre a Sociologia ou a Antropologia Social científica e a humanística, filosófica e até literária. Pois precisamos não confundir a literatura dos humanistas com a literatice dos chamados "beletristas".

A verdade é que a grande visão do Homem é a dos pensadores: a dos pensadores-poetas como Browning e como Nietzsche; a dos pensadores filósofos como Santo Agostinho, Spinoza, Hegel, Marx; a dos pensadores-ensaístas como Pascal, Montaigne, Pater, James, alguns ingleses mais novos, como, ainda agora, Havelock Ellis; ou como Santayana e Bergson; e espanhóis como Ganivet. Também a dos pensadores-místicos, como San Juan La Cruz e Santa Teresa. Como Gracián. E ingleses como Milton, Bunyan, Newman. Junto deles os antropólogos e sociólogos apenas científicos são apenas sacristães que ajudam a celebração das missas. Entendem somente de meia-missa.

Se eu puder vir a ser alguém, a realizar alguma coisa, não é sociólogo nem antropólogo nem historiador que desejo ser, embora não repudie a formação científica que se juntou em mim aos estudos humanísticos, pelos cursos sistemáticos, que segui, da Biologia, Geologia, Psicologia, de Ciências Políticas, Jurídicas e Sociais. Nem a obra de minha aspiração principal não é a de pura realização científica em quaisquer dessas matérias. Nem em história ou filosofia sistemática. E sim obra de escritor que se sirva de sua formação em parte científica, em parte humanística, para ser escritor.

De modo que a cátedra de Sociologia não me entusiasma senão pelo que nela há de experimental. Ou de plástico, flexível, assistemático. Aliás a função didática não me atrai a não ser como curta experiência.

RECIFE, 1928

Notinha torpe, no jornal dos Lima Cavalcanti: três dos quais foram meus colegas no Americano Gilreath e me conhecem bem. E gente por mim estimada. Diz a nota – pela qual nenhum deles é responsável direto, mas indireto, sim – que meus estudos nos Estados Unidos foram para pastor protestante e que todo mundo no Recife esperava que eu voltasse daquele país pastor protestante, feitas as despesas desses meus estudos teológicos pelos protestantes do Colégio Gilreath. Mentira da mais cínica, é claro. Ainda adolescente pensei muito em ser (crise entre religioso e socialista que durou pouco mais de um ano), não pastor protestante, mas missionário: sobretudo missionário, um tanto como Livingstone, por algum tempo meu herói, entre povos primitivos aos quais eu comunicasse um cristianismo puramente evangélico, com uns toques tolstoianos. Fui nessa época grandemente influenciado por Tolstói, que li com avidez; e por seu cristianismo evangélico. Quando, após meus primeiros contactos com os Estados Unidos, descobri que o cristianismo, supostamente evangélico, que ali dominava, é ainda mais burguês – no pior sentido burguês – que o catolicismo brasileiro, logo me desencantei dele; e deixei de pensar em ser um dia, a meu modo, missionário-reformador entre primitivos.

Meus estudos universitários – financiados por meu Pai e meu irmão – tomariam o rumo das Ciências Políticas, Sociais e das Jurídicas: as Jurídicas susceptíveis de me serem proveitosas no Brasil ou fora do mundo anglo-saxônio. E ao lado delas, estudos de Literatura. Meus artigos dos Estados Unidos para jornais e revistas brasileiras não podiam deixar o mais ignorante dos leitores sob a impressão de que eram escritos por alguém que se preparasse para ser pastor protestante, tal a crítica ao protestantismo em que alguns se extremavam, desde o meu segundo ano naquele país.

RECIFE, 1928

Jantar em nossa casa de solteiros ao casal Agache. Ótimo jantar preparado por José Pedro com sua melhor arte de mestre-cuca e servido por Eduardo – emprestado por minha Mãe – de dólmã branco, imaculado. Os Agache ficaram encantados com nossos jacarandás. Já conheciam os da casa da nossa família, na Rua do Cotovelo. Aí estão os nossos melhores jacarandás e algumas das pratas que minha Mãe recebeu como presente de casamento dos Figueiroa e dos Cunha Figueiredo (Visconde de Bom Conselho). Foi o que eles viram com maior interesse. Acham os velhos móveis e as velhas pratas, preciosidades brasileiras. Os Agache viram a conversadeira da nossa casa – a dos pais – tão cobiçada pelo Carlos Lira Filho e por Estácio Coimbra, agora grandes colecionadores de antiguidades. C. L. F. tem a seu serviço certo judeu meio sinistro, Moisés, que leva ao seu terceiro andar peças antigas e jovens bonitas. C. L. paga bem por umas e por outras.

RECIFE, 1928

Bandeira é um entusiasta dos chamados "Olímpios". "Olímpios" é, como, não sei bem porque, Ulisses e eu chamamos os pais: meu Pai e minha Mãe. Bandeira diz que minha Mãe é para ele a imagem da pernambucana perfeita: muito mãe, muito discreta, muito fidalga. Muito fidalga, diz ele, com um perfil aquilino que em qualquer parte do Ocidente é fidalguia da melhor.

A propósito, Bandeira me pergunta se seus contraparentes, os Pontual de Pernambuco, têm "um sanguezinho negro". Respondo-lhe que talvez tenham. Eles e os Rangel e até os Sousa Leão. Mas que isto, se exato, só faria valorizá-los.

RECIFE, 1928

Ótima companhia vem nos fazendo, a mim e a Ulisses, Manuel Bandeira. O mestre-cuca José Pedro tem se requintado no preparo de quitutes para o hóspede ilustre. E Bandeira está todo caído pelo José Pedro, para felicidade do maricão: como todo maricão, muito vaidoso. Muito apreciador de elogios.

A propósito dos quitutes de Zé Pedro, Bandeira tem me criticado por preferir a muitos deles bifes à inglesa, carneiro assado à inglesa, salmão, *paté*, caviar, comidas em lata. "Que espécie de regionalista é este?", pergunta Bandeira, muito ancho da sua lógica. A verdade é que não pretendo ser lógico nem no meu "regionalismo" nem em nenhuma das minhas atitudes. Logo que regressei ao Brasil, os quitutes da terra me voltaram a empolgar o paladar de modo absoluto. Agora, não: tenho minhas saudades, e grandes, de comidas anglo-saxônias e francesas. Volto a elas uma vez por outra: sempre que é possível fazê-lo através de guloseimas enlatadas e de conservas. O paladar é como o coração de que falava Pascal: tem suas razões que a razão desconhece.

Daí às vezes preferir ao melhor quitute regional de Mestre Zé Pedro uma simples sardinha com pão; ou um pouco de *paté*; ou de salmão enlatado. Sem falar em caviar com *champagne*. Que me desculpem os lógicos, como tende a ser às vezes (como toda sua imensa poesia) o Manuel Bandeira.

Recife, 1928

Chegou-me a obra dirigida por Rivers: reunião das pesquisas realizadas em Torres. Obra monumental e já muito rara. Ciência inglesa da melhor na parte psicológica. Mas deficiente, como deficiente me parece toda psicologia que não se acompanhe de mais história para revelação social; ou toda história que não se acompanhe de mais psicologia, mais antropologia, mais folclore, sobretudo quando se trata da análise e interpretações de sociedades mistas: "civilizadas" e ao mesmo tempo "primitivas", com essas duas camadas misturando-se em vários pontos. O caso da sociedade brasileira. O que imagino é desenvolver na minha "História da vida de menino no Brasil" – título provisório de um trabalho quase secreto, cujo plano só revelei até hoje no Brasil a Manuel Bandeira, José Lins do Rego, José Maria de Albuquerque e Teodoro Sampaio e, no estrangeiro, a Oliveira Lima e João Lúcio de Azevedo – nova técnica ou nova combinação de métodos – o antropológico baseado no psicológico, o histórico-social alongado no sociológico – para a captação e a revelação de um social total. Ou do humano: o mais intimamente humano. Se conseguir isto terei realizado façanha semelhante à de Santos Dumont. Serei outro brasileiro inventor de nova técnica de domínio do homem sobre problema que continua fechado aos homens de ciência: o da análise e sobretudo revelação do social por métodos que alcançam o assunto em sua totalidade indivisível de vida e de tempo. Vida que vem sendo dividida, retalhada e mutilada, por metodologistas como que assassinos. Anatômicos.

Recife, 1928

As "famílias" são quase sempre inimigas dos "amigos". Dificultam a amizade entre amigos. Dificultam as grandes amizades. Este foi o tema das minhas conversas de ontem com M. C.

Rio, 1928

Recebo carta de Artur de Sá pedindo-me que trate de conseguir para o Recife, da gente da Rockefeller aqui no Rio, uma "máquina elétrica do Dr. Abt": "Electrical Breast Pump". Trata-se de uma máquina de aumentar a secreção láctea das matrizes. Esses americanos têm idéias! E o nosso Artur de Sá não perde tempo: pelo seu gosto o Recife seria a mais atual das cidades brasileiras em assuntos de assistência às mães e proteção às crianças. É uma figura admirável de médico: médico meio apostólico, do feitio que o Brasil mais reclama neste momento. Daí Júlio Belo considerá-lo um franciscano sob a aparência de médico. Com avental de médico a fazer as vezes do hábito de frade, poderia acrescentar-se J. B.

A. de S. também me pede para insistir junto a Estácio ao sentido de conseguir-se que visite o Recife o médico alemão Otto Obsen, comissionado pela Liga das Nações para fazer uma enquete mundial sobre mortalidade infantil.

Creio que a gente hoje mais atual, no Brasil, do ponto de vista de um critério moderno das atividades profissionais em relação com os grandes problemas brasileiros, são os médicos. Os médicos do tipo dos Juliano Moreira, dos Carlos Chagas, e dos Belisário Pena, no Rio, e dos Artur de Sá, dos Ulisses Pernambucano, dos Otávio de Freitas, no Recife. Os engenheiros se mostram arcaicos, em relação a eles: e os brasileiros formados no Brasil em Ciências Jurídicas e Sociais, também. Mesmo porque de Ciências Sociais é insignificante, em geral, o seu conhecimento. Excetua-se, no Recife, um ou outro Andrade Bezerra ou Barreto Campelo: autodidatas que vêm se atualizando por esforço próprio no estudo científico de problemas sociais.

RECIFE, 1928

Extraordinário caso, o dessa jovem ainda com o ar de menina ou de adolescente que o Carnaval deste ano me revelou. A mim ela me deu a impressão de ser verbo literário que se tivesse tornado carne: espécie de personagem criado por Goncourt sob a forma de uma quase menina que já fosse mulher. Franzina, tem todo o aspecto de uma adolescente mais européia que tropical. Bela, pálida, aristocrática e, ao mesmo tempo, *flapper*. Boa família. Pode me complicar. Dezoito anos.

O Recife é, na verdade, uma cidade profunda. Densa. De sua profundidade podem vir à tona as mais inesperadas realidades. Algumas só parece que possíveis aqui pelo que nelas há ao mesmo tempo de europeu e de mais-do-que-europeu. Essa adolescente é assim. Como esperá-la no Brasil? Entretanto aqui está ela produzida pelo Recife sem que para sua composição tivesse concorrido a Europa com sua presença direta: só com a indireta, que é tão forte, aliás, em Pernambuco ou no Nordeste – no Recife e na zona chamada da mata. Fora do Recife e da zona chamada da mata, deixa de haver a civilização especialíssima em que a vida é capaz de competir com a própria arte de Huysmans.

RECIFE, 1928

Uma jovem, na aparência ainda quase menina – outra D. –, agarrou-se ao homem já de vinte e oito anos que eu sou. Amor verde, adstringente, incompleto, absurdo, impossível, talvez ridículo. Quase não chega a ser mulher, o diabo da semivirgem absorvente. Mas com a sua sedução, dentro do seu verdor mórbido, é demoníaca. Sedução sei que rápida, efêmera. Sei que esse verdor cheio de promessas logo se vai extremar, para mim, num amargor de decepção como que punitiva. O pecado castigado pelo próprio pecado.

Entretanto, à distância, vou ter dessa aventura aquela saudade do pecado que Santo Agostinho parece ter experimentado como ninguém. E que é uma sensação esquisitíssima quando experimentada por quem, como eu, crê em Deus e namora – de longe, sempre de longe – com a Igreja. Com a Igreja de Santo Agostinho e não com a de São Tomás.

RECIFE, 1928

Grande trabalho para moderar em A. F. seu furor contra G. A. A. F. voltou da Europa mais furioso que nunca contra o admirável ensaísta de *Grão de areia*. Investe contra G. A. como se não o soubesse separar do C. L. C., de quem G. A. é muito amigo. A. F., com toda a sua inteligência, que é uma das mais ágeis que tenho conhecido, se deixa perturbar de tal modo por essas paixões ou furores, que, sob o império delas, deixa de parecer homem elementarmente lúcido. Está convencido de que G. A. faz figura no Brasil às custas de autores europeus que lê e repete, reconhecendo, aliás, que essa repetição ele a faz em boa prosa portuguesa. Por exemplo: idéias de "densidade" e "tenuidade" de Valéry. A verdade é que em G. A. a personalidade é de tal modo vigorosa que as idéias por ele assinaladas se juntam às originais, adquirindo, depois desse processo de recriação, o mesmo encanto das que lhe saem do mais profundo da sensibilidade e da imaginação, nele sempre vizinhas da inteligência crítica.

RECIFE, 1928

Desconfio que P. P. está pondo chifres no pobre do J. M. F., meu tio. Aliás, o J. M. F. talvez já tenha sofrido o mesmo do A. de S. P. P. é o melhor exemplo que conheço do chamado "fode mansinho". Realiza suas façanhas sexuais com alguma coisa de felino, de tão discreto. Ao contrário do S. R. B., que, no Rio, levando-me a uma recepção elegante em Botafogo, deliciou-se em sussurrar-me: "Naquela ali já me pus", "Aquela jovenzinha já me chupou"; e assim foi me apontando outras. Mau gosto. Grosseria. Falta absoluta de senso ético no assunto. Entretanto, S. R. B. pretende ser fidalgo da cabeça aos pés.

RECIFE, 1928

O Babalorixá Adão me convida para almoçar com ele no Fundão. Almoço, me diz ele, de xangô. Religioso. Secreto também. Um verdadeiro banquete. Quitutes que nunca vi: todos com nomes sagrados em nagô. Temo a princípio não ir gostar de alguns. Porém gosto. Adão me diz: "Agora somos mais amigos do que nunca". Sentado junto dele, os devotos que chegam e se ajoelham para lhe pedir a bênção, me estendem um pouco de sua devoção. Sinto-me um tanto babalorixá.

RECIFE, 1928

Um *field work* que planejo realizar com cuidado é um estudo dos brasileiros negros do Recife mais apegados à cultura africana. Outro, o de sobreviventes de sociedades ameríndias – os "índios de Águas Belas", por exemplo. Paranhos promete levar-nos até Águas Belas. Venho lendo com novo proveito – agora que tenho contacto vivo com sociedades e culturas próximas das chamadas primitivas – não só o meu velho Boas como Thomas. Thomas é para mim o maior – depois de Weber, é claro – dos sociólogos modernos não só dos Estados Unidos como da Europa. E nem Weber nem Von Wiese nem Simmel nem os franceses nem Pareto o excedem no conjunto de qualidades que o tornam um analista e, ao mesmo tempo, um intérprete tão lúcido da realidade social.

O estudo do camponês polaco e o *Source book for social origins*, por ele organizado, são livros que abrem perspectivas imensas ao desenvolvimento do estudo sociológico como esse desenvolvimento deve verificar-se: combinado com o dos estudos antropológicos. Deixando os gabinetes para tornar-se também estudo de campo: de observação e verificação da realidade social como ela é. Como se apresenta em grupos que podem ser estudados na intimidade do seu cotidiano, de modo mais completo; e através dos pormenores mais significativos desse cotidiano ou dessa rotina de viver.

Estou muito camarada da velha "Minha Fé", que sendo uma espécie de feiticeira ou catimbozeira conhece muito bem a vida da negralhada de Casa Forte, Monteiro e dos Morros. Amiga da negralhada e amiga dos ricaços brancos que a procuram para feitiçarias e felicidades nos amores. Conta-me muita coisa. Inclusive segredos profissionais sobre namoros de donjuans com senhoras casadas. Ou com filhas-de-Maria. Sou seu confessor.

RECIFE, 1928

Convidado por Estácio para fundar a cátedra de Sociologia da Escola Normal do Estado de que cogita a Reforma Carneiro Leão. Será a primeira cátedra de Sociologia Moderna no Brasil, pois darei a ela o caráter de uma Sociologia baseada na Antropologia (Boas, etc.) e acompanhada de pesquisa de campo. E dei a Estácio a possibilidade da cátedra deixar de denominar-se de *Sociologia* para chamar-se de *Antropologia*. Ele ouviu com atenção meus argumentos mas objetou: "E o Carneiro? O Carneiro falou-me com entusiasmo do ensino da Sociologia, que ele julga essencial aos estudos superiores no Brasil e da sorte que nós tínhamos de contar aqui com um iniciador ideal para esse ensino. Foi ele que me falou no teu nome como o de um sociólogo ideal que estava encoberto entre nós, sem ninguém aqui saber do teu preparo especializado nessa e noutras ciências". Disse-lhe que realmente me especializara em Sociologia mas considerando a Antropologia, que estudara com um grande mestre, o estudo básico para todos os estudos sociais. Em Antropologia é que se firmava todo o meu conhecimento de Ciências Sociais, inclusive o de Jurisprudência ou Direito, sob um novo critério. Ele porém me comunicou que o Carneiro fazia do ensino da Sociologia um dos principais motivos de sua reforma do ensino, que, partindo de Pernambuco, devia alcançar o Brasil todo. Que C. L. era um tanto vaidoso, o que aliás se justificava, dado o seu grande saber em assuntos pedagógicos. Que em todo o caso lhe faria a sugestão de ser a nova cátedra de Antropologia e Sociologia.

RECIFE, 1928

Ontem, Júlio Belo e eu nos rimos muito, recordando que, em Boa Viagem, entre as jovens mais elegantes, estão dando o nome de "paranhos" aos pêlos dos sexos femininos: os pentelhos. Homenagem à bela barba escura do nosso querido Pedro.

Observo o seguinte: há nessa homenagem ao senhor de Japaranduba um paradoxo. Uma inversão no processo de simbolização. Insígnia de masculinidade, como é a barba *à la* Eduardo VI ou Jorge V – a que o nosso P. P. magnificamente ostenta – passa a denominar a penugem ou o pêlo já espesso – por que o dicionário não dá a palavra pentelho? – que guarnece sexos femininos. Inclusive o da linda sinhazinha da família P., no qual, num banheiro de palha, da praia de Boa Viagem, as amigas saudaram, há pouco tempo, a sua polpuda protuberância sexual – a maior dentre as exibidas no banheiro – chamando-a – ao todo – "paranhos". "Paranhos" pelo viço preto, pretíssimo – conheço os cabelos da bela morena – que a reveste. Confesso que a mim deliciaria se, senhor, como P. P., de uma barba preta, fosse dado meu nome a equivalentes de barba como os que revestem os sexos daquelas elegantes morenas. Não conheço delas – repito – senão as cabeleiras: mas imagino como são lindos seus sexos de *jeunes filles en fleur*. Sexos de penugem adolescente.

1929

RECIFE, 1929

Lendo, em livro científico, umas páginas sobre Goethe que revelam no grande alemão aspectos insuspeitados de personalidade criadora. Sabe-se que Goethe, como outrora Leonardo da Vinci, uniu ao gênio poético – no largo sentido germânico da expressão – o gênio científico. E ao feitio de clássico, o temperamento de romântico. Não parece ter havido, nos tempos modernos, um gênio tão completo em sua visão de homem e da natureza. Nem na maneira de ter vivido a sua vida tão em harmonia com a sua arte. Com a sua literatura. Com a sua filosofia. O que no tal livro se informa é que, num Goethe que foi a inteira negação do homossexual houve, na mocidade, tendências para amizades particularmente intensas – pelo menos uma – com outros jovens. Amizades que poderiam ser tidas, por um sexologista, como tendências – tendências apenas – homossexuais. O caso também – é possível – de um Pater. Terá sido, ainda, o de um Rimbaud. Isto sem em nenhum deles as tendências – puras tendências – terem passado de uma certa ou especial sensibilidade a um tipo de afeto que lhes tivesse antes enriquecido que pervertido a amorosidade como expressão total – no plano afetivo: no afetivo e no estético – de sua personalidade.

Talvez em toda grande amizade esteja, na sua raiz, um pouco dessa tendência, que, assim considerada, seria, na verdade, um enriquecimento, e não uma perversão da mais alta expressão de afeto que, como amizade intensa, pode ligar um ser humano a outro, quer de diferente, quer do mesmo sexo. Talvez o afeto que uniu Eça de Queirós a Antero de Quental, a Ramalho Ortigão e a Oliveira Martins – nenhum deles, nem de leve, homossexual – tenha tido um toque dessa tendência que explicaria e que, nesse afeto, foi intensa, em contraste com as quase sempre superficiais camaradagens entre homens de letras portugueses. Portugueses e brasileiros.

RECIFE, 1929

Que venho afastando o alagoano J. de L. dos seus rumos de poeta bom, mas convencional, que era, é um fato. E dando-lhe novas dimensões. Fato que salta aos olhos. Mas sem que ele confesse o que me deve. Seu interesse pela sua experiência de menino quem o despertou fui eu. Seu interesse por temas rasgadamente afro-brasileiros, também. Ele está se abrasileirando, se sensualizando, se infantilizando – ao bom sentido – e adquirindo umas paradoxais atitudes místico-sensuais, por sugestões colhidas por ele no que eu escrevo, no que ouve de mim através do J. L. do R., no que vem procurando informar-se a meu respeito. J. L. do R. me conta o que está sendo a gilbertização de J. de L. Uma gilbertização em que ele não se confessa de modo algum, nem de leve, gilbertizado.

É um talento e tanto, esse J. de L. Tem extraordinário poder poético. A cultura que ostenta me parece, em parte, simulada. Não é tanta quanto ele faz crer. Mas seu talento supre a deficiência.

Pode se dar ao luxo de colher de outro – no caso esse outro sou eu – valores com que nunca sonhou e que lhe estão revolucionando a vida, as atitudes, a arte, sem que essa assimilação do alheio faça dele um plagiário. O plagiário é aquele que não tem nada de si para acrescentar ao que assimila de autor ou de pensador ou de artista em que encontre o que procurava sem achar dentro de si mesmo. Encontrado esse não sei o quê, quem tem talento desenvolve os valores assimilados ou adquiridos ou apenas imitados, à sua maneira. Quase originalmente. É o que está fazendo o admirável J. de L.

É o que vem fazendo o para mim superior a ele J. L. do R. Superior a J. de L. no talento. E sabendo confessar influências recebidas.

RECIFE, 1929

Estou uma fúria. Meu Pai aceitou a direção do Ensino Normal do Estado. Vai ter que lidar com uns Escobar e com uns Scaramelli, cada vez mais desastrados. E ele próprio não é homem para contornar, pelo tato, certas dificuldades. Não me consultou. Aceitou o cargo que recusei. E. C. agiu como um raposão, convocando o pai para função que o filho recusara.

RIO, 1929

Creio que já escrevi neste diário que meu amigo – somos amigos a despeito da diferença de idade – E. C. – carinhoso como é com a esposa, D. – teria em L. S. L. a sua afeição verdadeiramente amorosa: intelectual e carnalmente amorosa. O seu amor pela sinhazinha morena de casa-grande extinguiu-se, restando dele uma afeição sem amor-sexo. De amor-sexo permanece apenas o famoso aroma, nostálgico e distante, que os frascos outrora de perfume guardam por algum tempo depois de vazios.

O puro perfume já não corresponde à realidade de uma essência ou de uma substância. Sendo assim, o amor-substância pode ser talvez substituído – o caso a que me refiro – havendo então um novo, que, como essência, seja de todo amor. Assim suponho que pensa o meu amigo E. C. Assim suponho que se justifique perante si mesmo do que para outros estranhos é somente aventura mundana em que se empenha, ofendendo a dignidade da esposa.

Também compreendo o *ménage-à-trois* do A. E. X. com o casal Y. Se os três estão de acordo, haverá traição de dois a um dos três?

RECIFE, 1929

Em conversa ontem à noite, no Helvética, presentes também Olívio e Humberto Carneiro, Cícero Dias disse: "Seu Olívio, eu, você, Aníbal e José Lins do Rego não podemos negar nunca a influência que estamos recebendo de Gilberto". Isto a propósito de Nicola De Garo, no Rio, ter procurado esconder que estivera em contacto comigo no Recife, para Ronald de Carvalho não o supor influenciado por mim, antes de orientado, sobre o Brasil, pelo mesmo e aliás admirável Ronald. Mas assim são os homens. Temos que aceitá-los como eles são. E isso de influenciados negarem influências recebidas, como se elas pudessem de todo ser encobertas, é problema muito delicado. Envolve o que dá a uma personalidade o seu tom mais caracteristicamente ético.

RECIFE, 1929

Em conseqüência da pequena pesquisa realizada pelas alunas da Escola Normal de Pernambuco, cujos resultados *A Província* comentou e destacou, o Prefeito Costa Maia, de acordo com o governador, vai criar, na cidade, *playgrounds* do tipo mais moderno. Vários *playgrounds*. Os primeiros no Brasil.

Talvez seja a primeira vez que, no Brasil, ou em qualquer país, uma pesquisa sociológica obtém êxito tão imediato. Deve-se isto a quem? A um jovem prefeito entusiasta, pela sua própria juventude, de idéias jovens – no caso das sugestões de uma sociologia inteiramente nova para o nosso país? De modo algum. O prefeito é meu amigo Costa Maia: homem que anda perto dos oitenta anos; Mas vigoroso, saudável, sadio. Foi juiz na Monarquia. Homem de idade avançada, é uma das criaturas mais plásticas de inteligência e mais ágeis de ânimo que conheço. Age, é claro, nesse caso, como em todos os outros, de acordo com o Governador. De acordo com Estácio Coimbra.

O que se apurou na pesquisa sociológica realizada pelas normalistas? Que grande parte das crianças do Recife não tem onde brincar. Os sítios estão desaparecendo. Os próprios quintais estão se tornando raros. Que resta, então, à maioria dos meninos da cidade? Isto: brincar nas ruas. Um perigo, porque o número de automóveis está aumentando. Só há uma solução: o *playground*. O Recife vai ser a primeira cidade brasileira a ter *playgrounds*.

RECIFE, 1929

Amigos meus, de Pernambuco, que minha Mãe mais aprova: dentre os velhos, Estácio Coimbra, Pedro Paranhos, Júlio Belo, Luís Cedro, Manuel Caetano, o Babalorixá Adão, Ulisses Pernambucano, Arcebispo Dom Miguel (que nos tem visitado, e em nossa casa se torna até alegre, espirituoso, contador de anedotas: um fenômeno!); e dentre os mais ou menos de minha idade: José Lins do Rego, Cícero Dias, José Tasso. Dos do Rio, vários: inclusive Manuel Bandeira, Prudente, Rodrigo, Sérgio Buarque de Holanda. Desaprova: Olívio Montenegro, Sílvio Rabelo, Aníbal Fernandes. Meu Pai, entretanto, tem uma simpatia especial pelo Sílvio Rabelo que, aliás, tem sido um meu ótimo colaborador n'*A Província*. É arguto, discriminador, com uma notável vocação para a crítica.

RECIFE, 1929

Triste, o fim de vida de meu tio e padrinho Tomás de Carvalho. Fracassando na política e na clínica, deixou-se dominar pela cocaína. Casou-se com uma linda mulher – minha Tia Arminda, a quem, rico, cobria de jóias, mas acabou pobre e todo de uma mulata, gorda para ele ideal.

Não parece o médico triunfante (Eletroterapia, Radioterapia, não sei mais o quê) que, menino, tanto admirei. E de quem – dele e de Tia Arminda, que, quando ia à Rua Nova fazer compras, parecia a esposa de um marajá da Índia, carregada de esmeraldas e de rubis – recebi tanto brinquedo raro e caro. Assim é a vida.

RECIFE, 1929

J. T. e eu vamos ouvir as G. tocar, uma, piano, outra harpa. São duas brasileiras, netas ou bisnetas de inglês e filhas de uma R. B., que talvez só Pernambuco produzisse: tão finas nos seus gostos, tão apuradas na sua cultura, tão seguras na sua elegância de vestir, tão maliciosas a respeito do sexo; e tão orientais no uso das suas jóias: algumas, jóias magníficas. Quando uma toca piano e a outra, harpa, as jóias tilintam e o ambiente adquire certo toque oriental.

Não creio que haja jóias pernambucanas mais lindas que as delas. A não ser as que agora estão no Rio – onde as conheci – de Dona Laura: Laura Sousa Leão Salgado, esposa do excelente Paula Cavalcanti de Amorim Salgado e as de Dolores, outra bela Salgado.

RECIFE, 1929

Hoje, indo a uma casa de mulheres com alguns amigos, S. R. notou minha preferência por uma jovem, quase ainda menina; e reparou que a tal jovem se assemelhava a uma prima minha com quem ele parece desconfiar que eu tenho atualmente um "caso". É que, na verdade, sou um endogâmico ótima palavra sociológica! – e me sinto quase sempre atraído por mulheres, quando brancas, que se pareçam com minha Mãe, primas, irmãs; exógamo eu sou na minha atração, que é grande, por mulheres de cor.

Minhas irmãs, propriamente irmãs, G. e C., muito simpáticas e muito da minha estima, são, para mim, menos ortodoxas como tipos de família endogâmica do que várias das minhas primas em primeiro e segundo graus. Que tipo é este? O representado ortodoxamente por minha Mãe, pelo lado materno, e pelo que foi Adélia (Wanderley), pelo lado paterno. Aliás acho semelhança entre os dois tipos. Minhas atrações por mulheres creio que vêm obedecendo a esse impulso – impulso não é bem a palavra – endogâmico, que da minha gente (família no sentido mais lato) se estende a Pernambuco e de Pernambuco ao Brasil; e faz que, nos amores com estrangeiras, meus entusiasmos por elas nunca se prolonguem por nenhuma. No meio desses entusiasmos, vem-me uma como saudade às avessas, isto é, mais voltada para o futuro que para o passado, de um tipo ideal de mulher que viesse a ser objeto de um grande, e não de um efêmero ou transitório amor. Mas mesmo nos meus transitórios entusiasmos eróticos, a imagem de mulher que mais me vem atraindo é a menina-moça com alguma coisa de prima quase irmã. Ou semelhante a mulheres da família da minha Mãe. O S. R. foi, assim, perspicaz e, como psicólogo, deu até nome científico que, no momento, não me ocorre ao meu caso. O qual não me parece que seja patológico. O que é patológico o sabemos hoje, com Freud, que é muito menos do que se supunha há vinte ou há trinta anos. Muito menos.

RECIFE, 1929

Outra repetição. Outro chover no molhado. Mas diário é isso mesmo. Tem muita repetição.

Como "auxiliar de imediata confiança" de um governador de Estado, da importância do de Pernambuco – antigo Vice-Presidente da República e possível Presidente no próximo quatriênio – venho verificando os muitos perigos e as muitas seduções a que se expõe um indivíduo em cargo influente como é este. Toda gente sabe que o Governador (Estácio Coimbra) hoje confia talvez mais em mim do que em quaisquer dos seus auxiliares idosos: o que me toma uma "influência" decisiva em certos assuntos.

Assim se explica o episódio que já registrei: ter vindo conversar comigo, muito suave e muito sutil, a respeito da concorrência para rebocador. Ótima pessoa, o X. Y. Filho de inglês, com ele almoço freqüentemente no *Town British Club*. Que me veio outro dia dizer? Que representa grande firma inglesa que apresentou, segundo ele, a maior proposta na concorrência para o rebocador-rei: quase um vapor. E então? Então? É preciso que alguém esclareça o Governador a esse respeito. Neste caso, pergunto-lhe por que não pede uma audiência ao Governador. Então X. Y. me informa que vai ganhar a proposta, que tem direito a larga gratificação, pois trata-se quase de um vapor: de um potente rebocador capaz de atravessar o Atlântico; e que poderia dividir sua gratificação com quem o auxiliasse, simplesmente esclarecendo o Governador.

Tive ímpetos de levantar-me. De dizer a Y. o que de mais áspero se pode dizer em inglês que não se porta como *gentleman*. Mas dominei-me. Mesmo porque não me agradaria o papel de moralista ou de censor. Disse-lhe apenas que não entendia de rebocador. Que o Governador não era quem ia decidir o caso sozinho, mas esclarecido por uma comissão de técnicos e dentro de condições preestabelecidas para o julgamento das propostas. Que eu não era advogado. Nem advogado nem engenheiro.

É o segundo filho de inglês que me desaponta com uma atitude dessas. Influência do meio? É bom que Y. saiba que no Brasil nem toda gente é sensível a vozes de sereias como, no caso, a dele.

RECIFE, 1929

Repito que X. Y. não foi o primeiro filho de inglês a vir falar-me em assunto um tanto irregular para quem considera, como eu considero, um homem de governo ou ligado a governo obrigado ao mais severo escrúpulo. Se eu quisesse proceder como um puritano ostensivo, teria me extremado em atitude de forte repulsa às suas palavras. Mas consegui – creio eu – pô-lo no lugar de quem praticava inconscientemente uma indecência. Sem o ofender nem agredir, penso tê-lo deixado sob o peso do que lhe resta de consciência inglesa.

O mesmo – vou repetir-me neste diário, aliás cheio de outras repetições – fiz o ano passado com outro filho de inglês, o Dr. R. Acompanhei Estácio ao seu consultório. Ele lembrou-se de ter tratado de mim quando era ainda colegial. Muito amável. Mas tendo deixado o Governador sob tratamento com um dos seus assistentes, trouxe-me ao seu escritório – mesa, aliás, de jacarandá muito bonita. E para minha grande surpresa perguntou-me: "E se nós nos tornássemos sócios numa banquinha de jogo do bicho?". Pensei a princípio que era *humour*: *humour* britânico adaptado a assunto brasileiro. Mas não era. Era um filho de inglês corrompido pelo meio brasileiro – isto é, por certas influências do meio brasileiro. O Dr. R. falava sério. Pormenorizou: "Com a proibição atual do jogo do bicho, uma banca que funcionasse com cautela mas sem perigo de ser desmantelada pela polícia seria uma mina". Levantei-me sem querer humilhar o velho R. com qualquer excesso de puritanismo. Disse simplesmente, a sorrir: "Procure outro sócio, Dr. R."

RECIFE, 1929

Passou por aqui o R. C. Apresentação de M. B., que muito se empenhou para que eu conseguisse de Estácio Coimbra recomendá-lo ao Ministro das Relações Exteriores para ser esse intelectual paulista aproveitado no serviço diplomático. Foi difícil. O. M., o chanceler, resistiu muito aos pedidos insistentes de E. C. Foi preciso que E. C. se sentisse desconsiderado por O. M. para ser afinal atendido. E tudo por causa de um literato de outro Estado, que ele, E. C., nunca viu mais gordo. Venceu-se a batalha: vitória honrosa para E. C.

Francamente (como não ser franco contigo, meu caro diário, que és para mim uma espécie de confessor?) o R. C. desapontou-me. Vagos agradecimentos a E. C. a quem ele tudo deve. E com relação a mim, não só ausência de agradecimento como certa hostilidade dissimulada em humorismo. Parece-me daqueles que, beneficiados por alguém, não sabem ser, com relação a esse alguém, senão inimigos dissimulados. Entretanto, homem brilhantíssimo. Inteligente, intuitivo, espirituoso. Um talento raro. Nenhum *sense of humour*, porém.

RECIFE, 1929

Todo meu empenho é fazer d'*A Província* um jornal diferente dos outros e fiel à sua condição de jornal de província. Autêntico. Honesto. Com colaboração de alguns dos melhores talentos modernos do Rio de Janeiro e de São Paulo. Mário de Andrade não me interessa: de modo notável, está sendo um admirável renovador de artes e de letras brasileiras, mas é artificial em muita coisa. Artificial demais. Oswald de Andrade, também, embora bem mais inteligente e autêntico que Mário. Já tenho assegurada a colaboração de Manuel Bandeira e de Prudente de Morais Neto: os dois "modernistas" da minha mais pura admiração. Também a de José Américo de Almeida, a de Pontes de Miranda, a de Jorge de Lima, a de Barbosa Lima Sobrinho. Bandeira pediu-me para convidar seu amigo Ribeiro Couto.

Um dos meus empenhos é dar ao noticiário e às reportagens um novo sabor, um novo estilo: muita simplicidade de palavra; muita exatidão, algum pitoresco. Isto é que é importante num jornal. E nada de bizantinismo. Nada de se dizer "progenitor" em vez de pai nem "genitora" em vez de mãe. Já preguei no *placard* um papel em que se proíbe que se empreguem no noticiário não só essas palavras pedantes em vez das genuínas, como "estimável", "abastado", "onomástico", "deflui", "transflui", etc.

RECIFE, 1929

Já disse que quem me deu o endereço foi meu Tio Abel: Travessa do Forte n.º X. Sou-lhe muito agradecido. Ela continua a melhor das mulatas do Recife. Posso falar assim. Conheço um tanto o assunto. Não é em vão que toda terça-feira percorro com O. N. as casas que reúnem o que o Recife tem de melhor neste gênero e no outro. As preferências de O. N. são pelas alvas e até louras, defloradas há pouco: algumas quase virgens. As minhas – como as do velho M. C. – pelas mulatas. Doninha, quando vamos lá, recebe-nos dizendo: "Hoje quem está de parabéns é o Dr. O.". Ou, quando a novidade é de cor: "Hoje quem está de parabéns é o Dr. Gilberto. Tenha paciência, Dr. O."

RECIFE, 1929

Certo biólogo da terra (isto é, um médico clínico que se dá a estudos de biologia) disse-me um desses dias, com um ar benignamente superior, que eu estava "errado" em, nas minhas aulas de Sociologia, dar atenção ao lamarckismo. Trata-se de charlatanice, sentencia ele. Observo-lhe dessa "charlatanice" que se apresenta com um valor histórico que não deve ser desprezado. E é só a esse aspecto – o histórico – do lamarckismo que eu dou maior relevo. Indica uma constante significativa.

Figuras como a desse clínico, que se supõem mestres em assuntos de biologia, são comuns no Brasil: resultado de ser uma cultura, a nossa, sem sistemática verdadeiramente universitária, substituída pelo profissionalismo ou pelo tecnicismo. Daí essas ciências – a Biologia, a Psicologia, a Antropologia, a Sociologia, a Economia – sofrerem de constante deformação. É conseqüência de que há de excessivamente médico-clínico na "biologia" e na "psicologia" de uns, ou de estreitamente jurídico-legalista nas "antropologia", "sociologia", "economia", de outros. Deformações acompanhadas de muita vaidade, muita petulância, muita ênfase – como se verificou, aliás, no próprio Tobias. Raros os que têm escapado a esses vícios de formação profissionalista a fazer as vezes da universitária: um Teixeira de Freitas, um Joaquim Caetano, um Joaquim Nabuco, um Alberto Torres. Entre os vivos, um Roquette Pinto e um João Ribeiro.

RECIFE,. 1929

Interessante: não é nos poetas brasileiros, cujos versos sobre natureza ou paisagem tropical são quase sempre convencionais, mas nos naturalistas europeus – nos ingleses e alemães, sobretudo – que se encontra a melhor iniciação não só científica como poética à paisagem e à natureza brasileiras. Nos Maximiliano, nos Martius, nos Bates, nos Saint-Hilaire. Aos encantos da vida vegetal, da vida animal e da vida indígena no nosso país, eles é que têm iniciado no seu inglês, no seu francês e no seu alemão, os próprios brasileiros. Sob o estímulo ou a sugestão deles é que o Visconde de Taunay, Euclides da Cunha, Graça Aranha, Roquette Pinto, e, recentemente, Gastão Cruls escreveram páginas que suprem, em nossa língua, a falta ou a escassez de páginas de poetas sobre a natureza ou a floresta do Brasil tropical.

RECIFE, 1929

Interessado em M. depois de ter me deixado encantar por S. e por L. M. é, mais que elas, – também encantos de meninas-moças – uma pernambucanazinha terna, ao mesmo tempo natural e fidalga, que me atrai pelo que há de brasileiro em sua figura de iaiazinha. É como se ela guardasse o que Pernambuco tem para mim de raiz e de fonte. A essa doçura feminina ela junta alguma coisa de muito moderno: uma graça estranhamente jovem e como que sempre virgem.

Quanto a J., meu irmão U. me adverte contra o perigo de, segundo a tendência da família, ela tornar-se, desde nova, uma matrona de vastas e matriarcais cadeiras, isto é, ancas. Ancas vastas, maternas. Uma antivirgem. Uma antijovem. Eu, evidentemente, busco, como ele busca, como tipo ideal de mulher-esposa, um ser, talvez impossível; que seja capaz de reter o encanto de uma como virgindade sempre jovem dentro de um viço sadio de mulher-mãe. Um paradoxo.

RECIFE, 1929

M. A. é diferente. Sinto que há em mim por ela um entusiasmo também diferente. Talvez o começo de um amor que vá ao extremo de pretender chegar às núpcias. Será que poderei realizar-me deixando-me aburguesar pelo casamento? Mas se M. é diferente, o problema se apresenta diferente das soluções convencionais. Vamos ver o que diz o tempo.

RECIFE, 1929

Depois de ter guiado o Agache ao lugar que ele aprovou como ideal para o futuro Grande Hotel do Recife – escolha minha – e de ter alargado no Congresso Regionalista o conceito de urbanismo para o da planificação regional – novidade completa para o Brasil e que representa adaptação minha de idéias de Patrick Geddes a condições brasileiras – não me sai da telha a preocupação urbanística. Urbanismo regionalista. Ou regional. Preocupação também de Alfredo Morais Coutinho, que sabe o que é regionalismo.

Dentro desse critério é que venho orientando minhas alunas de Sociologia na Escola Normal para uma pesquisa de campo sobre ruas do Recife. Cada uma deve recolher material sociológico sobre a rua onde mora. Sobre as condições, problemas, necessidades da rua. Elas estão interessadas no assunto. Vêm descobrindo que ao lado da sociologia acadêmica há outra, de campo, ligada ao viver cotidiano de cada um de nós: do seu bairro, da sua província, da sua região, antes de ser do seu país.

Estamos descobrindo que muitas das crianças do Recife não têm onde brincar. Que o Recife, com a extensão dos velhos sítios particulares que não vêm sendo substituídos por parques ou jardins públicos, está se tornando uma cidade inimiga dos meninos. Os meninos não têm onde jogar nem brincar: a não ser nas ruas. Sujeitos a ser esmagados pelos automóveis. Havemos de conseguir do Prefeito que inicie no Recife, ainda que de modo modesto, um sistema de *playgrounds*. Outra novidade completa para o Brasil. Há de ser uma reivindicação para esta cidade do primeiro grupo de adolescentes brasileiros que vem realizando pesquisa de campo sociológica. Estácio está entusiasmado. Aliás ele próprio me pede "conselhos sociológicos" como com relação ao valado para dividir, no interior, a pecuária da agricultura: obra também pioneira de zoneamento em área rural. A Sociologia, quase sem aparecer, está dando um sentido novo ao governo de Pernambuco: a várias das suas iniciativas tanto urbanas no Recife, como rurais. O Recife precisa não só de *playgrounds* como de parques que se prestem a várias utilizações e sempre a uma maior aliança da cidade com a Natureza.

RECIFE, 1929

Tomei a liberdade de cortar todo um trecho de artigo de Barbosa Lima Sobrinho, meu amigo, homem de letras que admiro, para *A Província*: trecho de elogio a mim. Creio que, como diretor do jornal, não devo publicar nele elogios a mim, nem em editoriais nem mesmo em artigos de colaboradores. Já fiz o mesmo com um artigo de outro escritor de porte: o Manuel Bandeira, este também grande amigo.

RECIFE, 1929

Já fiz n'*A Província* alguma das coisas que desejava fazer. Seu noticiário é hoje o mais exato, o melhor, da imprensa do Recife, e talvez do Brasil. Inclusive reportagens. Eu próprio tenho feito, sem nunca assinar, entrevistas e reportagens – jornalismo de campo e não de gabinete. O jornalismo de campo é o verdadeiro jornalismo. Fiz entrevistas com Agache e Rondon. Iniciei as séries "históricas" (pois jornal, no Brasil, tem de ser um pouco diário e um pouco semanário e até *magazine*): "Crimes célebres no Recife" e "Assombrações no Recife". Material que mandei Oscar Melo colher nos arquivos da Polícia, para o que obtive todas as facilidades de Eurico Sousa Leão. Planejo outras sobre "os últimos pastoris do Recife", "os últimos bumbas-meu-boi", "os últimos xangôs". Outra de interesse urbanístico: "onde deve ser o bairro universitário do Recife (contando que o Recife tenha breve universidade)". Ótima a atuação de Aníbal Fernandes. Esplêndidos seus editoriais. Apenas é preciso ter a gente cuidado com ele: opiniões excessivamente pessoais em artigos de responsabilidade da redação, por exemplo. E disparates com que às vezes me surpreende, sendo o homem admiravelmente inteligente que é. Por exemplo: pôr no fim de um artigo, a ser continuado em número seguinte do jornal; em francês: "La suite au prochain numéro". Felizmente vi a coisa em tempo e eliminei a disparatada expressão francesa. É um afrancesado, o nosso A. F. Quanto a Olívio não tem o menor jeito para secretário de jornal. Ou para jornalista. Pouco jornalístico é também o Sílvio Rabelo. É demasiado escritor, do tipo erudito, para ser jornalista. Enquanto em A. F. o escritor, o homem de letras, o erudito é superado pelo jornalista nato que ele é: ágil, plástico, sensível ao que o cotidiano tem de mais dramático e de mais humano.

RECIFE, 1929

Minhas funções de "oficial de gabinete" – ou de "Chefe de Gabinete" – do governador do Estado estão longe de corresponder à tradição dessas funções. Há quem diga até que eu venho sendo "supersecretário de Estado", com quem o governador se aconselha sobre assuntos difíceis e até delicados. A verdade é que isto vem acontecendo em vários casos, e até sobre nomeações políticas o Estácio vem me ouvindo de preferência a políticos. Ao mesmo tempo não estranha que eu seja um eterno ausente de embarques, desembarques, missas, solenidades de caráter político, nas quais ele nem ousa me pedir para representá-lo, sabendo o meu desdém pela política à moda brasileira. É um homem, para sua época e sua formação, excepcional, o velho Estácio. Seu respeito por mim é ainda mais honroso para ele do que para mim. Com todo seu orgulho, pede-me que lhe corrija artigos, notas oficiais, telegramas importantes, meu cuidado sendo para respeitar seu estilo que, um tanto pomposo, contrasta com a sobriedade do meu. E chega a ser tocante seu empenho para atrair-me à política: deputado estadual já quis fazer-me e até – seria um escândalo – federal. A todas as duas seduções já resisti de um modo que ele procura compreender mas não consegue – para ele o triunfo literário só existe em suas formas convencionais: livro, conferências no Rio, a Academia Brasileira de Letras; e este seria favorecido pelo triunfo político. Está acostumado a ver esse triunfo procurado, nessas formas ostensivas e pessoalmente vantajosas, pelos Antônio Austregésilo, pelos Medeiros e Albuquerque, pelos José Maria Belo, pelos próprios Carneiro Leão, e não compreende um casmurro que busque outras glórias – se é que eu de fato procuro alguma glória literária. A verdade é que me sinto um místico, um introspectivo, sempre inquieto, perdido num mundo brasileiro que não é, como mundo intelectual, o meu; e a jogar fora oportunidades pelas quais quase todos os homens de minha idade dariam os cabelos da cabeça e até os olhos. Os próprios olhos. Alguns, mais do que isto.

RECIFE, 1929

Vou muito ao Convento da Penha. Bons frades, quase todos italianos, um dos quais gordo, vermelho, alourado, parecido com o meu amigo E. C. Excelente homem, esse frade gordo. E há Frei D., cuja barba outrora ruiva está a embranquecer; é surdo como ele só. Se esse Frei D. não é santo, eu não sei o que é ser santo.

Outro dia ele me fez conversar com um capuchinho, legado do papa, que por aqui passou e foi hóspede do convento. Erudito de fato. Falando um italiano que eu compreendi todo, quando conversamos, como se desde menino eu ouvisse falar italiano. Um italiano claro, nítido, vibrante.

Mas é mundo de gente diversa, esse Convento da Penha, aonde um dos frades diz que eu vou para poder bebericar minha cervejazinha sem ser visto pelos inimigos. A verdade é que a cerveja que lá me oferecem, sobre uma velha mesa toscana digna de um bom vinho, é uma terrível cerveja, quase sempre quente e da qual eu bebo um gole ou dois por simples cortesia. Para não magoar frades bons e angélicos como Frei D.

Mas aqui está uma aventura que tive há pouco no Convento da Penha: entrando anteontem de sapato de sola de borracha pela sacristia, que hei de ver de repente? Sobre uma das cômodas de jacarandá, bonita mulatinha ainda nova, pernas abertas. E homenageando-a, com suas melhores homenagens, um dos frades suponho que italiano, as barbas agitadas, a boca ávida. A mulatinha sorriu para mim. Desapareci à procura de Frei D., que fui encontrar de vassoura varrendo humildemente um corredor.

RECIFE, 1929

Ainda a propósito das G. Elas são sobreviventes de um Brasil já morto. Mas como têm alguma fortuna e aquelas jóias magníficas, que às vezes exibem, podem ser de certo modo fiéis ao tempo da sua mocidade e do seu esplendor. Curiosas as relações das pessoas com os tempos. Curioso como certos tempos morrem enquanto algumas pessoas lhes sobrevivem, guardando como que porções deles embalsamadas.

Parece que só para os homens de gênio não existe essa disparidade entre tempos e pessoas; nem sequer entre idade e vida. Veja-se um G. B. Shaw, por exemplo: velho e até o fim contemporâneo de jovens e até dos pósteros. O caso também de Freud. Certamente o de Einstein. E, entre nós, do admirável e sempre jovem – superior a tempos que morrem – João Ribeiro.

RECIFE, 1929

De bicicleta, com J. T. e Ulisses, até Paulista. Fatigante. Mas interessante. Ulisses levou uma queda. J. T. e eu somos quase acrobatas na bicicleta. U., não.

RECIFE, 1929

Curioso o triângulo A. C. L. e o casal C. M. Dão-se magnificamente. São três supercivilizados. Admiro-os. Chegam a ser líricos. Outro dia, fomos nadar em Boa Viagem, C. L. e eu, acompanhados por C. M. C. M. ficou na praia; e quando eu voltei do mar, antes de C. L.– C. L., arrojado, foi além dos arrecifes – mostrou-se terrivelmente aflito: "C. assim longe é um perigo. Vem peixe grande e leva C. Um perigo!".

RECIFE, 1929

No Carrapicho, com as mulatas trazidas por Ulisses, meu irmão, que agora, por causa de seu belo bigode preto, é conhecido por quase todos os amigos como "Bigodão". Bandeira poeta, aqui pela segunda vez, engraçou-se de uma que é realmente uma delícia:, "a flor do Prado", como eu a chamo, por ser sua família moradora do Prado. Mas o diabo da mulata resvalou foi para meu lado, deixando o M. B. sob uma grande dor-de-cotovelo. Mas sem dar o braço a torcer, disse-me M. B. depois que as mulatas saíram com Bigodão: "A sua "Flor do Prado", sabe? tem um mau hálito horrível. E eu não tolero mulher de mau hálito". Conversa. "Flor do Prado" tem uma boca fresca de adolescente – adolescente meio agreste – uns dentes lindos e nem sequer cheira a sovaco de negra: odor que sendo fresco não me é, aliás, desagradável. O sovaco de negra que cheira mal é o azedo, de negra suja. Mas também cheira mal o das brancas azedas: sobretudo o sovaco das judias. O caso de R.

RECIFE, 1929

No Rio, ia, uma vez, devagar, com Rodrigo, pela Avenida, já num fim de tarde, quando ele me disse do meu irmão Ulisses: "Bigodão é um tipo de homem". Sem de modo algum pensar em mim mesmo, comentei: "Isto é da família... A família é assim. V. devia ver o retrato do nosso Avô Ulisses". Rodrigo veio então direto contra o que podia haver, nessas palavras, de apologia de mim a mim mesmo (ele que acha tanta graça em Portinari quando Portinari elogia Portinari): "Mas você não tem nada de bonito. V. é feio". E com essas palavras francas tocou numa ferida que se conserva em mim, rebelde a toda espécie de tratamento, desde remoto dia de meninice, quando ser feio era para mim ser desprezível: "Não faça isto que é feio". "Você está comendo muito feio". "É feio fazer isso". "É feio fazer aquilo". E um dia, estava como que dormindo (mas na verdade acordado) no colo de minha Mãe, quando ouvi um tio meu dizer de modo ainda mais franco do que ontem Rodrigo: "Toda família tem o seu feio. O meu é Alcindo. O de Marieta é Valdemar. O de Teresinha é Sebastião. O seu é este aí". Minha Mãe não disse uma palavra de defesa do filho feio. Abriu-se em mim uma ferida que até hoje não sarou.

1930

Recife, 1930

O que eu esperava, aconteceu. Crise, já há meses, entre meu Pai; diretor do Ensino Normal – cargo em que tem feito umas boas coisas – e os Escobar. Eu previa. E não era possível ao Governador de repente dispensar os paulistas para prestigiar o agora hostil aos executores da reforma de ensino, diretor do Ensino Normal. Parecia, da parte do Governador, o reconhecimento de quanta mentira e até calúnia se tem publicado e dito contra os colaboradores de Carneiro Leão. Meu Pai teve a leviandade de concordar que gente simpática a ele – esta é a verdade – saísse às ruas, em manifestação pública, contra a execução da Reforma. Contra a execução da Reforma, segundo os objetivos dos manifestantes; contra a Reforma, aos olhos do grande público. Portanto contra o próprio governador Estácio Coimbra, que enfrenta, neste momento, toda a imensa impopularidade que se levanta menos contra ele que contra o presidente Washington Luís. Sobretudo contra o candidato – péssimo candidato, aliás, pela maneira arbitrária por que foi escolhido – Júlio Prestes. Compreende-se assim que tenha dispensado meu Pai da direção do Ensino Normal. Eu previa. Chegamos a ficar brigados, meu Pai e eu, desde o dia em que ele aceitou a direção do Ensino Normal. Agora é dispensado do cargo ou da missão. Isso numa nota oficial um tanto grosseira para com ele. Pensei em renunciar às funções – inclassificáveis! – que venho desempenhando junto a Estácio. Mas considerei o fato de que ele; meu amigo, está num terrível fim de governo: fraco, impopular, por causa de sua solidariedade ao presidente Washington Luís – que homem desastrado, esse! – e, ao mesmo tempo, desprestigiado pelo mesmo Washington, que não perdoa a Estácio sua amizade com Arnolfo de Azevedo, Álvaro de Carvalho e outros políticos paulistas por ele, Washington, hostilizados, embora homens do seu partido.

Resolvi não renunciar. Uma decisão difícil. Dificílima. Mas está tomada. Agora é esperar pelos ataques ao "filho ingrato", ao "mau filho", ao "mau caráter".

RECIFE, 1930

Impressionante a chegada do Zeppelin ao Recife. Foi o primeiro ponto do Brasil em que tocou o dirigível alemão. Fui ao campo com Estácio. O governador tendo me encarregado de cumprimentar à porta do dirigível o Dr. Eckner e o Infante Dom Alfonso da Espanha, dando-lhes as primeiras boas-vindas brasileiras, tratei de ficar próximo do lugar exato em que o Zeppelin deveria descer. O único civil naquele lugar no qual a Polícia brasileira e os técnicos alemães não consentiam aglomerações. Quando o dirigível apareceu no meio da noite foi como se surgisse diante de nós uma cena de romance de Júlio Verne ou de Wells. Fui um dos raros a vê-lo descer de perto; a acompanhar toda a manobra da descida.

Mal o dirigível foi amarrado, abriu-se sua porta: desceram os personagens também um tanto de Júlio Verne que eu deveria cumprimentar – os primeiros cumprimentos brasileiros que eles receberiam. Apertei-lhes as mãos. O Dr. Eckner sorria triunfante. Mas estava emocionado. O Infante pareceu-me um meninão regozijado com o aspecto esportivo da façanha de que acabava de participar. Também cumprimentei Lady Drummond.

Muito alemão, o Dr. Eckner. Disse-me que estava contentíssimo com o triunfo alemão de estabelecer nova forma de contacto da Alemanha com a América do Sul. Não falou como um europeu mas como um alemão. Nisto não se mostrou personagem nem de Júlio Verne nem de Wells. Revelou-se alemão da Imperial Alemanha. Um dos seus guarda-costas alemães perguntou um tanto arrogante em alemão quem eu era. Respondi-lhe em inglês que perguntasse ao seu chefe que lhe explicou: "É o secretário do governador". O guarda-costas então transformou-se no mais amável dos alemães. Deixei o Infante aos cuidados do ajudante-de-ordens do governador e conduzi o grande técnico alemão ao palanque onde se achava o governador. Luzes oficiais davam um brilho metálico aos penachos dos coqueiros que pareciam marcialmente acolher os ilustres alemães; Dr. Eckner disse ao vê-los: "Como é lindo o Brasil!".

RECIFE, 1930

Ficará esse acontecimento em segredo. Pouquíssimos, os que sabemos o que acaba de acontecer. F. de O. veio do Sul em missão política, secreta, importantíssima, dos dois grandes líderes da oposição a Washington Luís e a Júlio Prestes: Antônio Carlos e Getúlio Vargas. Eles levantariam a candidatura Estácio Coimbra à Presidência da República como candidato de conciliação. O Presidente Washington Luís teria que renunciar ao seu candidato Júlio Prestes, desde que a oposição deixara de ter candidato próprio para adotar o nome de um ostensivo situacionista. F. de O. veio sondar Estácio. Poderiam Antônio Carlos e Getúlio Vargas contar com a sua aquiescência ao plano conciliador? Estácio não teria que mover uma palha, é claro. Apenas deixar que, sem o seu protesto, o seu nome fosse apresentado para a conciliação, tão desejada por tantos brasileiros, neste momento. O encontro foi na casa-grande do Engenho Morim. Absolutamente confidencial. Secreto. Estácio recusou. Vamos, assim, para uma situação quase de guerra civil. E deixa Pernambuco de ter, pela primeira vez, a Presidência da República, que tanto lhe cabe.

RECIFE, 1930

Dos escritores que leio, guardando-os dos olhos até dos amigos, como se fossem segredos e tendo prazer especial em verificar que suas páginas são quase desconhecidas, devo destacar Constantin Leontieff e V. V. Rozanov. Rozanov na tradução (do russo) de James Stephens que acabo de receber de Londres. Devo também incluir nesses meus autores prediletos que quase ninguém conhece o místico Nuremberg e Symonds.

RECIFE, 1930

Estou encarregado pelo governador de acompanhar o Dr. Eckner e o Infante Don Alfonso. Simpaticão, o velho Eckner. Mostra-se interessado pelas coisas brasileiras: pelas realizações do homem tanto quanto pelas paisagens tropicais. E se harmoniza muito bem com o Prefeito Costa Maia que é na verdade um encanto de pessoa humana, com o seu feitio de antigo juiz da Monarquia. Encarrego o Major Agostini de levar a Paulista o Infante que se interessa em ver os cavalos dos Lundgren.

Anteontem jantei com o Infante. É homem fino mas sem inteligência política. Toda vez que fala dos russos é para considerá-los "ameaça à civilização". Mas se esquece de que dentro da Europa ocidental há desajustamentos que são ainda maiores "ameaças à civilização" que o papão moscovita. Acompanha-o um Coronel Herrera, que também me dá a impressão de homem de reduzida inteligência política.

Ontem, grande ceia em honra do Dr. Eckner e do Infante Don Alfonso de Bourbon oferecida pelo Conde e pela Condessa Pereira Carneiro: casal recifense de minha particular simpatia. Ela é uma Correia de Araújo: uma gorda sinhá-dona. Foi uma festa esplendidamente brasileira. Talvez um excesso ou outro: muito *champagne* e uma ostentação de caviar, de perus, de lagosta, de abacaxis que deixaram talvez os europeus sob a impressão de que o ricaço brasileiro queria humilhá-los. Mas suponho que acabaram todos convencidos de que se defrontavam com uma nova forma de cordialidade humana ou de hospitalidade extra-européia: a brasileira. A patriarcalmente brasileira. A pernambucanamente brasileira. Afinal, Pernambuco é terra de muita lagosta e de muito abacaxi: preciosidades brasileiras que para um europeu são quase equivalentes de pedras preciosas sob a forma de manjares raros. E os pernambucanos, mesmo quando novos-ricos, são fidalgos. Até os plebeus em Pernambuco são fidalgos.

Romance, e dos bem românticos, dentro da família: dentro da pacata família dos Freyres com y e dos Mello com dois ll. E eu atingido por ele.

Refiro-me ao rapto da jovem ainda quase menina (Maria Cavalcanti de Albuquerque de Mello Menezes, filha de Nena) pelo meu irmão, seu primo, Ulisses de Mello Freyre. Acontecimento sensacional.

Para mim foi uma completa surpresa. E o fato de ter acontecido esse rapto e ir acontecer esse casamento, sem que U. me dissesse qualquer palavra a respeito, me deixa verdadeiramente tonto. Sob um misto de grande mágoa e de grande raiva. Considero-me traído pelo irmão amicíssimo. Irmão com quem vivia – os dois na Casa do Carrapicho. O amigo com quem nestes últimos anos mais convivia. Mais conversava. Com quem mais saía para excursões a bicicletas, recepções, danças, jantares, aventuras. De modo que não compreendo ter ele, nesse episódio, se escondido de mim.

Talvez porque me supunha incapaz de compreender a sua decisão. Ou o seu amor de feitio matrimonial. Mas não sabe, melhor do que ninguém, que tanto quanto ele, ou mais do que ele, sou um romântico?

Minha Mãe está desolada, Meu Pai se mostra compreensivo. Creio mesmo que a meu Pai, U. informou do que ia acontecer.

Nossa família é uma família endogâmica. Com muita união de primo com prima. Por este lado, U. cumpre uma sina de sua – de nossa – gente. Uma boa sina, aliás. Por que não essas uniões dos semelhantes que se amam sob o estímulo de suas semelhanças?

Também compreendo a diferença de idade. Por que não? Há quase sempre, na mulher, alguma coisa de incestuosamente filial no seu amor por um homem; e no amor de homem por mulher, alguma coisa de incestuosamente paterno.

Com o que não me conformo, nesse episódio, é – egocêntrico que sou! – o modo por que um irmão tão meu irmão como é U. – um U. supremamente afetuoso, bom como ele só, mil vezes meu superior, em bondade – se comportou com relação a mim. Era a mim que ele deveria ter primeiro revelado o seu plano, quer contasse com a minha solidariedade, quer não. Mesmo desaprovando o rapto eu não moveria uma palha contra a sua realização.

RECIFE, 1930

Há mais de três anos que devolvo presentes. Presentes de quadros como os que me quis ofertar o pintor português que aqui chegou recomendado pelo Pedroso Rodrigues e vendeu um belo quadro ao Estácio para uma das salas do Palácio do Governo, do qual o Governador está realmente fazendo uma mansão digna de um Estado como o de Pernambuco: com móveis, quadros e tapetes de boa qualidade. Presente de bengala com castão de ouro maciço como a que o Pereira Teixeira me trouxe da Europa. Presente de enxoval inteiro de seda e linho – camisas, roupa de baixo, meias, lenços – como o que Sousa Filho me trouxe também da Europa, supondo-me futuro genro do Governador. Presente de vinhos, *champagne*, uísque. Tudo devolvido quando não é presente – tenho explicado a todos – de amigo íntimo.

Também devolvi a Orlando Dantas, gerente d'*O Jornal*, de Chateaubriand, o cheque que me enviou por ter eu o apresentado a amigos que escreveram de graça artigos para uma edição especial daquele diário, dedicada a Pernambuco. Cheque de cinco contos. Dantas não gostou. Julgou-se ofendido. Alegou-me que eu trabalhara mais para a tal edição que qualquer redator efetivo d'*O Jornal*. Expliquei-lhe que assim trabalhara, ajudando-o, por se tratar de um amigo – Orlando Dantas – a serviço de outro amigo: Assis Chateaubriand. E que não insistisse: não aceitaria de modo algum o cheque.

RECIFE, 1930

Almoço ao ar livre na casa de U. e A. Grande almoço. Aferventado de peru. Muito vinho. Muita mancha de vinho tinto – o verdadeiro vinho – avermelhando, colorindo, alegrando o branco das toalhas. Vários doces. U. e A. muito felizes. S. R. com a jovem e bonita E. levam um banho de vinho. L. J. mais do que alegre. S. perde o *sense of humour*. Quer sair, zangado. Mas em tempo se domina. Volta. Reintegra-se na alegria dionisíaca do almoço mais que festivo. Regozijo de todos. Aparece no muro que divide a casa de U. e A. da do casal L. e N. S. o ainda meninote filho dos S. B., pedindo vinho. É simpático, nórdico de aspecto, mais inteligente que o pai. Dão-lhe vinho. Bebe. Junta sua alegria à dos adultos. Que será, quando adulto, esse meninote agora superior a tanto adulto em inteligência? Talvez um adulto quase de todo banal. Inexpressivo. Incaracterístico. Estou farto de ver esses futuros negativos em companheiros meus de geração.

RECIFE, 1930

Seduzido pelo Rilke. Pela autobiografia disfarçada. Pelos poemas.

RECIFE, 1930

O governador da Paraíba, João Pessoa, assassinado numa confeitaria da Rua Nova. Autor, um Dantas, conhecido pela bravura.

Péssimo para Estácio. Vai se dizer nos jornais do Rio que foi crime político. A verdade é que foi crime por motivo personalíssimo. O J. P. vinha exibindo cartas do D. a uma senhora: documentos de caráter o mais íntimo. D. resolveu liquidar o assunto matando o ofensor e se arriscando a morrer. Sozinho, pela frente, apresentou-se a J. P., no momento entre dois amigos, o C. L. C. e o A. M., nenhum dos quais tentou a menor reação. Nem eles, nem o J. P. O D. está preso. O diabo, repita-se, para Estácio Coimbra.

Tudo conseqüência da política cretina que está sendo seguida pelo Presidente da República com relação à Paraíba. O que acontece contra as advertências, quer de E. C., quer do excelente – como chefe militar – General Lavanère-Wanderley. Como se pode ser tão mau político como está sendo Washington Luís? Excede, pelos seus atos e por suas atitudes, tudo que se poderia esperar de sua falta de inteligência e de tato. De inteligência e também de atenção pelos amigos cujas vidas ele, do seu Rio de Janeiro, seguro e invulnerável a atentados, cercado de embaixadas, expõe a constantes perigos. Considero a vida de E. C. em perigo. Ele está sendo apontado como responsável pelo assassinato de J. P. Um absurdo. Mas no clima de ódio que o Brasil está vivendo, sobretudo no Nordeste, um absurdo capaz de resultar não só numa revolução como, imediatamente, em várias mortes de homens inocentes.

SALVADOR, 1930

Não me sinto com serenidade para confiar ao meu velho diário as emoções destes últimos dias. Que posso dizer, sob a impressão da notícia que me acabam de dar: a de que a casa da minha família foi saqueada e queimada. Que escrever sob a incerteza do destino de papéis, livros, relíquias para mim tão preciosas? Sob a certeza de que para minha Mãe e meu Pai a casa saqueada, roubada, incendiada foi golpe ainda mais profundo do que para mim? Pois eu hei de refazer-me. Tenho trinta anos. Mas eles – que já passaram dos cinqüenta e cinco? Que caminham para os sessenta?

Foi uma rude viagem a nossa no rebocador do Recife – onde Estácio, iludido pelo Comandante do Batalhão do Exército, deixou o palácio do Governo para passar a noite no Edifício das Docas, enquanto o Exército daria, do mesmo Palácio e do pé da Ponte de Santa Isabel, combate às tropas do Juarez. Mas o que sucedeu foi a tropa ter embarcado num vapor civil, deixando o Palácio e o Governador ao abandono. Foi quando Estácio mandou preparar o rebocador. Iríamos para Tamandaré. Aí o pobre Estácio – que desde os primeiros tiros contra o Palácio vem conservando uma fleuma e altivez admiráveis – pensou em firmar-se para resistir. Imprudentemente demoramos em Tamandaré, onde Estácio, confiante no ingênuo Washington, cuidou em reunir paisanos para a resistência: paisanos a quem depois se juntassem tropas federais que chegassem do Rio. Até que se desiludiu. Viemos para Maceió e de Maceió para a Bahia com a idéia de seguirmos daqui para o Rio. Fomos proibidos de continuar viagem. Medida do Washington Luís que depois de sacrificar amigos, como Estácio, a uma política insensata – intervencionista na Paraíba mas abstencionista nos Estados fortes: Minas e Rio Grande do Sul – parece disposto à atitude heróica, mas agora inútil, de presidente irredutível.

A Bahia calma. Tenho ido muito ao Convento dos Franciscanos. Muito aos recantos mais baianos desta doce cidade que num momento, para mim de inquietação verdadeiramente terrível – sem notícias da minha família e sem saber se o saque atingiu a casa do Caldeireiro, onde estão quase todos os meus livros – vem sendo uma cidade clínica. Uma clínica de repouso.

Já nos chegam notícias dos triunfos revolucionários no Recife. Grande mística a que se vem formando em torno de Juarez Távora. Que pensar desse moço agora com fama de herói? Penso às vezes que não é mais do que um rapaz de pernas longas e de idéias verdes, sem saber que rumo dê aos seus triunfos. Cheio de mãos esquerdas. Porém honesto e bom. E meu amigo José Américo, que sempre admirei e respeitei? É evidente que não conseguiu evitar o saque e o incêndio de casas de adversários merecedores do seu respeito. Evidentemente não se trata de uma nova revolução pernambucana no estilo da de 17, mas de uma espécie de quebra-quilos misturada com vinagrada, balaiada, cabanada. Dizem-me que a canalha fantasiada de povo, que saqueou casas no Recife, era quase toda de gente de fora da cidade. Um tal Terto do interior da Paraíba é que teria dirigido o magote mais desembestado de salteadores. Uma vergonha, esse assalto, para revolucionários que pretendem ser messiânicos. Uma vergonha para todos nós, brasileiros.

Salvador, 1930

Jantar na casa de Goes Calmon a Estácio. Comparecemos Aníbal Fernandes e eu. O ex-governador da Bahia é um brasileiro e tanto. Velho amigo de Estácio. Parecem irmãos. Conheço-o desde 1927 – quando aqui estive pela primeira vez com Estácio. A ele, Madureira de Pinho, Miguel Calmon, Pedro Lago, outros amigos de Estácio, também muito amigo da família Costa Pinto.

Por intermédio de Goes Calmon conheci o jovem Anísio Teixeira de quem ele me dissera: "Vai gostar de conhecê-lo. É da sua idade e de um temperamento parecido com o seu".

Goes Calmon nada tem do baiano remanchão. É muito baiano nos modos, na polidez, na suavidade. Mas ao mesmo tempo homem inquieto. Inquieto e realizador. Compreende-se que seja um amigo da gente moça. Especialmente dos moços em quem descobre vocações para a vida pública no seu sentido mais alto. Anísio Teixeira, por exemplo. Dona Julieta – Senhora Goes Calmon – é um encanto de dama brasileira que, continuando sinhá, tem também alguma coisa de europeu. O casal tem sido para os "emigrados" pernambucanos de uma extrema gentileza. Eles e a gente da Casa Krause. E também Pânfilo de Carvalho: gordo, alto, cordial. Que gente esplêndida! Os Krause já nos enviaram, para mim e para o Estácio, roupas de lã, flanelas, sobretudos, para enfrentarmos o inverno europeu.

Seguiremos no *Belle Isle* que vai antes à África. Estácio não admite que eu não o acompanhe. Está triste. Na intimidade, mais do que triste: abatido. Vejo-o todas as noites, de camisolão, como um menino, rezar. Rezar e chorar.

LISBOA, 1930

Dias difíceis, sem deixarem de ser um tanto românticos, os que estou passando em Lisboa, com um fato único, duas únicas camisas, dois pares de meia. Tudo faço para evitar convites de amigos elegantes, jantares com condessas, *cock-tails* em embaixadas. Convites que implicam viver eu uma vida para a qual não estou economicamente apto. Disfarço quanto possível minha situação. Nada de pedir a qualquer amigo rico ou remediado que me empreste dinheiro.

Não maldigo da angústia em que estou obrigado a viver, nestes dias de Lisboa, já dominado desde o Senegal, onde ficamos uns dias – pelo afã de escrever um livro que seja um grande livro, revivendo, o mais possível, o passado, a experiência, o drama da formação brasileira. Um drama demasiadamente humano. Um capítulo que ainda não se escreveu da História ou da Aventura do Homem. Evasão? De modo algum. Aprofundamento num tempo de que imediatamente atual é um pequeno retalho; o meu assunto de que o Brasil é apenas um exemplo: o Homem.

Essa angústia me faz conviver menos com gente burguesa do que com a plebe rústica e folclórica: em Lisboa, entre saloios, fadistas, mulheres das chamadas de vida alegre, de uma das quais, mulata de Angola, já aprendi que na África "senzala" é "sanzala", "massangana" é "massangano". No Brasil, há muito convivo com gentes de xangô, em Pernambuco, e de candomblé, na Bahia, e de macumba, em Niterói. Com babalorixás como Adão do Recife e Martiniano do Bonfim, da Bahia. Com negras quituteiras. Com mulatas quase do mesmo tipo das que Lafcadio Hearn amou volutuosamente em Martinica. Com barcaceiros alagoanos que me ensinaram a fumar maconha, sem o perigo de resvalar em *amok*. Com *gangs* de adolescentes desajustados. Com operários recifenses ingenuamente entusiastas do P. C. Com cariocas boêmios, tocadores de violão. Com gentes de clubes populares afro-brasileiros, de Carnaval, no Rio de Janeiro e no Recife. Com gentes de trabalho em velhos engenhos do Nordeste e fazendas dos arredores de Petrópolis; e, ao mesmo tempo, com velhos senhores, velhos senhores decadentes, já evitados pelos próprios netos; senhores velhos junto dos quais tenho chegado a ser quase um substituto de netos e bisnetos ingratos. Também com velhas baronesas brasileiras, velhas iaiás, ex-escravas. Venho recolhendo de vários deles confissões preciosas. Agora estou fazendo o mesmo em Lisboa, com condessas, com sábios e com prostitutas. Com prostitutas, aos goles de ginja. Com negras de Angola que comparo com as que conheci no Senegal francês. A negra aportuguesada é uma, a afrancesada é outra.

LISBOA, 1930

Recepção no belo apartamento de Sílvia Belfort Ramos. É a senhora brasileira de maior prestígio nos meios mais finos de Lisboa. A ilustre ministra – o marido é ministro na Tchecoslováquia – vem me dispensando os melhores carinhos. Manda-me figos todas as manhãs. Sem ser bonita, é heráldica: verdadeiramente distinta (que adjetivo gasto!). Recebe a grande nobreza. Pede um Proust. No seu salão já conheci o Duque de Medina Sidônia. Conversei com a Condessa de Ficalho – que passa por ser uma terrível má-língua e é de uma rara inteligência. O Marquês de Belas. Como se some, no meio dessa alta nobreza, o meu amigo Visconde de Carnaxide!

É já a terceira vez que vou a recepção *chez* Sílvia. E já tenho jantado no seu apartamento: ela sempre um tanto rainha brasileira entre condessas e viscondessas européias. É nobre sem título de nobreza.

Curiosa minha situação a freqüentar esse e outros salões fidalgos de Lisboa com a única roupa que tenho. Uma única roupa, duas camisas, dois pares de meia, duas gravatas, dois lenços: eis o meu enxoval de *emigré* pobre. Paupérrimo. Quem diria que estava para me ocorrer a aventura do exílio, com a casa da família no Recife saqueada e incendiada?

LISBOA, 1930

Volto a ver Estácio Coimbra, de camisolão de menino – é de camisolão que ele dorme e não de pijama – chorar como uma criança, debruçado sobre cartas recebidas do Brasil. "Nada dói tanto como uma ingratidão", me diz ele entre soluços. Nunca supus que viria soluçar como uma criança um homem da varonilidade de E. C. Ocupamos um só pequeno quarto num 3.º andar de velho sobrado, lado da sombra. Um terrível frio úmido. O banho é extraordinário.

LISBOA, 1930

Ensinando inglês a Viana do Castelo, Sebastião do Rego Barros, Belisário de Sousa, por solicitação deles. Falam francês mas não sabem falar inglês. Tive de início um fracasso tremendo como suposto conhecedor de língua inglesa. Rego Barros perguntou-me: como é cabide em inglês? Eu não sabia. Creio que nunca soube. Parece até que nunca vi um cabide em país de língua inglesa. Eles sorriram, e eu fiquei sob a impressão de estar sendo um tanto charlatão com esses três exilados. Não que as lições sejam pagas. De modo algum. Mas como compreender que dê lições de língua inglesa a três ilustres homens brasileiros quem não sabe, em inglês, a palavra para cabide?

LISBOA, 1930

Continuo na mais crua pobreza e quase incapaz de aceitar convites ilustres e, por isto mesmo, vivendo vida muito mais plebéia que burguesa, bebendo mais ginja nas bodegas que vinho do Porto nos salões de fidalgos que me honram com sua amizade, sem saber da minha extrema penúria. Repito ter sido um dia desses surpreendido com esta notícia: devia receber de um comandante de vapor brasileiro certa encomenda, enviada por minha família. Já contei a você, diário querido, o que me sucedeu. Aqui vai um novo relato.

Fui ao cais. Entrei no vapor. Supunha que a encomenda fosse de mangas: as famosas mangas de Pernambuco. Fui recebido muito cordialmente pelo comandante. Apressou-se ele em entregar-me a encomenda Era simplesmente a minha casaca que, com o smoking – que também veio – escapara ao saque da nossa casa, na Madalena, por estar na casa de meu irmão. Vinha completa: bela, passada a ferro, por minha Mãe, a gravata alvíssima, a camisa de peitilho duro, com botões de ouro, engomada e também resplendente de alvura.

Minha família me supõe em intensa vida mundana nos salões de Lisboa. Não desmentirei a dourada lenda. Foi, entretanto, irônico, que eu levasse aquela casaca suntuosa para a água-furtada onde ando a garatujar o trabalho que se tornará talvez um livro como não há igual: originalíssimo.

Contei ontem o caso da casaca a João Lúcio de Azevedo, que é um admirável velho a quem não falta *sense of humour*, e que, na mocidade, foi caixeiro em Belém do Pará. Ele me disse, sorrindo: "Guarde a casaca: talvez tenha ainda que vesti-la como embaixador".

LISBOA, 1930

Hoje, dia chuvoso, véspera de Natal, só me ocorrem palavras sentimentalonas:

"Minha terra tem palmeiras onde canta o sabiá
As aves que aqui gorjeiam não gorjeiam como lá",

Nem as aves gorjeiam como lá. Nem as pessoas falam. Nem as flores cheiram. Nem as estrelas brilham. Nada é como lá.

Se é assim neste quase brasileiro Portugal, muito mais diferentes do Brasil são outras terras em que um exilado brasileiro se encontre, não por uns dias apenas, mas durante meses, tendo talvez de demorar anos longe de sua taba, sem grandes esperanças de voltar a ela. A espera de cartas que custam a chegar. Com o tempo morrendo dentro de mim e eu morrendo dentro do tempo. Sem outro sentido de vida senão este: o de viver morrendo de desencanto.

Biobibliografia de Gilberto Freyre

1900 Nasce no Recife, em 15 de março, na antiga estrada dos Aflitos (hoje Avenida Rosa e Silva), esquina de rua Amélia (o portão da hoje residência da família Costa Azevedo está assinalado por uma placa), filho do Dr. Alfredo Freyre – educador, Juiz de Direito e catedrático de Economia Política da Faculdade de Direito do Recife – e Francisca de Mello Freyre.

1906 Tenta fugir de casa, abrigando-se na materna Olinda, desde então, cidade muito de seu amor e da qual escreveria, em 1939, o *2º Guia prático, histórico e sentimental.*

1908 Entra no jardim de infância do Colégio Americano Gilreath. Lê as Viagens de Gulliver com entusiasmo. Não consegue aprender a escrever, fazendo-se notar pelos desenhos. Tem aulas particulares com o pintor Telles Júnior, que reclama contra sua insistência em deformar os modelos. Começa a aprender a ler e escrever em inglês com Mr. Williams, que elogia seus desenhos.

1909 Primeira experiência da morte: a da avó materna, que muito o mimava por supor ser o neto retardado, pela dificuldade em aprender a escrever. Temporada no engenho São Severino do Ramo, pertencente a parentes seus. Primeiras experiências rurais de menino de engenho. Mais tarde escreverá sobre essa temporada uma das suas melhores páginas, incluída em *Pessoas, coisas & animais.*

1911 Primeiro verão na praia de Boa Viagem, onde escreve um soneto camoniano e enche muitos cadernos com desenhos e caricaturas.

1913 Dá as primeiras aulas no colégio. Lê José de Alencar, Machado de Assis, Gonçalves Dias, Castro Alves, Victor Hugo, Emerson, Longfellow, alguns dramas de Shakespeare, Milton, César, Virgílio, Camões e Goethe.

1914 Ensina latim, que aprendeu com o próprio pai, conhecido humanista recifense. Toma parte ativa nos trabalhos da sociedade literária do colégio. Torna-se redator-chefe do jornal impresso do colégio: *O Lábaro*.

1915 Lições particulares de francês com Madame Meunieur. Lê La Fontaine, Pierre Loti, Molière, Racine, *Dom Quixote*, a *Bíblia*, Eça de Queiroz, Antero de Quental, Alexandre Herculano, Oliveira Martins.

1916 Corresponde-se com o jornalista paraibano Carlos Dias Fernandes, que o convida a proferir palestra na capital do Estado vizinho. Como o Dr. Freyre não apreciava Carlos Dias Fernandes, pela vida boêmia que levava, viaja autorizado pela mãe e lê no Cine-Teatro Pathé sua primeira conferência pública, dissertando sobre Spencer e o problema da educação no Brasil. O texto foi publicado no jornal *O Norte*, com elogios de Carlos Dias Fernandes.

Influenciado pelos mestres do colégio, tanto quanto pela leitura do *Peregrino* de Bunyan e de uma biografia do Dr. Livingstone, toma parte em atividades evangélicas e visita a gente miserável dos mucambos recifenses. Interessa-se pelo socialismo cristão, mas lê, como espécie de antídoto a seu misticismo, autores como Spencer e Comte.

É eleito presidente do Clube de Informações Mundiais, fundado pela Associação Cristã de Moços do Recife. Lê ainda, nesse período, Rui Barbosa, Joaquim Nabuco, Oliveira Lima, Nietzsche, Sainte-Beuve.

1917 Conclui o curso de Barechal em Ciências e Letras do Colégio Americano Gilreath, fazendo-se notar pelo discurso que profere como orador da turma, cujo paraninfo é o historiador Oliveira Lima, desde então seu amigo (ver referência ao primeiro encontro com Oliveira Lima no prefácio à edição de suas *Memórias*, escrito a convite da viúva e do editor José Olympio). Leitura de Taine, Renan, Darwin, Von Ihering, Anatole France, William James, Bergson, Santo Tomás de Aquino, Santo Agostinho, São João da Cruz, Santa Teresa, Padre Vieira, Padre Bernardes, Fernão Lopes, São Francisco de Assis, São Francisco de Sales, Tolstoi. Começa a estudar grego. Torna-se membro da Igreja Evangélica, desagradando a mãe e a família católica.

1918 Segue, no início do ano, para os Estados Unidos, fixando-se em Waco (Texas) para matricular-se na Universidade de Baylor. Começa a ler Stevenson, Pater, Newman, Steele e Addison, Lamb, Adam Smith, Marx, Ward, Giddings, Jane Austen, as irmãs Brönte, Carlyle, Mathew Arnold, Pascal, Montaigne, Euclides da Cunha, Monteiro Lobato. Inicia sua colaboração no *Diário de Pernambuco*, com a série de cartas intituladas "Da outra América".

1919 Ainda na Universidade de Baylor, auxilia o geólogo John Casper Branner no preparo do texto português da *Geologia do Brasil*. Ensina francês a jovens oficiais norte-americanos convocados para a guerra. Estuda geologia com Pace, biologia com Bradbury, economia com Wright, sociologia com Dow, psicologia com Hall, literatura com A. J. Armstrong, professor de literatura e crítico literário especializado na filosofia e na poesia de Robert Browning. Escreve os primeiros artigos em inglês publicados por um jornal de Waco. Divulga suas primeiras caricaturas.

1920 Conhece pessoalmente, por intermédio do professor Armstrong, o poeta irlandês William Butler Yeats (ver, no livro *Artigos de jornal*, um capítulo sobre este poeta), os "poetas novos" dos Estados Unidos: Vachel Lindsay, Amy Lowell e outros. Escreve em inglês sobre Amy Lowell. Como estudante de sociologia, faz pesquisas sobre a vida dos negros de Waco e dos mexicanos marginais do Texas. Conclui, na Universidade de Baylor, o curso de Bacharel em Artes, mas não comparece à solenidade da formatura: contra as praxes acadêmicas, a Universidade envia-lhe o diploma por intermédio de um portador. Segue para Nova Iorque e ingressa na Universidade de Columbia. Lê Freud, Westermarck, Santayana, Sorel, Dilthey, Hrdlicka, Keith, Rivet, Rivers, Hegel, Le Play, Brunhes, Croce. Segundo notícia publicada no *Diário de Pernambuco* de 5 de junho, a Academia Pernambucana de Letras, por proposta de França Pereira, elege-o sócio-correspondente.

1921 Segue, na Faculdade de Ciências Políticas (inclusive as Ciências Sociais Jurídicas) da Universidade de Columbia, cursos de graduação e pós-graduação dos professores Giddings, Seligman, Boas, Hayes, Carl van Doren, Fox, John Basset Moore e outros. Conhece pessoalmente Rabindranath Tagore e o Príncipe de Mônaco (depois reunidos no livro *Artigos de jornal*), Valle-Inclán e outros intelectuais e cientistas famosos que visitam a Universidade de Columbia e a cidade de Nova Iorque. A convite de Amy Lowell, visita-a em Boston (ver, sobre essas visitas, artigos incluídos no livro *Vida, forma e cor*). Segue, na Universidade de Columbia, o curso do professor Zimmern, da Universidade de Oxford, sobre a escravidão na Grécia. Visita a Universidade de Harvard e o Canadá. É hóspede da Universidade de Princeton, como representante dos estudantes da América Latina que ali se reúnem em congresso. Lê Patrick Geddes, Ganivet, Max Weber, Maurras, Péguy, Pareto, Rickert, William Morris, Michelet, Barrès, Huysmans, Verlaine, Rimbaud, Baudelaire, Dostoievski, John Donne, Coleridge, Xenofonte, Homero, Ovídio, Ésquilo, Aristóteles, Ratzel. Torna-se editor-associado da revista *El Estudiante Latino-Americano*, publicada mensalmente em Nova Iorque pelo Comitê de Relações Fraternais entre Estudantes Estrangeiros. Publica diversos artigos no referido periódico.

1922 Defende tese para o grau de M. A. (*Magister Artium* ou *Master of Arts*) na Universidade de Columbia sobre *Social life in Brazil in the middle of the 19th Century*, publicada em Baltimore pela Hispanic American Historical Review (v. 5, n. 4, nov. 1922) e recebida com elogios pelos professores Haring, Shepherd, Robertson, Martin, Oliveira Lima e H. L. Mencken, que aconselha o autor a expandir o trabalho em livro. Deixa de comparecer à cerimônia de formatura, seguindo imediatamente para a Europa, onde recebe o diploma, enviado pelo reitor Nicholas Murray Butler. Visita a França, a Alemanha, a Bélgica, tendo antes estado na Inglaterra, demorando-se em Oxford. Demora na França, atravessa a Espanha e conhece Portugal, onde se demora. Lê Simmel, Poincaré, Havelock Ellis, Psichari, Rémy de Gourmont, Ranke, Bertrand Russel, Swinburne, Ruskin, Blake, Oscar Wilde, Kant, Gracián. Tem o retrato pintado pelo modernista brasileiro Vicente do Rego Monteiro. Convive com ele e com outros artistas modernistas brasileiros como Tarsila do Amaral e Brecheret. Na Alemanha conhece o Expressionismo; na Inglaterra, o ramo inglês do Imagismo, já seu conhecido nos Estados Unidos. Na França, o anarco-sindicalismo de Sorel e o federalismo monárquico de Maurras. Convidado por Monteiro Lobato – a quem fora apresentado por carta de Oliveira Lima – inicia sua colaboração na *Revista do Brasil* (nº 80, p. 363-371, agosto de 1922).

1923 Continua em Portugal, onde conhece João Lúcio de Azevedo, o conde de Sabugosa, Fidelino de Figueiredo, Joaquim de Carvalho, Silva Gaio. Regressa ao Brasil e volta a colaborar no *Diário de Pernambuco*. Da Europa escreve artigos para a *Revista do Brasil* (São Paulo), a pedido de Monteiro Lobato.

1924 Reintegra-se no Recife, onde conhece José Lins do Rego, incitando-o a escrever romances, em vez de artigos políticos (ver referências ao encontro e início da amizade entre o sociólogo e o futuro romancista do Ciclo da Cana-de-Açúcar no prefácio que este escreveu para o livro *Região e tradição*). Conhece José Américo de Almeida através de José Lins do Rego. Funda-se no Recife, a 28 de abril, o Centro Regionalista do Nordeste, com Odilon Nestor, Amaury de Medeiros, Alfredo Freyre, Antônio Inácio, Morais Coutinho, Carlos Lyra Filho, Pedro Paranhos, Júlio Bello e outros. Excursões pelo interior do Estado de Pernambuco e pelo Nordeste com Pedro Paranhos, Júlio Bello (que a seu pedido escreveria as *Memórias de um senhor de engenho*) e seu irmão Ulysses Freyre. Lê, na capital do Estado da Paraíba, conferência publicada no mesmo ano: "Apologia pro generatione sua" (incluída no livro *Região e tradição*).

1925 Encarregado pela direção do *Diário de Pernambuco*, organiza o livro comemorativo do primeiro centenário de fundação do referido jornal: *Livro do Nordeste*, onde foi publicado pela primeira vez o poema modernista de Manuel Bandeira "Evocação do Recife", escrito a seu pedido (ver referências no capítulo sobre Manuel Bandeira no livro *Perfil de Euclydes e outros perfis*). O *Livro do Nordeste* consagrou, ainda, o até então desconhecido pintor Manuel Bandeira e publica desenhos modernistas de Joaquim Cardoso e Joaquim do Rego Monteiro. Lê na Biblioteca Pública do Estado de Pernambuco uma conferência sobre D. Pedro II, publicada no ano seguinte.

1926 Conhece a Bahia e o Rio de Janeiro, onde faz amizade com o poeta Manuel Bandeira, os escritores Prudente de Morais, neto (Pedro Dantas), Rodrigo M. F. de Andrade, Sérgio Buarque de Holanda, o compositor Villas-Lobos e Paulo Prado. Por intermédio de Prudente, conhece Pixinguinha, Donga e Patrício e se inicia na nova música popular brasileira em noitadas boêmias. Escreve um poema longo, modernista ou imagista e ao mesmo tempo regionalista e tradicionalista, do qual Manuel Bandeira dirá depois que é um dos mais saborosos do ciclo das cidades brasileiras: "Bahia de todos os santos e de quase todos os pecados" (publicado no Recife, no mesmo ano, em edição da *Revista do Norte*, reeditado, em 20 de junho de 1942, na revista *O Cruzeiro* e incluído no livro *Talvez poesia*). Segue para os Estados Unidos como delegado do *Diário de Pernambuco*, ao Congresso Pan-Americano de Jornalistas. Convidado para redator-chefe do mesmo jornal e para oficial de gabinete do Governador eleito de Pernambuco, então vice-presidente da República. Colabora (artigos humorísticos) na *Revista do Brasil* com o pseudônimo de J. J. Gomes Sampaio. Publica-se no Recife a conferência lida, no ano anterior, na Biblioteca Pública do Estado de Pernambuco: "A propósito de Dom Pedro II" (edição da *Revista do Norte*, incluída, em 1944, no livro *Perfil de Euclydes e outros perfis*). Promove no Recife o 1º Congresso Brasileiro de Regionalismo.

1927 Assume o cargo de oficial de gabinete do novo Governador de Pernambuco, Estácio de Albuquerque Coimbra, casado com a prima de Alfredo Freyre, Joana Castelo Branco de Albuquerque Coimbra. Conhece Mário de Andrade no Recife e proporciona-lhe um passeio de lancha no rio Capibaribe.

1928 Dirige, a pedido de Estácio Coimbra, o jornal *A Província*, onde passam a colaborar os escritores novos do Brasil. Publica no mesmo jornal artigos e caricaturas com diferentes pseudônimos: Esmeraldino Olímpio, Antônio Ricardo, Le Moine, J. Rialto e outros. Lê Proust e Gide. Nomeado pelo Governador Estácio Coimbra, por indicação do diretor A. Carneiro Leão, torna-se professor da Escola Normal do Estado de Pernambuco: primeira cadeira de sociologia que se estabelece no Brasil com moderna orientação antropológica e pesquisas de campo.

1930 Acompanhando Estácio Coimbra ao exílio, visita novamente a Bahia, conhece parte do continente africano (Dacar, Senegal) e inicia, em Lisboa, as pesquisas e os estudos em que se basearia *Casa-grande & senzala* ("Em outubro de 1930 ocorreu-me a aventura do exílio. Levou-me primeiro à Bahia; depois a Portugal, com escala pela África. O tipo de viagem ideal para os estudos e as preocupações que este ensaio reflete", como escreverá no prefácio do mesmo livro).

1931 A convite da Universidade de Stanford, segue para os Estados Unidos, como professor extraordinário daquela Universidade. Volta, no fim do ano, para a Europa, demorando-se na Alemanha, em novos contatos com seus museus de antropologia, de onde regressa ao Brasil.

1932 Continua, no Rio de Janeiro, as pesquisas para a elaboração de *Casa-grande & senzala* em bibliotecas e arquivos. Recusando convites para empregos que lhe foram feitos pelos membros do novo governo brasileiro – um deles José Américo de Almeida – vive, então, com grandes dificuldades financeiras, hospedando-se em casas de amigos e em pensões baratas do Distrito Federal. Estimulado pelo seu amigo Rodrigo M. F. de Andrade, contrata com o poeta Augusto Frederico Schmidt – então editor – a publicação do livro por 500 mil réis mensais, que recebe com irregularidades constantes. Regressa ao Recife, onde continua a escrever *Casa-grande & senzala*, na casa do seu irmão Ulysses Freyre.

1933 Conclui o livro, enviando os originais ao editor Schmidt, que publica em dezembro.

1934 Aparecem em jornais do Rio de Janeiro os primeiros artigos sobre *Casa-grande & senzala,* escritos por Yan de Almeida Prado, Roquette-Pinto, João Ribeiro e Agrippino Grieco, todos elogiosos. Organiza no Recife o 1º Congresso de Estudos Afro-Brasileiros. Recebe o prêmio da Sociedade Felipe d'Oliveira pela publicação *Casa-grande & senzala*. Lê na mesma Sociedade conferência sobre "O escravo nos anúncios de jornal do tempo do Império", publicada na revista *Lanterna Verde* (v. 2, fev. 1935). Regressa ao Recife e lê, no dia 24 de maio, na Faculdade de Direito e a convite de seus estudantes, conferência publicada, no mesmo ano, pela Editora Momento: "O estudo das ciências sociais nas universidades americanas". Publica-se no Recife (Oficinas Gráficas The Propagandist, edição de amigos do autor, tiragem de apenas 105 exemplares em papel especial e coloridos a mão por Luís Jardim) o *Guia prático, histórico e sentimental da cidade do Recife*, inaugurando, em todo o mundo, um novo estilo de guia de cidade, ao mesmo tempo lírico e informativo e um dos primeiros livros para bibliófilos publicados no Brasil. Nomeado em dezembro diretor do *Diário de Pernambuco*, cargo que exerceu por apenas 15 dias por causa da proibição, por Assis Chateaubriand, da publicação de uma entrevista de João Alberto Lins de Barros.

1935 A pedido dos alunos da Faculdade de Direito do Recife e por designação do Ministro da Educação, inicia na referida escola superior um curso de sociologia com orientação antropológica e ecológica. Segue, em setembro, para o Rio de Janeiro, onde, a convite de Anísio Teixeira, dirige na Universidade do Distrito Federal o primeiro Curso de Antropologia Social e Cultural da América Latina (ver texto das aulas no livro *Problemas brasileiros de antropologia*). Publica-se no Recife (Edições Mozart) o livro *Artigos de jornal*. Profere, a convite de estudantes paulistas de Direito, no Centro XI de Agosto, da Faculdade de Direito de São Paulo, a conferência "Menos doutrina, mais análise", tendo sido saudado pelo estudante Osmar Pimentel.

1936 Publica-se no Rio de Janeiro (Companhia Editora Nacional, volume 64 da Coleção Brasiliana) o livro que é uma continuação da série iniciada com *Casa-grande & senzala*: *Sobrados e mucambos*. Viagem à Europa, demorando-se na França e em Portugal.

1937 Mais uma viagem à Europa, desta vez como delegado do Brasil ao Congresso de Expansão Portuguesa no Mundo, reunido em Lisboa. Lê conferências nas Universidades de Lisboa, Coimbra e Porto e na de Londres (King's College), publicadas no Rio de Janeiro no ano seguinte. Regressa ao Recife e lê conferência política no Teatro Santa Isabel, a favor da candidatura de José Américo de Almeida à presidência da República. A convite de Paulo Bittencourt inicia colaboração semanal no *Correio da Manhã*. Publica-se no Rio de Janeiro (José Olympio) o livro *Nordeste* (aspectos da influência da cana sobre a vida e a paisagem do Nordeste do Brasil).

1938 Nomeado membro da Academia Portuguesa de História pelo presidente Oliveira Salazar. Segue para os Estados Unidos como lente extraordinário da Universidade de Columbia, onde dirige seminário sobre sociologia e história da escravidão. Publica-se no Rio de Janeiro (Serviço Gráfico do Ministério da Educação e Saúde) o livro *Conferência na Europa*.

1939 Primeira viagem ao Rio Grande do Sul. Segue, depois, para os Estados Unidos, como professor extraordinário da Universidade de Michigan. Publica-se no Rio de Janeiro (José Olympio) a primeira edição do livro *Açúcar* e no Recife (edição do autor, para bibliófilos) *Olinda, 2º guia prático, histórico e sentimental de cidade brasileira*. Publica-se em Nova York (Instituto de las Españas en los Estados Unidos) a obra do historiador Lewis Hanke, *Gilberto Freyre, vida y obra*.

1940 A convite do Governo português, lê no Gabinete Português de Leitura do Recife a conferência (publicada no Recife, no mesmo ano, em edição particular) "Uma cultura ameaçada: a luso-brasileira". Lê em Aracaju, na instalação da 2ª Reunião da Sociedade de Neurologia, Psiquiatria e Higiene Mental do Nordeste, conferência publicada no ano seguinte pela mesma sociedade. Lê no dia 29 de outubro, na Biblioteca do Ministério das Relações Exteriores e a convite da Casa do Estudante do Brasil, conferência sobre Euclides da Cunha, publicada no ano seguinte. Lê, no dia 19 de novembro, na Biblioteca do Estado do Rio Grande do Sul, conferência por ocasião das comemorações do bicentenário da cidade de Porto Alegre, publicada em 1943. Toma parte no 3º Congresso Sul-Rio-grandense de História e Geografia, ao qual apresenta, a pedido do historiador Dante de Laytano, o trabalho *Sugestões para o estudo histórico-social do sobrado no Rio Grande do Sul*, publicado no mesmo ano pela Editora

Globo e incluído, posteriormente, no livro *Problemas brasileiros de antropologia*. Publica-se em Nova York (Columbia University Press) o opúsculo *Some aspects of the social development on Portuguese America*, separata da obra coletiva *Concerning Latin American culture*. Publicam-se no Rio de Janeiro (José Olympio) os livros *Um engenheiro francês no Brasil* e *O mundo que o português criou*, com longos prefácios, respectivamente, de Paul Arbousse-Bastide e Antônio Sérgio. Prefacia e anota o *Diário íntimo do engenheiro Vauthier*, publicado no mesmo ano pelo Serviço do Patrimônio Histórico e Artístico Nacional.

1941 Casa-se no mosteiro de São Bento do Rio de Janeiro com a senhorita Maria Madalena Guedes Pereira. Viagem ao Uruguai, Argentina e Paraguai. Torna-se colaborador de *La Nación* (Buenos Aires), dos *Diários Associados*, do *Correio da Manhã* e de *A Manhã* (Rio de Janeiro). Prefacia e anota as *Memórias de um Cavalcanti*, do seu parente Félix Cavalcanti de Albuquerque Melo, publicadas pela Companhia Editora Nacional (volume 196 da Coleção Brasiliana). Publica-se no Recife (Sociedade de Neurologia, Psiquiatria e Higiene Mental do Nordeste) a conferência "Sociologia, psicologia e psiquiatria", depois expandida e incluída no livro *Problemas brasileiros de antropologia*, contribuição para uma psiquiatria social brasileira que seria destacada pela Sorbonne ao doutourá-lo *H.C.* Publica-se no Rio de Janeiro (Casa do Estudante do Brasil) e em Buenos Aires a conferência "Atualidade de Euclydes da Cunha", (incluída, em 1944, no livro *Perfil de Euclydes e outros perfis*) Ao ensejo da publicação, no Rio de Janeiro (José Olympio), do livro *Região e tradição*, recebe homenagem de grande número de intelectuais brasileiros, com um almoço no Jóquei Clube, em 26 de junho, do qual foi orador o jornalista Dario de Almeida Magalhães.

1942 É preso no Recife, por ter denunciado, em artigo publicado no Rio de Janeiro, atividades nazistas e racistas no Brasil, inclusive as de um padre alemão a quem foi confiada, pelo Governo do Estado de Pernambuco, a formação de jovens escoteiros. Juntamente com seu pai reage à prisão, quando levado para "a imunda Casa de Detenção do Recife", sendo solto, no dia seguinte, por interferência direta do seu amigo General Góes Monteiro. Recebe convite da Universidade de Yale para ser professor de filosofia social, que não pôde aceitar. Profere, no Rio de Janeiro, discurso como padrinho de batismo de avião oferecido pelo jornalista Assis Chateaubriand ao Aeroclube de Porto Alegre. É eleito para o Conselho Consultivo da American Philosophical Association. É designado pelo Conselho da Faculdade de Filosofia da Universidade de Buenos Aires "Adscrito Honorário" de Sociologia e eleito membro correspondente da Academia Nacional de História do Equador. Discursa no Rio de Janeiro, em nome do Sr. Samuel Ribeiro, doador do avião *Taylor* à campanha de Assis Chateaubriand. Publica-se em Buenos Aires (Comisión Revisora de Textos de Historia y Geografía Americana) a primeira edição de *Casa-grande & senzala* em espanhol, com introdução de Ricardo Saenz Hayes. Publicam-se no Rio de Janeiro (José Olympio) o livro *Ingleses* e a segunda edição de *Guia prático, histórico e sentimental da cidade do Recife*. A Casa do Estudante do Brasil divulga, em segunda edição, a conferência "Uma cultura ameaçada: a luso-brasileira", proferida no Gabinete Português de Leitura do Recife (1940).

1943 Visita a Bahia, a convite dos estudantes de todas as escolas superiores do Estado, que lhe prestam excepcionais homenagens, às quais se associa quase toda a população de Salvador. Lê na Faculdade de Medicina da Bahia, a convite da União dos Estudantes Baianos, a conferência "Em torno de uma classificação sociológica" e no Instituto Histórico da Bahia, por iniciativa da Faculdade de Filosofia do mesmo Estado, a conferência: "A propósito da filosofia social e suas relações com a sociologia histórica" (ambas incluídas, juntamente com os discursos proferidos nas homenagens recebidas na Bahia, no livro *Na Bahia em 1943*, que teve quase toda a sua tiragem apreendida, nas livrarias do Recife, pela Polícia do Estado de Pernambuco). Recusa, em carta altiva, o convite que recebeu para ser catedrático de sociologia da Universidade do Brasil. Inicia colaboração no *O Estado de S. Paulo* em 30 de setembro. Por intermédio do Itamaraty, recebe convite da Universidade de Harvard para ser seu professor, que também recusa. Publicam-se em Buenos Aires (Espasa-Calpe Argentina) as primeiras edições, em espanhol, de *Nordeste* e de *Uma cultura ameaçada* e a segunda, na mesma língua, de *Casa-grande & senzala*. Publicam-se no Rio de Janeiro (Casa do Estudante do Brasil) o livro *Problemas brasileiros de antropologia* e o opúsculo *Continente e ilha* (conferência lida, em Porto Alegre, no ano de 1940 e incluída na segunda edição de *Problemas brasileiros de antropologia*). Publica-se também, no Rio de Janeiro (Livros de Portugal), uma edição de *As farpas*, de Ramalho Ortigão e Eça de Queiroz, selecionadas e prefaciados por ele, bem como a 4ª edição de *Casa-grande & senzala*, livro publicado a partir deste ano, pelo editor José Olympio.

1944 Visita Alagoas e Paraíba, a convite de estudantes desses estados. Lê na Faculdade de Direito de Alagoas conferência sobre Ulysses Pernambucano, publicada no ano seguinte. Deixa de colaborar nos *Diários Associados* e em *La Nación*, em virtude da violação e extravio constantes de sua correspondência. Em 9 de junho de 1944, comparece à Faculdade de Direito do Recife, a convite dos alunos dessa escola, para uma manifestação de regozijo em face da invasão da Europa pelos exércitos aliados. Lê em Fortaleza a conferência "Precisa-se do Ceará". Segue para os Estados Unidos, onde lê, na Universidade do Estado de Indiana, seis conferências promovidas pela Fundação Patten e publicadas no ano seguinte, em Nova York, no livro *Brazil: an interpretation*. Publicam-se no Rio de Janeiro os livros *Perfil de Euclydes e outros per-*

fis (José Olympio), *Na Bahia em 1943* (edição particular) e a segunda edição do guia *Olinda*. A Casa do Estudante do Brasil publica, no Rio de Janeiro, o livro *Gilberto Freyre*, de Diogo Melo Menezes, com prefácio consagrador de Monteiro Lobato.

1945 Toma parte ativa, ao lado dos estudantes do Recife, na campanha pela candidatura do Brigadeiro Eduardo Gomes à presidência da República. Fala em comícios, escreve artigos, anima os estudantes na luta contra a ditadura. No dia 3 de março, por ocasião do primeiro comício daquela campanha no Recife, começa a discursar, na sacada da redação do *Diário de Pernambuco*, quando tomba a seu lado, assassinado pela Polícia Civil do Estado, o estudante de direito Demócrito de Sousa Filho. A UDN oferece, em sua representação na futura Assembléia Nacional Constituinte, um lugar aos estudantes do Recife e estes preferem que seu representante seja o bravo escritor. A Polícia Civil do Estado de Pernambuco empastela e proíbe a circulação do *Diário de Pernambuco*, impedindo-o de noticiar a chacina em que morreram o estudante Demócrito e um popular. Com o jornal fechado, o retrato de Demócrito é inaugurado na redação, com memorável discurso de Gilberto Freyre: "Quiseram matar o dia seguinte" (*cf. Diário de Pernambuco*, 10 de abril de 1945). Em 9 de junho, comparece à Faculdade de Direito do Recife, como orador oficial da sessão contra a ditadura. Publicam-se no Recife (União dos Estudantes de Pernambuco) o opúsculo de sua autoria em apoio à candidatura Eduardo Gomes: *Uma campanha maior do que a da abolição* e a conferência lida, no ano anterior, em Maceió: "Ulysses". Publica-se em Fortaleza (edição do autor) a obra *Gilberto Freyre e alguns aspectos da antropossociologia no Brasil*, de autoria do médico Aderbal Sales. Publica-se em Nova York (Knopf) o livro *Brazil: an interpretation.* A editora mexicana Fondo de Cultura Económica publica *Interpretación del Brasil*, com orelhas escritas por Alfonso Reyes.

1946 Eleito deputado federal, segue para o Rio de Janeiro, a fim de tomar parte nos trabalhos da Assembléia Constituinte. Em 17 de junho, profere discurso de críticas e sugestões ao projeto da Constituição, publicado em opúsculo: "Discurso pronunciado na Assembléia Nacional Constituinte" (incluído na 2ª edição do livro *Quase política*). Em 22 de junho lê no Teatro Municipal de São Paulo, a convite do Centro Acadêmico XI de Agosto, conferência publicada no mesmo ano pela referida organização estudantil "Modernidade e modernismo na arte política" (incluída, em 1965, no livro *6 conferências em busca de um leitor*). Em 16 de julho, lê na Faculdade de Direito de Belo Horizonte, a convite de seus alunos, conferência publicada no mesmo ano: "Ordem, liberdade, mineiralidade" (incluída em 1965, no livro *6 conferências em busca de um leitor*). Em agosto inicia colaboração no *Diário Carioca*. Em 29 de agosto profere na Assembléia Constituinte outro discurso de crítica ao projeto da

Constituição (incluído na 2ª edição do livro *Quase política*). Em novembro, a Comissão de Educação e Cultura da Câmara dos Deputados indica, com aplauso do escritor Jorge Amado, membro da Comissão, o nome de Gilberto Freyre para o Prêmio Nobel de Literatura de 1947, com o apoio de numerosos intelectuais brasileiros. Publica-se no Rio de Janeiro a 5ª edição de *Casa-grande & senzala* e em Nova York (Knopf) a edição do mesmo livro em inglês: *The masters and the slaves*.

1947 Apresenta à Mesa da Câmara dos Deputados, para ser dado como lido, discurso sobre o centenário de nascimento de Joaquim Nabuco, publicado no ano seguinte. Em 22 de maio, lê no auditório da Associação Brasileira de Imprensa, a convite da Sociedade dos Amigos da América, conferência sobre Walt Whitman, publicada no ano seguinte. Trabalha ativamente na Comissão de Educação e Cultura da Câmara dos Deputados. Convidado para representar o Brasil no 19º Congresso dos Pen Clubes Mundiais, reunido em Zurique. Publica-se em Londres a edição inglesa de *The masters and the slaves*, em Nova York a segunda impressão de *Brazil: an interpretation* e no Rio de Janeiro a edição brasileira deste livro em tradução de Olívio Montenegro: *Interpretação do Brasil* (José Olympio). Publica-se em Montevidéu a obra *Gilberto Freyre y la sociología brasileña*, de Eduardo J. Couture.

1948 A convite da Unesco, toma parte, em Paris, no conclave de oito notáveis cientistas e pensadores sociais (Gurvitch, Allport, Sullivan, entre eles) reunidos pela referida Organização das Nações Unidas por iniciativa do então diretor Julian Huxley para estudar as "Tensões que afetam a compreensão internacional": trabalho em conjunto depois publicado em inglês e francês. Lê, no Ministério das Relações Exteriores, a convite do Instituto Brasileiro de Educação, Ciência e Cultura (Comissão Nacional da Unesco) conferência sobre o conclave de Paris. Repete na Escola do Estado-Maior do Exército a conferência lida no Ministério das Relações Exteriores.

Inicia em 18 de setembro sua colaboração no *O Cruzeiro*. Em dezembro, profere na Câmara dos Deputados discurso justificando a criação do Instituto Joaquim Nabuco de Pesquisas Sociais, com sede no Recife (incluído na 2ª edição do livro *Quase política*). Lê no Museu de Arte de São Paulo duas conferências: uma sobre Emílio Cardoso Ayres e outra sobre Da. Veridiana Prado. Lê mais uma conferência na Escola do Estado-Maior do Exército. Publicam-se no Rio de Janeiro (José Olympio) o livro *Ingleses no Brasil* e os opúsculos *O camarada Whitman* (incluído, em 1965, no livro *6 conferências em busca de um leitor*), Joaquim Nabuco (incluído, em 1966, na 2ª edição do livro *Quase política*) e *Guerra, paz e ciência* (este editado pelo Ministério das Relações Exteriores). Inicia sua colaboração no *Diário de*

Notícias.

1949 Segue para os Estados Unidos, a fim de tomar parte, na categoria de ministro, como delegado parlamentar do Brasil, na 4ª Conferência Internacional da Organização das Nações Unidas. Lê, conferências na Universidade Católica da América (Washington, D.C.) e na Universidade de Virgínia. Lê, em 12 de abril, na Associação de Cultura Franco-Brasileira do Recife, conferência sobre Emílio Cardoso Ayres (apenas pequeno trecho foi publicado no *Bulletin* da Associação). Em 18 de agosto, lê na Faculdade de Direito do Recife conferência sobre Joaquim Nabuco, na sessão comemorativa do centenário de nascimento do estadista pernambucano (incluída no livro *Quase política*). Em 30 de agosto, profere, na Câmara dos Deputados, discurso de saudação ao Visconde Jowitt, presidente da Câmara dos Lordes do Reinos Unido da Grã-Bretanha e Irlanda do Norte (incluído em *Quase política*). No mesmo dia, lê, no Instituto Histórico e Geográfico Brasileiro, conferência sobre Joaquim Nabuco. Publica-se, no Rio de Janeiro (José Olympio), a conferência lida no ano anterior, na Escola de Estado-Maior do Exército: "Nação e Exército" (incluída, em 1965, no livro *6 conferências em busca de um leitor*).

1950 Profere na Câmara dos Deputados, em 17 de janeiro, discurso sobre o pernambucano Joaquim Arcoverde, primeiro cardeal da América Latina, por ocasião da passagem do primeiro centenário de seu nascimento (incluído em *Quase política*). Profere na Câmara dos Deputados, em 5 de abril, discurso sobre o centenário de nascimento de José Vicente Meira de Vasconcelos, constituinte de 1891 (incluído em *Quase política*). Profere na Câmara dos Deputados, em 28 de abril, discurso de "definição de atitude na vida pública" (incluído em *Quase política*). Profere na Câmara dos Deputados, em 2 de maio, discurso sobre o centenário da morte de Bernardo Pereira de Vasconcelos (incluído em *Quase política*). Profere na Câmara dos Deputados, em 2 de junho, discurso contrário à emenda parlamentarista (incluído em *Quase política*). Profere na Câmara dos Deputados, em 26 de junho, discurso no qual transmite apelo que recebeu de três parlamentares ingleses, em favor de um governo supranacional (incluído em *Quase política*). Profere na Câmara dos Deputados, em 8 de agosto, discurso sobre o centenário de nascimento de José Mariano (incluído em *Quase política*). Profere no Parque 13 de Maio, do Recife, discurso em favor da candidatura do deputado João Cleofas de Oliveira ao Governo do Estado de Pernambuco (incluído na 2ª edição de *Quase política*). Em 11 de setembro inicia colaboração diária no *Jornal Pequeno*, do Recife, sob o título "Linha de Fogo" em prol da candidatura João Cleofas ao Governo do Estado de Pernambuco. Profere, em 8 de novembro, na Câmara dos Deputados, discurso de despedida por não ter sido reeleito para o período seguinte (incluído na 2ª edição de *Quase política*).

Publica-se em Urbana (University of Illinois Press) a obra coletiva *Tensions that cause wars*, em Paris, em 1948. Contribuição de Gilberto Freyre: "Internationalizing social sciences". Publicam-se no Rio de Janeiro (José Olympio) a primeira edição do livro *Quase política* e a sexta de *Casa-grande & senzala*.

1951 Publicam-se no Rio de Janeiro (José Olympio) as seguintes edições de *Nordeste* e de *Sobrados e mucambos* (esta refundida e acrescida de cinco novos capítulos). A convite na Universidade de Londres, escreve, em inglês, estudo sobre a situação do professor no Brasil, publicado, no mesmo ano, pelo *Year book of education*. Publica-se em Lisboa (livros do Brasil) a edição portuguesa de *Interpretação do Brasil*.

1952 Lê, na sala dos capelos da Universidade de Coimbra, em 24 de janeiro, conferência publicada, no mesmo ano, pela Coimbra Editora: *Em torno de um novo conceito de tropicalismo*. Publica-se em Ipswich (Inglaterra) o opúsculo editado pela revista *Progress* de Londres com o seu ensaio: *Human factors behind Brazilian development*. Publica-se no Recife (Edições Região) o *Manifesto regionalista de 1926*. Publica-se no Rio de Janeiro (Serviço de Documentação do Ministério da Educação e Cultura) o opúsculo *José de Alencar* e (José Olympio) a 7ª edição de *Casa-grande & senzala* em francês, feita pelo professor Roger Bastide, com prefácio de Lucien Fèbvre: *Maîtres et esclaves* (volume 4 da coleção La Croix du Sud, dirigida por Roger Caillois). Viagem a Portugal e às províncias ultramarinas. Em 16 de abril inicia colaboração no *Diário Popular* de Lisboa. Inicia colaboração no *Jornal do Commercio* do Recife.

1953 Publicam-se no Rio de Janeiro (José Olympio) os livros *Aventura e rotina* (escritos durante a viagem a Portugal e às províncias luso-asiáticas, "à procura das constantes portuguesas de caráter e ação") e *Um brasileiro em terras portuguesas* (contendo conferências e discursos proferidos em Portugal e nas províncias ultramarinas, com longa "Introdução a uma possível luso-tropicologia").

1954 Escolhido pela Comissão das Nações Unidas para o estudo da situação racial na união sul-africana, como o antropólogo de qualquer país mais capaz de opinar sobre essa situação, visita o referido país e apresenta à Assembléia Geral da ONU um estudo por ela publicado no mesmo em: *Elimination des conflits et tensions entre les races*. Publica-se no Rio de Janeiro a 8ª edição de *Casa-grande & senzala*, no Recife (Edições Nordeste) o opúsculo *Um estudo do prof. Aderbal Jurema* e em Milão (Fratelli Bocca), a primeira edição, em italiano, de *Interpretazione del Brasile*. Em agosto é encenada no Teatro Santa Isabel a dramatização de *Casa-grande & senzala*, feita por José Carlos Cavalcanti Borges. O professor

Moacir Borges de Albuquerque defende, em concurso para provimento efetivo de uma das cadeiras de português do Instituto de Educação de Pernambuco, tese sobre *Linguagem de Gilberto Freyre*.

1955 Lê, na sessão inaugural do 4º Congresso Brasileiro de Neurologia, Psiquiatria e Higiene Mental, conferência sobre "Aspectos da moderna convergência médico-social e antropo-cultural" (incluída na 2ª edição de *Problemas brasileiros de antropologia*). Em 15 de maio profere no encerramento do curso de treinamento de professores rurais de Pernambuco, discurso publicado no ano seguinte. Comparece, como um dos quatro conferencistas principais (os outros foram o alemão von Wreie, o inglês Ginsberg, o francês Davy) e na alta categoria de convidado especial, ao 3º Congresso Mundial de Sociologia, realizado em Amsterdã e no qual apresenta a comunicação, publicada em Louvain, no mesmo ano, pela Associação Internacional de Sociologia: *Morals and social change*. Para discutir *Casa-grande & senzala* e outras obras e idéias e métodos de Gilberto Freyre, reúnem-se em Cerisy-LaSalle os escritores e professores M. Simon, R. Bastide, G. Gurvitch, Leon Bourdon, Henri Gouhier, Jean Duvignaud, Tavares Bastos, Clara Mauraux, Nicolas Sombart, Mário Pinto de Andrade: talvez a maior homenagem já prestada na Europa a um intelectual brasileiro, os demais seminários de Cerisy tendo sido dedicados a filósofos da história, como Toynbee e Heidegger. Publicam-se no Recife (Secretaria de Educação e Cultura) os opúsculos *Sugestões para uma nova política no Brasil: a rurbana* (incluída, em 1966, na 2ª edição de *Quase política*) e *Em torno da situação do professor no Brasil*. Publica-se em Nova York (Knopf) a segunda edição de *Casa-grande & senzala*, em inglês: *The masters and the slaves*. Publica-se em Paris (Gallimard) a primeira edição de *Nordeste* em francês: *Terres du sucre* (volume 14 da Coleção La Croix du Sud, dirigida por Roger Caillois).

1957 Lê, em 4 de agosto, na Escola de Belas Artes da Universidade Federal de Pernambuco, em solenidade comemorativa do 25º aniversário de fundação daquela escola, conferência publicada no mesmo ano: *Arte, ciência social e sociedade*. Dirige, em outubro, Curso sobre Sociologia da Arte na mesma escola. Volta a colaborar no *Diário Popular* de Lisboa, atendendo a insistentes convites do seu diretor, Francisco da Cunha Leão. Publicam-se no Recife os opúsculos *Palavras às professoras rurais do Nordeste* (Secretaria de Educação e Cultura do Estado de Pernambuco) e *Importância para o Brasil dos institutos de pesquisa científica* (Instituto Joaquim Nabuco de Pesquisas Sociais); no Rio de Janeiro (José Olympio) a 2ª edição de *Sociologia*; no México (Editorial Cultural) o opúsculo *A experiência portuguesa no trópico americano*; em Lisboa (Livros do Brasil) a primeira edição portuguesa de *Casa-grande & senzala* e a obra *Gilberto Freyre's "luso-tropicalism"*, de autoria de Paul V. Shaw (Centro de Estudos Políticos Sociais da Junta de Investigações do Ultramar).

1958 Lê, no Fórum Roberto Simonsen conferência publicada no mesmo ano pelo Centro e Federação das Indústrias do Estado de São Paulo: "Sugestões em torno de uma nova orientação para as relações intranacionais no Brasil". Publica-se em Lisboa (Centro de Estudos Políticos e Sociais da Junta de Investigações do Ultramar) o livro, com texto em português e inglês, *Integração portuguesa nos trópicos/Portuguese integration in the tropics*. Publica-se no Rio de Janeiro (José Olympio), a 9ª edição brasileira de *Casa-grande & senzala*.

1959 Lê, em abril, conferências no Instituto Joaquim Nabuco de Pesquisas Sociais, iniciando e concluindo Cursos de Ciências Sociais promovidos pelo referido órgão. Em julho, lê na Faculdade de Direito da Universidade Federal de Minas Gerais conferência publicada pela mesma Universidade no ano seguinte. Publica-se em Nova York (Knopf) *New world in the tropics*, cujo texto contém, grandemente expandido e praticamente reescrito, o livro (publicado em 1945 pelo mesmo editor) *Brazil: an interpretation*; na Guatemala (Editorial de Ministério de Educación Pública José de Pineda Ibarra) o opúsculo *Em torno a algunas tendencias actuales de la antropología*; no Recife (Arquivo Público do Estado de Pernambuco) o opúsculo *A propósito de Mourão, Rosa e Pimenta: sugestões em torno de uma possível hispanotropicologia*; no Rio de Janeiro (José Olympio) a primeira edição do livro *Ordem e progresso* (terceiro volume da série *Introdução à história patriarcal no Brasil*, iniciada com *Casa-grande & senzala*, continuada com *Sobrados e mucambos* e a ser finalizada com *Jazigos e covas rasas*, livro nunca concluído) e *O velho Félix e suas memórias de um Cavalcanti* (que é a segunda edição, aumentada, da introdução ao livro *Memórias de um Cavalcanti*, publicado em 1940); em Salvador (Universidade da Bahia) o livro *A propósito de frades* e o opúsculo *Em torno de alguns túmulos afro-cristãos de uma área africana contagiada pela cultura brasileira*; e em São Paulo (Instituto Brasileiro de Filosofia) o ensaio *A filosofia da história do Brasil na obra de Gilberto Freyre*, de autoria de Miguel Reale.

1960 Viaja pela Europa, nos meses de agosto e setembro, lendo conferências em universidades francesas, alemãs, italianas e portuguesas. Publica-se em Lisboa (Livros do Brasil) o livro *Brasis, Brasil e Brasília*; em Belo Horizonte (Edições da *Revista Brasileira de Estudos Políticos)* a conferência "Uma política transnacional de cultura para o Brasil de hoje", no Recife (Imprensa Universitária) o opúsculo *Sugestões em torno do Museu de Antropologia do Instituto Joaquim Nabuco de Pesquisas Sociais*, e no Rio de Janeiro (José Olympio) a 3ª edição do livro *Olinda*.

1961 Em 24 de fevereiro recebe em sua casa de Apipucos a visita do escritor norte-americano Arthur Schlesinger Júnior, assessor e enviado especial do Presidente John F. Kennedy. Em 20 de abril profere na Faculdade de Medicina da Universidade Federal de Pernambuco uma conferência sobre "Homem, cultura e trópico" iniciando as atividades do Instituto de Antropologia Tropical, criado naquela Faculdade por sugestão sua. Em 25 de abril é filmado e entrevistado em sua residência pela equipe de televisão e cinema do Columbia Broadcasting System. Em junho viaja aos Estados Unidos, onde faz conferência no Conselho Americano de Sociedades Científicas, no Centro de Corning, no Centro de Estudos de Santa Bárbara e nas Universidades de Princeton e Columbia. De volta ao Brasil, recebe, em agosto, a pedido da Comissão Educacional dos Estados Unidos da América no Brasil (Comissão Fulbright), para uma palestra informal sobre problemas brasileiros, os professores norte-americanos que participam do II Seminário de Verão promovido pela referida Comissão. Em outubro, lê, no Instituto Joaquim Nabuco de Pesquisas Sociais, quatro conferências sobre sociologia da vida rural. Ainda em outubro e a convite dos corpos docente e discente da Escola de Engenharia da Universidade Federal de Pernambuco, lê na mesma escola três conferências sobre "Três engenharias inter-relacionadas: a física, a social e a chamada humana." Viaja a São Paulo e lê, em 27 de outubro, no auditório da Academia Paulista de Letras, sob os auspícios do Instituto Hans Staden, conferência intitulada "Como e porque sou sociólogo". Em 1º de novembro, lê no auditório da ABI e sob os auspícios do Instituto Cultural Brasil-Alemanha, conferências sobre "Harmonias e desarmonias na formação brasileira". Em dezembro, segue para a Europa, demorando três semanas na Alemanha Ocidental, para tomar parte, como representante do Brasil, no encontro germano-hispânico de sociólogos. Publica-se em Tóquio (Ministério da Agricultura do Japão, série de "Guias para os emigrantes em países estrangeiros"), a edição japonesa de *New world in the tropics: Atsuitai no sin sekai*. Publica-se em Lisboa (Comissão Executiva das Comemorações do V Centenário da Morte do Infante D. Henrique) – em português, francês e inglês – o livro *O luso e trópico: les Portugais et les tropiques* e *The portuguese and the tropics* (edições separadas). Publica-se no Recife (Imprensa Universitária) o livro *Sugestões de um novo contato com universidades européias*; no Rio de Janeiro (José Olympio) a 3ª edição brasileira de *Sobrados e mucambos* e a 10ª edição brasileira (11ª em língua portuguesa) de *Casa-grande & senzala*.

1962 Em fevereiro, a Escola de Samba de Mangueira desfila, no Carnaval do Rio de Janeiro, com enredo inspirado por *Casa-grande & senzala*. Em março é escolhido presidente do Comitê de Pernambuco do Congresso Internacional para a Liberdade da Cultura. Em 10 de junho, lê, no Gabinete Português de Leitura do Rio de Janeiro, a convite da Federação das Associações Portuguesas do Brasil, conferência publicada, no mesmo ano, pela referida entidade: *O Brasil* *em face das Áfricas negras e mestiças*. Em agosto reúne-se em Porto Alegre o 1º Colóquio de Estudos Teuto-Brasileiros, organizado por sugestão sua. Ainda em agosto é admitido pelo Presidente da República como Comandante do Corpo de Graduação da Ordem do Mérito Militar. Por iniciativa do Banco Interamericano de Desenvolvimento, o professor Leopoldo Castedo profere em Washington, D. C., no curso Panorama da Civilização Ibero-americana, conferência sobre La valorización del tropicalismo em Freyre. Em outubro, torna-se editor-associado do *Journal of Interamerican Studies*. Em novembro, dirige na Faculdade de Letras da Universidade de Coimbra um curso de seis lições sobre sociologia da história. Ainda na Europa, lê conferências em universidades da França, da Alemanha Ocidental e da Espanha. Em 19 de novembro recebe o grau de Doutor *Honoris Causa* pela Faculdade de Letras de Coimbra. Publicam-se no Rio de Janeiro (José Olympio) os livros *Talvez poesia* e *Vida, forma e cor*, a 2ª edição de *Ordem e progresso* e a terceira de *Sociologia*; em São Paulo (Livraria Martins Editora) o livro *Arte, ciência e trópico*; em Lisboa (Livros do Brasil) as edições portuguesas de *Aventura e rotina* e de *Um brasileiro em terras portuguesas*. Publica-se no Rio de Janeiro (José Olympio) a obra coletiva *Gilberto Freyre: sua ciência, sua filosofia, sua arte* (ensaios sobre o autor de *Casa-grande & senzala* e sua influência na moderna cultura do Brasil, comemorativos do 25º aniversário de publicação desse livro).

1963 Em 10 de junho, inaugura-se no Teatro Santa Isabel do Recife uma exposição sobre *Casa-grande & senzala*, organizada pelo colecionador Abelardo Rodrigues. Em 20 de agosto, o Governo de Pernambuco promulga a Lei estadual nº 4.666, de iniciativa do deputado Paulo Rangel Moreira, que autoriza a edição popular, pelo mesmo Estado, de *Casa-grande & senzala*. Publica-se em *The American Scholar*, Chapel Hill (United Chapters of Phi Beta Kappa e University of North Caroline) o ensaio *On the Iberian concept of time*. Publica-se em Nova York (Knopf) a edição de *Sobrados e mucambos* em inglês, com introdução de Frank Tannenbaum: *The mansions and the shanties (the making of modern Brazil)*; em Washington, D.C. (Pan American Union), o livro *Brazil*; em Lisboa, a 2ª edição do opúsculo *Americanism and latinity Americal* (em inglês e francês); em Brasília (Editora Universidade de Brasília) a 12ª edição brasileira de *Casa-grande & senzala* (13ª edição em língua portuguesa) e no Recife (Imprensa Universitária) o livro *O escravo nos anúncios de jornais brasileiros do século XIX* (reedição muito aumentada da conferência lida, em 1935, na Sociedade Felipe d'Oliveira). O professor Thomas John O'Halloran apresenta à Graduate School of Arts and Science, da New York University, dissertação sobre *The life and master writings of Gilberto Freyre*. As editoras A. A. Knopf e Random House publicam em Nova York a 2ª edição (como livro de bolso) de *New world in the tropics*.

1964 A convite do Governo do Estado de Pernambuco, lê na Escola Normal do mesmo Estado, em 13 de maio, conferência como orador oficial da solenidade comemorativa do centenário de fundação daquela Escola. Recebe em Natal, em julho, as homenagens da Fundação José Augusto pelo 30º aniversário da publicação de *Casa-grande & senzala*. Recebe, em setembro, o Prêmio Moinho Santista para Ciências Sociais. Viaja aos Estados Unidos e participa, em dezembro, como conferencista convidado, do seminário latino-americano promovido pela Universidade de Columbia. Publica-se em Nova Iorque (Knopf) uma edição abreviada (Paperback) de *The masters and the slaves*. Publica-se em Madri (separata da *Revista de la Universidad de Madrid*) opúsculo *De lo regional a lo universal en la interpretación de los complejos socioculturales*; no Recife (Instituto Joaquim Nabuco de Pesquisas Sociais), em tradução de Waldemar Valente, a tese universitária de 1922, *Vida social no Brasil nos meados do século XIX* e o opúsculo (Imprensa Universitária) *O Estado de Pernambuco e expressão no poder nacional: aspectos de um assunto complexo*; no Rio de Janeiro (José Olympio) a seminovela *Dona Sinhá e o filho padre*, o livro *Retalhos de jornais velhos* (2ª edição, consideravelmente ampliada, de *Artigos de jornal*), o opúsculo *A Amazônia brasileira e uma possível-luso tropicologia* (Superintendência do Plano de Valorização Econômica da Amazônia) e a 11ª edição brasileira de *Casa-grande & senzala*. Recusa convite do Presidente Castelo Branco para ser Ministro da Educação e Cultura.

1965 Viagem a Campina Grande, onde lê, em 15 de março, na Faculdade de Ciências Econômicas, a conferência (publicada no mesmo ano pela Universidade Federal da Paraíba) *Como e porque sou escritor*. Toma parte no Simpósio sobre Problemática da Universidade Federal de Pernambuco (março/abril), com uma conferência sobre a conveniência de introdução na mesma Universidade, de "Um novo tipo de seminário (Tannenbaum)". Viagem ao Rio de Janeiro, onde recebe, em cerimônia realizada no auditório de *O Globo*, diploma com o qual o referido jornal homenageou, no seu 40º aniversário, a vida e a obra dos Notáveis do Brasil: brasileiros vivos que, "por seu talento e capacidade de trabalho de todas as formas invulgares, tenham tido uma decisiva participação nos rumos da vida brasileira, ao longo dos quarenta anos conjuntamente vividos". Em 9 de novembro, gradua-se, *in absentia*, doutor pela Universidade de Paris (Sorbonne), em solenidade na qual também foram homenageados outros sábios de categoria internacional, em diferentes campos do saber, sendo a consagração por obra que vinha abrindo "novos caminhos à filosofia e às ciências do homem". A consagração cultural pela Sorbonne juntou-se à recebida das Universidades da Columbia e de Coimbra e às quais se juntaram as de Sussex (Inglaterra) e Münster (Alemanha), em solenidade prestigiada por nove magníficos reitores alemães. Publica-se em Berlim (Kiepenheur &

Witsch) a primeira edição de *Casa-grande & senzala* em alemão: *Herrenhaus und Sklavenhütte (Ein Bild der Brasilianischen Gesellschaft)*. Publica-se no Recife (Imprensa Oficial do Estado de Pernambuco) o opúsculo *Forças Armadas e outras forças*; e no Rio de Janeiro (José Olympio) o livro *6 conferências em busca de um leitor*.

1966 Viagem ao Distrito Federal, a convite da Universidade de Brasília, onde lê, em agosto, seis conferências sobre futurologia, assunto que foi o primeiro a desenvolver no Brasil. Por solicitação das Nações Unidas, apresenta ao United Nations Human Rights Seminar on Apartheid (realizado em Brasília, de 23 de agosto a 5 de setembro) um trabalho de base sobre "Race mixture and cultural interpenetration: the Brazilian example", distribuído na mesma ocasião em inglês, francês, espanhol e russo. Por sugestão sua, funda-se na Universidade Federal de Pernambuco o Seminário de Tropicologia, de caráter interdisciplinar e inspirado pelo seminário do mesmo tipo, iniciado na Universidade de Columbia pelo professor Frank Tannenbaum. Publica-se em Barnet, Inglaterra, *The racial factor in contemporary politics*; no Recife (Governo do Estado de Pernambuco) o primeiro tomo da 14ª edição brasileira (15ª em língua portuguesa) de *Casa-grande & senzala* (edição popular, para ser vendida a baixo preço, de acordo com a Lei estadual nº 4.666, de 20 de agosto de 1963); e no Rio de Janeiro (José Olympio) a 13ª edição do mesmo livro.

1967 Em 30 de janeiro, lançamento solene, no Palácio do Governo do Estado de Pernambuco, do primeiro volume da edição popular de *Casa-grande & senzala*. Em julho, viagem aos Estados Unidos, para receber, no Instituto Aspen de Estudos Humanísticos, o Prêmio Aspen do ano (30.000 dólares e isento de imposto sobre a renda) "pelo que há de original, excepcional e de valor permanente em sua obra ao mesmo tempo de filósofo, escritor literário e antropólogo". Recebe o Nobel dos Estados Unidos na presença de Embaixador, enviado especial do Presidente Lyndon B. Johnson que se congratula com Gilberto Freyre pela honraria na qual foi precedido por apenas três notabilidades internacionais: o compositor Benjamin Britten, a dançarina Martha Graham e o urbanista Constantino Doxiadis por obras reveladoras de "criatividade genial". Em dezembro, lê na Academia Brasileira de Letras, no Instituto Histórico e Geográfico Brasileiro e no Instituto Joaquim Nabuco de Pesquisas Sociais, conferências sobre Oliveira Lima, em sessões solenes comemorativas do centenário de nascimento daquele historiador (expandidas no livro *Oliveira Lima, Dom Quixote gordo*). Publica-se em Lisboa (Fundação Calouste Gulbenkian) o livro *Sociologia da medicina*; em Nova Iorque (Knopf) a tradução da "seminovela" *Dona Sinhá e o filho padre: mother and son, a Brazilian tale*; no Recife (Instituto Joaquim Nabuco de Pesquisas Sociais) a 2ª edição de *Mucambos do nordeste* e a 3ª edição do *Manifesto Regionalista de 1926*; em São Paulo

(Arquimedes Edições) o livro *O Recife, sim! Recife não!* E no Rio de Janeiro (José Olympio) a 4ª edição de *Sociologia.*

1968 Em 9 de janeiro, lê, no Palácio do Governo do Estado de Pernambuco, a primeira da série de conferências promovidas pelo Governador do Estado para comemorar o centenário de nascimento de Oliveira Lima (incluída no livro *Oliveira Lima, Dom Quixote gordo*, publicado no mesmo ano pela Imprensa da Universidade de Recife. Viagem à Argentina e conferência sobre Oliveira Lima na Universidade do Rosário. Viagem à Alemanha Ocidental, onde recebe o título de Doutor *Honoris Causa* pela Universidade de Münster por sua obra comparada à de Balzac. Publica-se em Lisboa (Academia Internacional da Cultura Portuguesa) o livro em 2 volumes, *Contribuição para uma sociologia da biografia (o exemplo de Luís de Albuquerque, governador de Mato Grosso no fim do século XVII*). Publica-se no Distrito Federal (Editora Universidade de Brasília) o livro *Como e porque sou e não sou sociólogo*; e no Rio de Janeiro (Gráfica Record Editora) as segundas edições dos livros *Região e tradição e Brasis, Brasil e Brasília*. Ainda no Rio de Janeiro, publica-se (José Olympio) as quartas edições dos livros *Guia prático, histórico e sentimental da cidade do Recife* e *Olinda, 2º Guia prático, histórico e sentimental de cidade brasileira.*

1969 Recebe o Prêmio Internacional de Literatura "La Madonnina" por "incomparável agudeza na descrição de problemas sociais, conferindo-lhes calor humano e otimismo, bondade e sabedoria", através de uma obra de "fulgurações geniais". Lê conferência, no Conselho Federal de Cultura, em sessão dedicada à memória de Rodrigo M. F. de Andrade. A Universidade Federal de Pernambuco lança os dois primeiros volumes do seminário de Tropicologia, relativos ao ano de 1966: *Trópico & colonização, Nutrição, Homem, Religião, Desenvolvimento, Educação e cultura, Trabalho e lazer, Culinária, População.* Lê no Instituto Joaquim Nabuco de Pesquisas Sociais, quatro conferências sobre "Tipos antropológicos no romance brasileiro". Publica-se no Recife (Instituto Joaquim Nabuco de Pesquisas Sociais) o ensaio *Sugestões em torno da ciência e da arte da pesquisa social*, e no Rio de Janeiro (José Olympio) a 15ª edição brasileira de *Casa-grande & senzala*.

1970 Completa setenta anos de idade residindo na província e trabalhando como se fosse um intelectual ainda jovem: escrevendo livros, colaborando em jornais e revistas nacionais e estrangeiros, dirigindo cursos, proferindo conferências, presidindo o Conselho Diretor e animando as atividades do Instituto Joaquim Nabuco de Pesquisas Sociais, presidindo o Conselho Estadual de Cultura, dirigindo o Centro Regional de Pesquisas Educacionais e o Seminário de Tropicologia da Universidade Federal de Pernambuco, comparecendo às reuniões mensais do Conselho Federal de Cultura e atendendo a convites de universidades européias e norte-americanas, onde é sempre recebido como o embaixador intelectual do Brasil. A editora A. A. Knopf publica em Nova York *Order and progress*, com texto traduzido e refundido por Rod W. Horton.

1971 Recebe a 26 de novembro, em solenidade realizada no Gabinete Português de Leitura, do Recife, e tendo como paraninfo o Ministro Mário Gibson Barbosa, o título de Doutor *Honoris Causa* pela Universidade Federal de Pernambuco. Discursa como orador oficial da solenidade de inauguração, pelo Presidente Emílio Médici, do Parque Nacional dos Guararapes, no Recife. A rainha Elizabeth lhe confere o título de *Sir* (Cavaleiro Comandante do Império Britânico) e a Universidade Federal do Rio de Janeiro o grau de Doutor *Honoris Causa* em filosofia. Publica-se a primeira edição da *Seleta para jovens* (José Olympio) e a obra *Nós e a Europa germânica* (Grifo Edições). Continua a receber visitas de estrangeiros ilustres na sua casa de Apipucos, devendo-se destacar as de Embaixadores do Reino Unido, França, EUA, Bélgica e as de Aldous Huxley, George Gurvitch, Shelesky, John dos Passos, Jean Duvignaud, Lincoln Gordon, Roberto Kennedy, a quem oferece jantar a pedido desse visitante. A Companhia Editora Nacional publica em São Paulo, como volume 348 de sua coleção Brasiliana, a primeira edição brasileira de *Novo mundo nos trópicos*.

1972 Preside o Primeiro Encontro Inter-regional de Cientistas Sociais do Brasil, realizado em Fazenda Nova, Pernambuco, de 17 a 20 de janeiro sob os auspícios do Instituto Joaquim Nabuco de Pesquisas Sociais. Recebe o título de Cidadão de Olinda que lhe foi conferido por Lei Municipal nº 3.774, de 8 de março de 1972. Recebe, em sessão solene da Assembléia Legislativa do Estado de Pernambuco, a medalha Joaquim Nabuco, que lhe foi conferida pela Resolução nº 871, de 28 de abril de 1972. Em 14 de junho profere no Instituto Joaquim Nabuco de Pesquisas Sociais. palestra sobre José Bonifácio. Profere, no Instituto Joaquim Nabuco de Pesquisas Sociais, as duas primeiras conferências da série comemorativa do centenário de Estácio Coimbra. Inaugura-se na praia de Boa Viagem, no Recife, em 15 de dezembro, o Hotel Casa-grande & senzala. A editora Giulio Einaudi publica em Turim a edição italiana de *Casa-grande & senzala (Case e catatecchie)*.

1973 Recebe em São Paulo o Troféu Novo Mundo, "por obras notáveis em sociologia e história", e o Troféu Diários Associados pela "maior distinção anual em artes plásticas". Exposições de telas de sua autoria, uma no Recife, outra no Rio, esta na residência do casal José Maria do Carmo Nabuco, com apresentação de Alfredo Arinos de Mello Franco. Por decreto do Presidente E. G. Médici é reconduzido ao Conselho Federal de Cultura. Viagem a Angola, em fevereiro. A 10 de maio, a convite da Assembléia Legislativa do Estado de Pernambuco, profere discurso no

Cemitério de Santo Amaro, diante do túmulo de Joaquim Nabuco, comemorativo do Sesquicentenário do Poder Legislativo no Brasil. Recebe em setembro, em João Pessoa, o título de Doutor *Honoris Causa* pela Universidade Federal da Paraíba. Profere na Câmara dos Deputados, em 29 de novembro, conferência sobre "Atuação do Parlamento no Império e na República", na série comemorativa do Sesquicentenário do Poder Legislativo no Brasil. Profere na Universidade de Brasília palestra em inglês para o corpo diplomático, sob o título de *"Some remarks on how and why Brazil is different"*. Em 13 de dezembro é operado pelo professor Euríclides de Jesus Zerbini, no Hospital da Beneficência Portuguesa de São Paulo.

1974 Recebe em São Paulo o troféu Novo Mundo conferido pelo Centro de Artes Novo Mundo. Sua primeira exposição de pintura em São Paulo: 40 telas adquiridas imediatamente. A 15 de março, o Instituto Joaquim Nabuco de Pesquisas Sociais comemora com exposição e sessão solene, os 40 anos da publicação de *Casa-grande & senzala*. Em 20 de julho profere no Instituto Joaquim Nabuco de Pesquisas Sociais conferência sobre a "Importância dos retratos para os estudantes biográficos: o caso de Joaquim Nabuco". A 29 de agosto, a Universidade Federal de Pernambuco inaugura no saguão da Reitoria uma placa comemorativa dos 40 da *Casa-grande & senzala*. A 12 de outubro recebe a Medalha de Ouro José Vasconcelos, outorgada pela Frente de Afirmación Hispanista do México, para distinguir, cada ano, uma personalidade dos meios culturais hispano-americanos. O cineasta Geraldo Sarno realiza documentário de cinco minutos intitulado *Casa-grande & senzala*, de acordo com uma idéia de Aldous Huxley. O editor Alfred A. Knopf publica em Nova York a obra *The Gilberto Freyre Reader*.

1975 Diante da violência de uma enchente do rio Capibaribe, em 17 e 18 de julho, lidera com Fernando de Mello Freyre, diretor do Instituto Joaquim Nabuco, um movimento de estudo interdisciplinar sobre as enchentes em Pernambuco. Profere, em 10 de outubro, conferência no Clube Atlético Paulistano sobre "O Brasil como nação hispano-tropical". Recebe em 15 de outubro, do Sindicato dos Professores do Ensino Primário e Secundário de Pernambuco e da Associação dos Professores do Ensino Oficial, o título de Educador do Ano, por relevantes serviços prestados à comunidade nordestina no campo da educação e da pesquisa social. Profere em 7 de novembro, no Teatro Santa Isabel, do Recife, conferência sobre o Sesquicentenário do *Diário de Pernambuco*. O Instituto do Açúcar e do Álcool lança, em 15 de novembro, o Prêmio de Criatividade Gilberto Freyre, para os melhores ensaios sobre aspectos socioeconômicos da zona canavieira do Nordeste. Publicam-se no Rio de Janeiro suas obras *Tempo morto e outros tempos* (José Olympio), *O brasileiro entre os outros hispanos* (idem) e *Presença do açúcar na formação brasileira* (I.A.A.).

1976 Viaja à Europa em setembro, fazendo conferências em Madri (Instituto de Cultura Hispânica) e em Londres (Conselho Britânico). Homenageado com a esposa, em Londres, com banquete pelo Embaixador Roberto Campos e esposa (presentes vários dos seus amigos ingleses, como Lord Asa Briggs). Em Paris, como hóspede do Governo francês, é entrevistado pelo sociólogo Jean Duvignaud, na rádio e televisão francesas, sobre "Tendências atuais da cultura brasileira". Homenageado com banquete pelo diretor de *Le Figaro*, seu amigo e escritor e membro da Academia Francesa, Jean d'Ormesson, presentes Roger Caillois e outros intelectuais franceses. Em Viena, identifica mapas inéditos do Brasil no período holandês, existentes na Biblioteca Nacional da Áustria. Na Espanha, como hóspede do Governo, realiza palestra no Instituto de Cultura Hispânica, presidido pelo Duque de Cadis. Em Lisboa é homenageado com banquete pelo Secretário de Estado de Cultura, presentes intelectuais, ministros, diplomatas. Em 7 de outubro, lê em Brasília, a convite do Ministro da Previdência Social, conferência de encerramento do Seminário sobre Problemas de Idosos. A Livraria José Olympio Editora publica as 16ª e 17ª edições de *Casa-grande & senzala* e o IJNPS a 6ª edição do *Manifesto regionalista*; 2ª edição portuguesa de Lisboa de *Casa-grande & senzala*.

1977 Estréia em janeiro no Nosso Teatro (Recife) a peça *Sobrados e mucambos*, adaptada por Hermilo Borba Filho e encenada pelo Grupo Teatral Vivencial. Recebe em fevereiro, do embaixador Michel Legendre, a faixa e as insígnias de Comendador das Artes e Letras da França. Profere em março, no Seminário de Tropicologia, conferência sobre "O Recife eurotropical". Profere na Câmara dos Deputados, em Brasília, conferência de encerramento do ciclo comemorativo do Bicentenário da Independência dos Estados Unidos. Exibição, na Biblioteca Municipal Mário de Andrade, de São Paulo, de um documentário cinematográfico sobre sua vida e obra – *Da palavra ao desenho da palavra* – com debates dos quais participam Freitas Marcondes, Leo Gilson Ribeiro, Osmar Pimentel e Egon Schaden. Profere conferência na Câmara dos Deputados, em Brasília, em 19 de agosto, sobre "A terra, o homem e a educação", no Seminário sobre Ensino Superior, promovido pela Comissão de Educação e Cultura. Profere conferência no Teatro José de Alencar de Fortaleza, em 24 de setembro, sobre "O Nordeste visto através do tempo". Lançamento em São Paulo, em 10 de novembro, do álbum *Casas-grandes & senzalas*, com guaches de Cícero Dias. Profere, no Arquivo Público Estadual de Pernambuco, conferência de encerramento do Curso sobre o Sesquicentenário da Elevação do Recife à condição de Capital, sobre "O Recife e a sua autobiografia coletiva". Acolhido como sócio honorário do Pen Clube do Brasil. Inicia em outubro colaboração semanal na *Folha de S. Paulo*. A livraria José Olympio Editora publica *O outro amor do Dr. Paulo*, seminovela, continuação de *Dona Sinhá e o filho padre*. A Editora Nova Aguilar publica, em dezembro, a *Obra escolhida*, volume em papel-bíblia que inclui *Casa-grande & senzala*, *Nordeste* e *Novo mundo nos trópicos*, com introdução de Antônio Carlos Villaça, Cronologia da vida e da obra e Bibliografia ativa e passiva, por Edson Nery da Fonseca. A Editora Ayacucho publica em Caracas a 3ª edição em espanhol de *Casa-grande & senzala*, com introdução de Darcy Ribeiro. As Ediciones Cultura Hispánica publicam em Madri a edição em espanhol da *Seleta para jovens*, com o título de *Antología*. A editora Espasa-Calpe publica, em Madri, *Más allá de lo moderno,* com prefácio de Julián Marías. A Livraria José Olympio Editora publica a 5ª edição de *Sobrados e mucambos* e a 18ª edição brasileira de *Casa-grande & senzala*.

1978 Viagem a Caracas para proferir três conferências no Instituto de Assuntos Internacionais do Ministério das Relações Exteriores da Venezuela. Abre no Arquivo Público Estadual, em 30 de março, ciclo de conferências sobre escravidão e abolição em Pernambuco, fazendo "Novas considerações sobre escravos em anúncios de jornal em Pernambuco". Profere conferência sobre "O Recife e sua ligação com estudos antropológicos no Brasil", na instalação da XI Reunião Brasileira de Antropologia, no auditório da Universidade Federal de Pernambuco, em 7 de maio. Em 22 de maio, abre em Natal a I Semana de Cultura do Nordeste. Profere em Curitiba, em 9 de junho, conferência sobre "O Brasil em nova perspectiva antropossocial", numa promoção da Associação dos Professores Universitários do Paraná. Profere em Cuiabá, em 16 de setembro, conferência sobre "A dimensão ecológica do caráter nacional". Profere na Academia Paulista de Letras, em 4 de dezembro, conferência sobre "Tropicologia e realidade social", abrindo o 1º Seminário Internacional de Estudos Tropicais da Fundação Escola de Sociologia e Política. Publicação da obra *Recife & Olinda*, com desenhos de Tom Maia e Thereza Regina. A Editora Nova Fronteira publica *Alhos & bugalhos*. A Editora Cátedra publica *Prefácios desgarrados*. A Ranulpho Editora de Arte publica *Arte & ferro*, com pranchas de Lula Cardoso Ayres. O Conselho Federal de Cultura publica *Cartas do próprio punho sobre pessoas e coisas do Brasil e do estrangeiro*. A Editora Gallimard publica a 14ª edição de *Maîtres et Esclaves*, na coleção TEL. A Livraria Editora José Olympio publica a 19ª edição brasileira de *Casa-grande & senzala*. A Fundação Cultural do Mato Grosso publica a 2ª edição de *Introdução a uma sociologia da biografia*.

1979 O Arquivo Estadual de Pernambuco, em março, a edição fac-similar do *Livro do Nordeste*. Participa, no auditório da Biblioteca Municipal de São Paulo, em 30 de março, da Semana do Escritor Brasileiro. Recebe em Aracaju, em 17 de abril, o título de Cidadão Sergipano, outorgado pela Assembléia Legislativa de Sergipe. Homenageado pelo 44º Congresso Mundial de Escritores do Pen Clube Internacional, reunido no Rio de Janeiro, em julho, recebe a medalha

Euclides da Cunha, sendo saudado pelo escritor Mário Vargas Llosa. Recebeu o grau de Doutor *Honoris Causa* pela Faculdade de Ciências Médicas da Fundação do Ensino Superior de Pernambuco – Universidade de Pernambuco, em setembro. Viagem à Europa em outubro. Conferência na Fundação Calouste Gulbenkian, em 22 de outubro, sobre "Onde o Brasil começou a ser o que é". Abre o ciclo de conferências comemorativo do 20º aniversário da Sudene, em dezembro, falando sobre "Aspectos sociais do desenvolvimento regional". Recebe em dezembro o Prêmio Caixa Econômica Federal, da Fundação Cultural do Distrito Federal, pela obra *Oh de Casa!* Profere na Universidade de Brasília conferência sobre "Joaquim Nabuco: um novo tipo de político". A Editora Artenova publica *Oh de Casa!* A Editora Cultrix publica *Heróis e vilões no romance brasileiro*. A MPM Propaganda publica *Pessoas, coisas & animais*, em edição fora do comércio. A Editora Ibrasa publica *Tempo de aprendiz*.

1980 Em 24 de janeiro, a Academia Pernambucana de Letras inicia as comemorações do seu octogésimo aniversário, com uma conferência de Gilberto Osório de Andrade sobre "Gilberto Freyre e o trópico". Em 25 de janeiro, a Codepe inicia seu Seminário Permanente de Desenvolvimento, dedicando-o ao estudo da obra de Gilberto Freyre. O Arquivo Público Estadual comemora a efeméride, em 26 e 27 de fevereiro, com duas conferências de Edson Nery da Fonseca. Recebe em São Paulo, em 7 de março, a medalha de Ordem do Ipiranga, maior condecoração do Estado. Em 26 de março, recebe a medalha José Mariano, da Câmara Municipal do Recife. Por decreto de 15 de abril, o Governador do Estado de Sergipe lhe confere o galardão de Comendador da Ordem do Mérito Aperipê. Missa cantada na catedral de São Pedro dos Clérigos do Recife, mandada celebrar pelo Governo do Estado de Pernambuco, sendo oficiante monsenhor Severino Nogueira e regente o padre Jayme Diniz. Inauguração, na redação do *Diário de Pernambuco*, de placa comemorativa da colaboração de Gilberto Freyre, iniciada em 1918. Almoço na residência de Fernando Freyre. *Open house* na vivenda Santo Antônio. Sorteio de bilhete da Loteria Federal da Praça de Apipucos. Desfile de clubes e blocos carnavalescos e concentração popular em Apipucos. Sessão solene do Congresso Nacional, em 15 de abril, às 15 horas, destinada a homenagear o escritor Gilberto Freyre pelo transcurso do seu octogésimo aniversário. Discursos do presidente, Senador Luís Viana Filho, dos senadores Aderbal Jurema e Marcos Freire, e do deputado Thales Ramalho. Viagem a Portugal em junho, a convite da Câmara Municipal de Lisboa, para tomar parte nas comemorações do 4º Centenário da Morte de Camões. Conferência "A tradição camoniana ante insurgências e ressurgências atuais". Homenageado, em 6 de julho, durante a 32ª Reunião Anual da Sociedade Brasileira para o Progresso da Ciência, realizada no Rio de Janeiro. Homenageado, em 25 de julho, pelo XII Congresso Brasileiro de Língua e Literatura, promovido pelas universidades estaduais do Rio de Janeiro e Universidade Federal do Rio de Janeiro.

Em 11 de agosto, recebe do embaixador Hansjorg Kastl a Grã-Cruz do Mérito da República Federativa da Alemanha. Ainda em agosto, homenageado pelo IV Seminário Paraibano de Cultura Brasileira. Recebe o título de Cidadão Benemérito de João Pessoa, outorgado pela câmara municipal da capital paraibana. Recebe o título do sócio honorário do Instituto Histórico e Geográfico da Paraíba. Em 2 de setembro, homenageado pelo Pen Clube do Brasil com um painel sobre suas idéias, no auditório do Palácio da Cultura, Rio de Janeiro. Encenação, no Teatro São Pedro de São Paulo, da peça de José Carlos Cavalcanti Borges *Casa-grande & senzala*, sob a direção de Miroel Silveira, pelo grupo teatral da Escola de Comunicação e Artes da USP. Em 10 de outubro, conferência da Fundação Luisa e Oscar Americano, de São Paulo, sobre "Imperialismo Cultural do Conde Maurício". De 13 a 17 de outubro, Simpósio Internacional promovido pela Universidade de Brasília e pelo Ministério da Educação e Cultura, com a participação, como conferencistas, do historiador social inglês Lord Asa Briggs, do filósofo espanhol Julián Marías, do poeta e ensaísta português David Mourão-Ferreira, do antropólogo francês Jean Duvignaud e do historiador mexicano Silvio Zavala. Recebe o Prêmio Jabuti, de São Paulo, em 28 de outubro. Recebe, em 11 de dezembro, o grau de Doutor *Honoris Causa* pela Universidade Católica de Pernambuco. Em 12 de dezembro, recebe o prêmio Moinho Recife. A Ranulpho Editora de Arte publica o álbum *Gilberto poeta: algumas confissões, com serigrafias* de Aldemir Martins, Jenner Augusto, Lula Cardoso Ayres, Reynaldo Fonseca e Wellington Virgolino e posfácio de José Paulo Moreira da Fonseca. As Edições Pirata, do Recife, publicam *Poesia reunida*. A Editora José Olympio publica a 20ª edição brasileira de *Casa-grande & senzala*, com prefácio do Ministro Eduardo Portella. A Editora José Olympio publica a 5ª edição de *Olinda*. A Editora José Olympio publica a 3ª edição da *Seleta para jovens*. A Companhia Editora Nacional publica a 2ª edição de *O Escravo nos anúncios de jornais brasileiros do século XIX*. A Editora José Olympio publica a 2ª edição brasileira de *Aventura e rotina*. A editora Greenwood Press, de Westport, Conn., publica, sem autorização do autor, a reimpressão de *New world in the tropics*.

1981 A Classe de Letras da Academia de Ciências de Lisboa reúne-se, em fevereiro, para ouvir comunicação do escritor David Mourão-Ferreira sobre "Gilberto Freyre, criador literário". Encenação, em março, no Teatro Santa Isabel, da peça-balé de Rubens Rocha Filho *Tempos perdidos, nossos tempos*. Em 25 de março, recebe do embaixador Jean Beliard a *rosette* de Oficial da Légion d'Honneur. Inauguração de seu retrato, em 21 de abril, no Museu do Trem da Superintendência Regional da Rede Ferroviária Federal. Em 29 de abril, o Conselho Municipal de Cultura lança, no Palácio do Governo, um álbum de desenhos de sua autoria. Lançamento, em 7 de maio, no Museu Nacional da Quinta da Boa Vista, da edição quadrinizada de *Casa-grande & senzala*, numa promoção da Universidade Federal do Rio de Janeiro,

Museu Nacional e Editora Brasil-América. Profere conferência, em 15 de maio, no auditório Benício Dias da Fundação Joaquim Nabuco, sobre "Atualidade de Lima Barreto". Viagem à Espanha, em outubro, para tomar posse no Conselho Superior do Instituto de Cooperação Ibero-americana, nomeado que foi pelo rei João Carlos I.

1982 Recebe em janeiro a medalha comemorativa dos 30 anos do Conselho Nacional de Desenvolvimento Científico e Tecnológico (CNPq). Profere na Academia Pernambucana de Letras conferência sobre "Luís Jardim Autodidata?", comemorativa do octogésimo aniversário do pintor e escritor pernambucano. Na abertura do III Congresso Afro-Brasileiro, em 20 de setembro, profere conferência no teatro Santa Isabel. Em setembro, é entrevistado pela Rede Bandeirantes de Televisão, no programa Canal Livre. Recebe do embaixador Javier Vallaure, na Embaixada da Espanha em Brasília, a Grã-Cruz de Alfonso, El Sabio (outubro). Profere no auditório do Palácio da Cultura, em 9 de novembro, conferência sobre "Villa-Lobos revisitado". Profere no Nacional Club de São Paulo, em 11 de novembro, conferência sobre "Brasil: entrepassados úteis e futuros renovados". A Editora Massangana publica *Rurbanização: o que é?* A Editora Klett-Cotta, de Stuttgart, publica a primeira edição alemã de *Das Land in der Stadt. Die Entwicklung der urbanem Gesellschaft Brasiliens* (*Sobrados e mucambos*) e a segunda de *Herrenhaus und Sklavenhütte (Casa-grande & senzala)*.

1983 Iniciam-se em 21 de março – Dia Internacional das Nações Unidas Contra a Discriminação Racial – as comemorações do cinqüentenário da publicação de *Casa-grande & senzala*, com sessão solene no auditório Benício Dias, presidida pelo Governador Roberto Magalhães e com a presença da Ministra da Educação, Esther de Figueiredo Ferraz, e do Diretor-Geral da Unesco, Amadou M'Bow, que lhe entrega a medalha "Homenagem da Unesco". Recebe em 15 de abril, da Associação Brasileira de Relações Públicas, Seção de Pernambuco, o Troféu Integração por destaque cultural de 1982. Em abril, expõe seus últimos desenhos e pinturas na Galeria Aloísio Magalhães. Viagem a Lisboa, em 25 de outubro, para receber, do Ministro dos Negócios Estrangeiros, a Grã-Cruz de Santiago da Espada. Em 27 de outubro, participa de sessão solene da Academia de Ciências de Lisboa e da Academia Portuguesa de História, comemorativa do cinqüentenário da publicação de *Casa-grande & senzala*. A Fundação Calouste Gulbenkian promove em Lisboa um ciclo de conferências sobre *Casa-grande & senzala* (2 de novembro a 4 de dezembro). Homenageado pela Feira Internacional do Livro do Rio de Janeiro, em 9 de novembro. O Seminário de Tropicologia reúne-se, em 29 de novembro, para ouvir conferência de Edson Nery da Fonseca, intitulada "Gilberto Freyre, cultura e trópico". Recebe em 7 de dezembro, no Liceu Literário Português do Rio de Janeiro, a Grã-Cruz da Ordem Camoniana. A Editora Massangana publica *Apipucos: que há num nome?* A Editora Globo publica *Insurgências e ressurgências atuais* e *Médicos, doentes e contextos sociais*

(2ª edição de *Sociologia da medicina*). Realiza-se na Fundação Joaquim Nabuco, de 19 a 30 de setembro, um ciclo de conferências comemorativo dos 50 anos de *Casa-grande & senzala*, promovido com apoio do Governo do Estado e de outras entidades pernambucanas (anais editados por Edson Nery da Fonseca e publicadas em 1985 pela Editora Massangana: *Novas perspectivas em Casa-grande & senzala*. A editora José Olympio publica no Rio de Janeiro o livro de Edilberto Coutinho *A imaginação do real: uma leitura da ficção de Gilberto Freyre*, tese de doutoramento defendida na Universidade Federal do Rio de Janeiro. A editora Record publica no Rio de Janeiro *Homens, engenharias e rumos sociais*.

1984 Lançamento, em 20 de janeiro, de selo postal comemorativo do cinqüentenário de *Casa-grande & senzala*. Viagem a Salvador, em 14 de março, para receber homenagem do Governo do Estado pelo cinqüentenário de *Casa-grande & senzala*. Inauguração, no Museu de Arte Moderna da Bahia, da exposição itinerante sobre a obra. Conferência de Edson Nery da Fonseca sobre "Gilberto Freyre, *Casa-grande & senzala e a Bahia*". Convidado pelo Governador Tancredo Neves, profere em Ouro Preto, em 21 de abril, o discurso oficial da Semana da Inconfidência. Profere em 8 de maio, na antiga Reitoria da UFRJ, conferência sobre "Alfonso X, o sábio, ponte de culturas". Recebe da União Cultural Brasil-Estados Unidos, em 7 de junho, a medalha de merecimento por serviços relevantes prestados à aproximação entre o Brasil e os Estados Unidos. Em 8 de junho, profere conferência no Clube Atlético Paulistano sobre "Camões: vocação de antropólogo moderno?", promovida pelo Conselho da Comunidade Portuguesa de São Paulo. Em setembro de 1984, o Balé Studio Um realiza no Recife o espetáculo de dança *Casa-grande & senzala*, sob a direção de Eduardo Gomes e com música de Egberto Gismonti. Recebe a Medalha Picasso da Unesco, desenhada por Juan Miró em comemoração do centenário do pintor espanhol. Em setembro, homenageado por Richard Civita no Hotel 4 Rodas de Olinda, com banquete presidido pelo Governador Roberto Magalhães e entrega de passaportes para o casal se hospedar em qualquer hotel da rede. Participa, na Arquidiocese do Rio de Janeiro, em outubro, do Congresso Internacional de Antropologia e Práxis, debatedor do tema *Cultura e redenção*, desenvolvido por D. Paul Poupard. Homenageado no Teatro Santa Isabel do Recife, em 31 de novembro, pelo cinqüentenário do 1º Congresso Afro-Brasileiro, ali realizado em 1934. Lê no Museu de Arte Sacra de Pernambuco (Olinda) a conferência *Cultura e museus*, publicada no ano seguinte pela FUNDARPE. Convidado pelo Conselho da Comunidade Portuguesa do Estado de São Paulo, lê no Clube Atlético Paulistano, em 8 de junho (Dia de Portugal) a conferência *Camões: vocação de antropólogo moderno?* publicada no mesmo ano pelo Conselho.

1985 Recebe da Fundação do Patrimônio Histórico e Artístico de Pernambuco (Fundarpe) a Homenagem à Cultura Viva de Pernambuco, em 18 de março. Viaja em maio aos Estados

Unidos, para receber, na Baylor University, o prêmio consagrador de notáveis triunfos (Distinguished Achievement Award). Profere em 21 de maio, na Havard University, conferência sobre "My first contacts with american intellectual life", promovida pelo Departamento de Línguas e Literaturas Românicas e pela Comissão de Estudos Latino-americanos e Ibéricos. Realiza exposição na Galeria Metropolitana Aloísio Magalhães do Recife: "Desenhos a cor: figuras humanas e paisagens". Recebe, em agosto, o grau de Doutor *Honoris Causa* em Direito e em Letras pela Universidade Clássica de Lisboa. Nomeado em setembro, pelo Presidente da República, para compor a Comissão de Estudos Constitucionais. Recebe o título de Cidadão de Manaus, em 6 de setembro. Profere, em 29 de outubro, conferência na inauguração do Instituto Brasileiro de Altos Estudos (Ibrae) de São Paulo, subordinada ao título "À beira do século XX". Em 20 de novembro, apresentação, no Cine Bajado, de Olinda, do filme de Kátia Mesel *Oh de Casa!* Em dezembro viaja a São Paulo, sendo hospitalizado no Incor para cirurgia de um divertículo de Zenkel (hérnia de esôfago). A Editora José Olympio publica a 7ª edição de *Sobrados e mucambos* e a 5ª edição de *Nordeste*. Por iniciativa do Centro de Estudos Latino-americanos da Universidade da Califórnia em Los Angeles, a editora da Universidade publica em Berkeley reedições em brochuras do mesmo formato *The masters and the slaves, The mansions and the shanties* e *Order and progress*, com introduções, respectivamente, de David H. E. Mayburt-Lewis e Ludwig Lauerhass Jr.

1986 Em janeiro, submete-se no Incor a uma cirurgia do esôfago para retirada de um divertículo de Zenkel. Regressa ao Recife em 16 de janeiro, reclamando: "agora estou em casa, meu Apipucos". Em 22 de fevereiro, volta a São Paulo para uma cirurgia de próstata o Incor, realizada em 24 de fevereiro. Recebe em 24 de abril, em sua residência de Apipucos, do embaixador Bernard Dorin, a comenda de Grande Oficial da Legião de Honra, no grau de Cavaleiro. Em maio, recebe da Empetur o prêmio Cavalo-Marinho. Em agosto, recebe o título de Cidadão de Aracaju. Em 24 de outubro, reencontra-se no Recife com a dançarina Katherine Dunhm. Em 28 de outubro é eleito para ocupar a cadeira 23 da Academia Pernambucana de Letras, vaga com a morte de Gilberto Osório de Andrade. Posse em 11 de dezembro na Academia Pernambucana de Letras. Recebe, em 16 de dezembro, o título de Pesquisador Emérito do Instituto de Pesquisas Sociais da Fundação Joaquim Nabuco. Publica-se em Budapeste a edição húngara de *Casa-grande & senzala: Udvarház es szolgaszállás.* A professora Élide Rugai Bastos defende na Pontifícia Universidade Católica de São Paulo a tese de doutoramento *Gilberto Freyre e a formação da sociedade brasileira*, orientada pelo professor Octavio Ianni. A Áries Editora publica em São Paulo o livro de Pietro Maria Bardi *Ex-votos de Mário Cravo* e a editora Creficul o livro do mesmo autor *40 anos de MASP*, ambos prefaciados por G. F.

1987 Instituição, em 11 de março, da Fundação Gilberto Freyre. Em 30 de março, recebe em Apipucos a visita do Presidente Mário Soares. Em 7 de abril, submete-se no Incor do Hospital Português a uma cirurgia para introdução de marcapasso. Em 18 de abril, Sábado Santo, recebe de D. Basílio Penido O.S.B. os sacramentos da Reconciliação, da Eucaristia e dos Enfermos. Morre no Hospital Português, às 4 horas da madrugada de 18 de julho, aniversário de Magdalena. Sepultamento no Cemitério de Santo Amaro, às 18 horas, discursando o Ministro Marcos Freire. Em 20 de julho, o Senador Afonso Arinos ocupa a tribuna da Assembléia Nacional Constituinte para prestar homenagem à sua memória. Em 19 de julho o jornal *ABC de Madri* publica um artigo de Julián Marías: "Adiós a um brasileño universal". Em 24 de julho, missas concelebradas, no Recife, por D. José Cardoso Sobrinho e D. Heber Vieira da Costa O.S.B., e em Brasília, por D. Hildebrando de Melo e pelos vigários da catedral e do palácio da Alvorada. Coral da Universidade de Brasília. Missa mandada celebrar pelo Seminário, com canto gregoriano a cargo das Beneditinas de Santa Gertrudes, de Olinda. A Editora Record publica *Modos de homem e modas de mulher* e as segundas edições de *Vida, forma e cor*; *Assombrações do Recife Velho* e *Perfil de Euclydes e outros perfis*. A Editora José Olympio publica a 25ª edição brasileira de *Casa-grande & senzala*. O Círculo do Livro publica nova edição de *Dona Sinhá e o filho padre*. A Editora Massangana publica *Pernambucanidade consagrada* (discursos de Gilberto Freyre e Waldemar Lopes na Academia Pernambucana de Letras). Ciclo de conferências promovido pela Fundação Joaquim Nabuco em memória de Gilberto Freyre, tendo como conferencistas Julián Marías, Adriano Moreira, Maria do Carmo Tavares de Miranda e José Antônio Gonsalves de Mello (convidado, deixou de vir, por doença, o antropólogo Jean Duvignaud). Ciclo de conferências promovido em Maceió pelo Governo do Estado de Alagoas, a cargo de Maria do Carmo Tavares de Miranda, Odilon Ribeiro Coutinho e José Antônio Gonsalves de Mello. Homenagem do Conselho Latino-Americano de Ciências Sociais, na abertura de sua XIV Assembléia Geral, realizada no Recife, de 16 a 21 de novembro. A editora mexicana Fondo de Cultura Económica publica a 2ª edição, como livro de bolso, de *Interpretación del Brasil*. A revista *Ciência e Cultura* publica em seu número de setembro o necrológio de G. F. solicitado por Maria Isaura Pereira de Queiroz a Edson Nery da Fonseca.

1988 Em convênio com a Fundação Gilberto Freyre e sob os auspícios do Grupo Gerdau, a editora Record publica no Rio de Janeiro a obra póstuma *Ferro e civilização no Brasil*.

1989 Em sua 26ª edição, *Casa-grande & senzala* passa a ser publicada pela editora Record, até a 46ª edição, em 2002.

1990 A Fundação das Artes e a Empresa Gráfica da Bahia publicam em Salvador *Bahia e baianos*, obra póstuma organizada e prefaciada por Edson Nery da Fonseca. A editora Klett-Cotta publica em Stuttgart a segunda edição alemã de *Sobrados e mucambos* (*Das land in der Sdadt*). Realiza-se na Fundação Joaquim Nabuco o seminário *O cotidiano em Gilberto Freyre*, organizado por Fátima Quintas (anais publicados no mesmo ano pela Editora Massangana).

1994 A Câmara dos Deputados publica, como volume 39 de sua coleção Perfis Parlamentares, *Discursos Parlamentares* de G. F., texto organizado, anotado e prefaciado por Vamireh Chacon. A editora Agir publica no Rio de Janeiro a antologia *Gilberto Freyre*, organizada por Edilberto Coutinho como volume 117 da coleção Nossos Clássicos, dirigida por Pedro Lyra. A editora 34 publica no Rio de Janeiro a tese de doutoramento de Ricardo Benzaquen de Araújo *Guerra e paz: Casa-grande & senzala e a obra de Gilberto Freyre nos anos 30*.

1995 Realiza-se na Fundação Joaquim Nabuco a semana de estudos comemorativos dos 95 anos de G. F. Conferências reunidas e apresentadas por Fátima Quintas na obra coletiva *A obra em tempos vários*, publicada em 1999 pela editora Massangana. A Fundação de Cultura da Cidade do Recife e a Imprensa Universitária da Universidade Federal de Pernambuco publicam no Recife *Novas conferências em busca de leitores*, obra póstuma organizada e prefaciada por Edson Nery da Fonseca. A editora Massangana publica o livro de Sebastião Vila Nova *Sociologias e pós-sociologia em Gilberto Freyre*.

1996 Realiza-se na Fundação Joaquim Nabuco o simpósio *Que somos nós?*, organizado por Maria do Carmo Tavares de Miranda em comemoração aos 60 anos de *Sobrados e mucambos* (anais publicados pela editora Massangana em 2000).

1997 Comemorando seu 75º aniversário, a revista norte-americana *Foreign Affairs* publica o resultado de um inquérito destinado à escolha de 62 obras "que fizeram a cabeça do mundo a partir de 1922". *Casa-grande & senzala* foi apontada como uma delas pelo professor Kenneth Maxwell. A Companhia das Letras publica em São Paulo a 4ª edição de Açúcar, livro reimpresso em 2002 por iniciativa da Usina Petribú.

1999 Por iniciativa da Fundação Oriente, da Universidade da Beira Interior e da Sociedade de Geografia de Lisboa, iniciam-se em Portugal as comemorações do centenário de nascimento de G. F., com o colóquio realizado na Sociedade de Geografia de Lisboa, de 11 e 12 de fevereiro, *Lusotropicalismo revisitado*, sob a direção dos professores Adriano Moreira e José Carlos Venâncio. A Fundação Oriente institui um prêmio anual de um milhão de escudos para "galardoar trabalhos de investigação na área da perspectiva gilbertiana sobre o Oriente". As comemorações pernambucanas foram iniciadas em 14 de março, com missa solene concelebrada na basílica do Mosteiro de São Bento de Olinda, com canto gregoriano pelas Beneditinas Missionárias da Academia Santa Gertrudes. Pelo decreto nº 21.403, de 7 de maio, o Governador de Pernambuco declarou, no âmbito estadual, "Ano Gilberto Freyre 2000". Pelo decreto de 13 de julho, o Presidente da República instituiu o ano 2000 como "Ano Gilberto Freyre". A UniverCidade do Rio de Janeiro instituiu, por sugestão da editora Topbooks, o prêmio de 20 mil dólares para o melhor ensaio sobre Gilberto Freyre.

2000 Por iniciativa da TV Cultura de São Paulo, foram elaborados os filmes Gilbertianas I e II, dirigidos pelo cineasta Ricardo Miranda com a colaboração do antropólogo Raul Lody. Em 13 de março ocorreu o lançamento nacional, numa promoção do Shopping Center Recife/UCI Cinemas/Weston Táxi Aéreo. Em 21 de março ocorreu o lançamento, na sala Calouste Gulbenkian da Fundação Joaquim Nabuco, Núcleo de Estudos Freyrianos, Governo do Estado de Pernambuco, Sudene e Ministério da Cultura. Por iniciativa do canal GNT, VideoFilmes e Regina Filmes, o cineasta Nelson Pereira dos Santos dirigiu 4 documentários com o título genérico de *Casa-grande & senzala*, tendo Edson Nery da Fonseca como co-roteirista e narrador. Filmados no Brasil, em Portugal e na Universidade de Columbia em Nova York, o primeiro – *O Cabral moderno* – vem sendo exibido pelo canal GNT a partir de 21 de abril. Os três outros – *A cunhã - mãe da família brasileira*, *O português – colonizador dos trópicos* e *O escravo na vida sexual e de família do brasileiro* – foram exibidos pelo mesmo canal, a partir de 2001. As editoras Letras e Expressões e Abregraph publicam a 2ª edição de *Casa-grande & senzala em quadrinhos*, com ilustrações de Ivan Wasth Rodrigues colorizadas por Noguchi. A editora Topbooks publica a 2ª edição brasileira de *Novo mundo nos trópicos*, prefaciada por Wilson Martins. A revista *Novos Estudos Cebrap*, em seu número 56, publica o dossiê "Leituras de Gilberto Freyre", com apresentação de Ricardo Benzaquen de Araújo, incluindo as introduções de Fernand Braudel à edição italiana de *Casa-grande & senzala*, de Lucien Febvre à edição francesa, de Antonio Sérgio a *O mundo que o português criou* e a de Frank Tannembaum à edição norte-americana de *Sobrados e mucambos*. Em 15 de março realiza-se na Maison de Sciences de l'Homme et de la Science o colóquio "Gilberto Freyre e a França", organizado pela professora Ria Lemaire, da Universidade de Poitiers. Em 15 de março o arcebispo de Olinda e Recife, José Cardoso, celebra missa solene na igreja de São Pedro dos Clérigos, com cantos do coral da Academia Pernambucana de Música. Na tarde de 15 de março foi apresentada, na sala Calouste Gulbenkian, em projeção de VHF, a Biblioteca Virtual Gilberto Freyre, que entrou imediatamente na Internet, http://prossiga.bvgf.fgf.org.br. De 21 a 24 de março realizou-se na Fundação Gilberto Freyre o *Seminário Internacional Novo Mundo nos Trópicos* (anais publicados com título homônimo). De 28 a 31 de março realizou-se no Centro Cultural Banco do Brasil do Rio de Janeiro o ciclo de palestras *À propósito de Gilberto Freyre* (não reunidas em livro). De 14 a 16 de agosto realizou-se o seminário *Gilberto Freyre Patrimônio Brasileiro*, promovido conjuntamente pela Fundação Roberto Marinho, UniverCidade do Rio de Janeiro, Colégio do Brasil, Academia Brasileira de Letras, Folha de S. Paulo e Instituto de Estudos Avançados da Universidade de São Paulo. Iniciado no auditório da Academia Brasileira de Letras e num dos campi da UniverCidade, foi concluído no auditório da Folha de S. Paulo e na cidade universitária da USP. Em 18 de outubro, realizou-se no anfiteatro da História da USP o *Seminário Multidisciplinar Relendo Gilberto Freyre*, organizado pelo Centro Angel Rama da Faculdade de Filosofia, Letras e Ciências Humanas na mesma universidade. Em 20 de outubro iniciou-se na embaixada do Brasil em Paris o seminário *Gilberto Freyre e as Ciências Sociais no Brasil*, promovido pelo Ministério das Relações Exteriores e Fundação Gilberto Freyre. Em 30 de outubro realizou-se em Buenos Aires o seminário *À la busqueda de la identidad: el ensayo de interpretación nacional en Brasil y Argentina*. De 6 a 9 de novembro realizou-se no Sun Valley Park Hotel, em Marília, SP, a Jornada de Estudos Gilberto Freyre, organizada pela Faculdade de Filosofia e Ciências da UNESP. Em 21 de novembro realizou-se na Universidade de Essex o seminário *The English in Brazil: a Study in Cultural Encounters*, dirigido pela professora Maria Lúcia Pallares-Burke. Em 27 de novembro realizou-se na Universidade de Cambridge o seminário *Gilberto Freyre & História Social do Brasil*, dirigido pelos professores Peter Burke e Maria Lúcia Pallares-Burke. De 27 a 30 de novembro realizou-se no Centro de Ciências Humanas, Letras e Artes da Universidade Federal da Paraíba o simpósio *Gilberto Freyre: Interpenetração do Brasil*, organizado pela professora Elisalva Madruga Dantas e pelo poeta e multiartista Jomard Muniz de Brito (anais com título homônimo publicados pela editora Universitária em 2002). De 28 a 30 de novembro realizou-se na sala Calouste Gulbenkian da Fundação Joaquim Nabuco o *Seminário Internacional Além do Apenas Moderno*. De 5 a 7 de dezembro realizou-se no auditório João Alfredo da Universidade Federal de Pernambuco o seminário *Outros Gilbertos*, organizado pelo Laboratório de Estudos Avançados de Cultura Contemporânea do Departamento de Antropologia da mesma universidade. Publica-se em São Paulo, pelo Grupo Editorial Cone Sul, o ensaio de Gustavo Henrique Tuna *Gilberto Freyre - entre tradição & ruptura*, premiado na categoria "ensaio" do 3º Festival Universitário de Literatura, organizado pela Xerox do Brasil e pela revista *Livro Aberto*. Por iniciativa do deputado Aldo Rebelo a Câmara dos Deputados reúne no opúsculo *Gilberto Freyre e a formação do Brasil*, prefaciado por Luís Fernandes, ensaios do próprio deputado, de Otto Maria Carpeaux e de Regina Maria A. F. Gadelha. A editora Comunigraf publica no Recife o livro de Mário Hélio *O Brasil de Gilberto Freyre, uma introdução à leitura de sua obra*, com ilustrações de José Cláudio e prefácio de Edson Nery da Fonseca. A editora Casa Amarela publica em São Paulo a segunda edição do ensaio de Gilberto Felisberto Vasconcellos *O Xará de Apipucos*. A Embaixada do Brasil em Bogotá publica o opúsculo *Imagenes*, com texto e ilustrações selecionadas por Nora Ronderos.

2001 A Companhia das Letras publica em São Paulo a 2ª edição de *Interpretação do Brasil*, organizada e prefaciada por Omar Ribeiro Thomaz (nº 19 da coleção Retratos do Brasil). A editora Topbooks publica no Rio de Janeiro a obra coletiva *O imperador das idéias: Gilberto Freyre em questão*, organizada pelos professores Joaquim Falcão e Rosa Maria Barboza de Araújo, reunindo conferências do seminário realizado no Rio de Janeiro e em São Paulo de 14 a 17 de agosto de 2000. A editora Topbooks e UniverCidade publicam no Rio de Janeiro a 2ª edição de *Além do apenas moderno*, prefaciada por José Guilherme Merquior e as terceiras edições de *Aventura e rotina*, prefaciada por Alberto da Costa e Silva e de *Ingleses no Brasil*, prefaciada por Evaldo Cabral de Melo. A editora da Universidade do Estado de Pernambuco publica, como nº 18 de sua Coleção Nordestina, o livro póstumo *Antecipações*, organizado e prefaciado por Edson Nery da Fonseca. A editora Garamond publica no Rio de Janeiro o livro de Helena Bocayuva *Erotismo à brasileira: o excesso sexual na obra de Gilberto Freyre*, prefaciado pelo professor Luis Antonio de Castro Santos.

2002 Publica-se no Rio de Janeiro, em co-edição da Fundação Biblioteca Nacional e Zé Mário Editor, o livro de Edson Nery da Fonseca *Gilberto Freyre de A a Z*. Publica-se em Paris, sob os auspícios da Ong da Unesco ALLCA XX e como volume nº 55 da Coleção Archives, a edição crítica de *Casa-grande & senzala*, organizada por Guillermo Giucci, Enrique Rodríguez Larreta e Edson Nery da Fonseca.

2003 O Governo instalado no Brasil em 1º de janeiro extingue, sem nenhuma explicação, o Seminário de Tropicologia criado em 1966 pela Universidade Federal de Pernambuco, por sugestão de G. F. e incorporado em 1980 à estrutura da Fundação Joaquim Nabuco. Gustavo Henrique Tuna defende no Departamento de História do Instituto de Filosofia e Ciências Humanas da Universidade Estadual de Campinas a dissertação de mestrado *Viagens e viajantes em Gilberto Freyre*. A Editora da Universidade de Brasília publica em co-edição com a Imprensa Oficial do Estado de São Paulo as seguintes obras póstumas, organizadas por Edson Nery da Fonseca: *Palavras repatriadas* (prefácio e notas do organizador), *Americanidade e Latinidade da América Latina e outros textos afins*, *Três histórias mais ou menos inventadas* (prefácio e posfácio de César Leal) e *China Tropical*. A Global Editora publica a 47ª edição de *Casa-grande & senzala* (apresentação de Fernando Henrique Cardoso). No mesmo ano, publica também a 4ª edição da obra-mestra de Freyre. A Global Editora publica a 14ª edição de *Sobrados e mucambos* (apresentação de Roberto DaMatta). Publica-se pela Edusc, Editora da Unesp e Fapesp o livro *Gilberro Freyre em quatro tempos* (organização de Ethel Volfzon Kosminsky, Claude Lépine e Fernanda Arêas Peixoto), reunindo comunicações apresentadas na Jornada de Estudos Gilberto Freyre ocorrida em Marília, SP, em 2000. Publica-se pela Edusc, Editora Sumaré e Anpocs o livro de Élide Rugai Bastos *Gilberto Freyre e o pensamento hispânico: entre Dom Quixote e Alonso El Bueno*.

2004 A Global Editora publica a 6ª edição de *Ordem e progresso* (apresentação de Nicolau Sevcenko), a 7ª edição de *Nordeste* (apresentação de Manoel Correia de Oliveira Andrade), a 15ª edição de *Sobrados e mucambos* e a 49ª edição de *Casa-grande & senzala*. Em conjunto com a Fundação Gilberto Freyre, a Global Editora lança o Concurso Nacional de Ensaios - Prêmio Gilberto Freyre 2004/5, destinado a premiar e a publicar ensaio que aborde "qualquer dos aspectos relevantes da obra do escritor Gilberto Freyre".

2005 Em 15 de março é premiado o trabalho de Élide Rugai Bastos intitulado *As criaturas de Prometeu – Gilberto Freyre e a formação da sociedade brasileira* como vencedor do Concurso Nacional de Ensaios – Prêmio Gilberto Freyre 2004/5, promovido pela Fundação Gilberto Freyre e pela Global Editora. A Global Editora publica a 50ª edição (edição comemorativa) de *Casa-grande & senzala*, em capa dura. Em agosto, o grupo de teatro "Os fofos encenam", sob a direção de Newton Moreno, estréia a peça *Assombrações do Recife Velho*, adaptação da obra homônima de Gilberto Freyre, no Casarão do Belvedere, situado no bairro da Bela Vista, em São Paulo. Em 18 de outubro, na Livraria Cultura do Shopping Villa-Lobos, em São Paulo, é lançado *Gilberto Freyre – um vitoriano dos trópicos*, de Maria Lúcia Pallares-Burke, pela Editora da Unesp, em mesa-redonda com a participação dos professores Antonio Dimas, José de Souza Martins, Élide Rugai Bastos e a autora do livro. A Global Editora publica a 3ª edição de *Casa-grande & senzala em quadrinhos*, com ilustrações de Ivan Wasth Rodrigues colorizadas por Noguchi.